D0190221

DE PIONIERS

Opgedragen aan mijn zoon Sam, die evenals Jesse Morgan een intelligente en gevoelige jongeman is die staat op de drempel van het leven.

Jack Cavanaugh

De Pioniers

roman

vertaald door
P.J. de Gier

Tweede druk

Tweede druk, 2006

Oorspronkelijke titel: *The Pioneers*
Uitgegeven door Victor Books, Wheaton, Illinois

Omslagillustratie: Chris Cocozza
Omslagbelettering: Dik Hendriks
ISBN 90 6140 575 0
ISBN-13 978 90 6140 575 7
NUR 302/337

WOORD VAN DANK

Ik dank Jane Watson Wales en Erick voor het feit dat zij mij hun boeken geleend hebben over de trek naar het westen. Zoals u bij het lezen van de hoofdstukken over de prairie zult opmerken, waren zij voor mij van onschatbare waarde.

Ik dank John Mueller – je technische kennis heeft mij steeds weer verbaasd doen staan. Ik ken niemand die zo'n historische kennis bezit over zaken als houtbewerking, loodgieterswerk en stoommachines, om maar een paar dingen te noemen. Bedankt voor al je aanwijzingen.

Ook Mavis Sanders dank ik voor het feit dat je mij mee uit eten genomen hebt in het historische Brown Palace Hotel in Denver, wat een prachtige achtergrond voor dit boek opleverde. Ook bedankt voor je vriendschap en de toegewijde inspanning waarmee je hebt bijgedragen aan de totstandkoming van deze serie en die mij in mijn schrijverscarrière geholpen hebben.

Ik dank de staf van Greg Clouse en Victor Books – toen ik drie jaar geleden besloot mij helemaal aan het schrijven te wijden, hebben jullie mij daarbij aangemoedigd. Dit jaar is het precies andersom geweest en heb ik jullie kunnen adviseren bij de veranderingen in jullie uitgeverij. Ik bid dat jullie op zekere dag kunnen terugzien en Gods leiding kunnen zien in de veranderingen, als dat nu al niet het geval is.

HOOFDSTUK 1

Jesse Morgan hoorde het hulpgeroep niet. Hij verkeerde in een andere wereld.

Hoewel hij door de donkere, stinkende en vuile straten van het oostelijke deel van New York liep, zat hij in gedachten in een Conestoga-huifkar in het Oklahoma Territorium, terwijl hij met zijn ene hand zijn ogen beschermde tegen het felle zonlicht op de prairie en met de andere een geweer greep om zich te kunnen verdedigen tegen de wilde Indianen die om zijn wagen heenzwermden. In gedachten zag hij hoe de blonde Charity Increase in elkaar gedoken zat op het bed achterin de wagen. Er was geen spoor van vrees te bespeuren in de onschuldige ogen die zij op hem gericht hield. Waarom zou ze bang zijn? Dit was niet de eerste keer dat zij samen de dood onder ogen moesten zien. Uit haar blik sprak slechts grote liefde voor hem en het kalme vertrouwen dat hij haar opnieuw uit het dodelijke gevaar zou bevrijden.

De trein die boven de Second Avenue reed, knarste en piepte boven Jesse's hoofd en veroorzaakte een windvlaag. Sintels en as van de locomotief vielen als vallende sterren op de grond zonder dat er aandacht aan werd besteed. Jesse lichtte zijn pet op en streek door zijn bruine haar dat, als het zonlicht erop viel, bijna rood was, maar onder het gedempte licht van de straatlantaarns nu grijsbruin leek.

Jesse had een open gezicht en zag er meestal zorgeloos uit. Nu had hij de blik naar binnen gericht en in zijn verbeelding zag hij zichzelf het geweer richten op de wilde roodhuiden. Hij hoorde de schrille fluittoon van de trein boven hem niet, evenmin als het donderende geratel van de wielen op de rails boven hem. Ook hoorde hij het tweede hulpgeroep niet, hoewel de kreet deze keer nog luider en indringender was.

Zoals vermoeide paarden naar de stal terugkeren, zo droegen Jesse's voeten zijn slungelachtige lichaam door de Grand Street. Hij liep langs de donkere ramen van de winkel van Ridley met zijn smeedijzeren versieringen op de gevel die om de hoek heen verder doorliep in de Orchard Street. Het modieuze warenhuis van Ridley straalde een voornaamheid en sierlijkheid uit die in deze omgeving ongekend was. De kleding met de brede manchetten en wespentailles, de keukenkabinetten en het eetkamermeubilair met vitrinekasten met porselein, waren voor de omgeving van Ridley, waar allemaal immigranten woonden, ver buiten bereik.

De gezinnen die deze stadswijk met het grote winkelbedrijf deelden, woonden willekeurig door elkaar heen en boven elkaar in gammele appartementen die uit zeven verdiepingen bestonden. Mannen, vrouwen en kinderen werkten in benauwde bedrijven en werkplaatsen en hun karig loon werd besteed aan aardappelen, knollen, kool, wortelen, erwten en bieten die in de houten vaten op de markt in de Hester Street te vinden waren. Het warenhuis van Ridley herinnerde hen er slechts aan dat de artikelen die daar te koop waren, buitėn hun bereik lagen. Voorlopig tenminste.

Maar zij konden wel dromen en dat deden ze dan ook.

Niet iedereen droomde van avonturen en verliefde jonge vrouwen zoals Jesse Morgan. Velen droomden ervan dat ze op zekere dag een stuk land zouden bezitten of dat ze hun eigen zaakje zouden hebben. Sommigen droomden er slechts van aan het vuil, de armoede en narigheid van de buurt te ontsnappen.

Nu het geen tien jaar meer zou duren voordat de twintigste eeuw zou aanbreken, richtte een toenemend aantal van hen de blik hemelwaarts en zij hoopten aan hun dagelijkse ellende te kunnen ontsnappen. Allerlei verschillende voorspellingen en profetieën over het einde van de wereld deden de ronde.

Een vurige winkelier in Broadway hing een groot bord boven de deur van zijn winkel, waarop de datum dat de wereld aan haar eind zou komen, vermeld werd. Er stond op:

> LET OP!
> Deze winkel wordt gesloten ter ere van de Koning der koningen, Die op twintig oktober zal verschijnen.
> Bereidt u erop voor, vrienden, om Hem tot Heere over alles te kronen.

Op een kleiner bord in de etalage werd geadverteerd met fijne katoenstof voor hemelvaartskleding die te koop was voor twintig cent per meter. Toen de voorspelde datum naderde, sloot de winkelier inderdaad zijn winkel in de verwachting dat de Heere spoedig zou weerkomen. Zes maanden later, toen de datum was aangebroken en voorbijgegaan zonder dat er iets gebeurd was, was de winkel nog steeds gesloten. Onder de buurtbewoners deed het gerucht de ronde dat de winkelier bij zijn wachten de hongerdood gestorven was.

Terwijl sommige minder godsdienstige buren spottende opmerkingen maakten over de dwaasheid van de man, merkte een ander op dat God de droom van de man over de hemel op een meer natuurlijke manier inderdaad vervuld had. Zijn uitleg over het sterven van de man ontving overal bijval. De achterbuurtbewoners hielden met grote koppigheid vast aan hun overtuiging dat hun dromen nog eens zouden uitkomen.

Voor de dromers van deze huurkazernes waren centen de eerste aanbetaling op hun dromen. Cent voor cent werd omgedraaid en zo mogelijk opzij gelegd. De centen werden in een oude kous of in een pot gestopt en op een geheime plaats verborgen. Algemeen werd aangenomen dat, als er maar genoeg centen gespaard konden worden, die koperen muntjes iedere droom, hoe groot of ongrijpbaar die ook leek, waar zou kunnen maken.

Er deden genoeg verhalen de ronde om aan deze overtuiging te blijven vasthouden, verhalen die zelfs de meest verharde scepticus moesten overtuigen. Zo was er een verhaal over een Nederlander die aan de achterbuurt ontsnapt was en die nu de eigenaar was van een winkel in Brooklyn. Een ander verhaal ging over een jonge Joodse vrouw die eerst verstelwerk had gedaan, maar die nu een eigen kledingzaak had.

Het waren dit soort verhalen die er bij de bewoners van de huurkazernes de moed er in hielden op drukkende zomeravonden, als de dagen lang waren en de hoop dreigde te verflauwen, als de spaarpot leger dan ooit leek en als de stank, het lawaai en de bekrompenheid van de huurkamers het leven ondraaglijk maakten.

Als ze op straat bij elkaar kwamen, vertelden zij elkaar opnieuw de verhalen over degenen die aan de buurt ontsnapt waren, waarbij ze naar de rij lichtjes keken die tussen de vervallen gebouwen langs de straat te zien waren. Op zo'n moment vergaten ze even de zestien uur durende werkdag, het karige stukloon dat ze ontvingen en de machines in de fabriek die zoveel lawaai maakten en die zo af en toe een arm of een been afrukten. En dan droomden ze over de dag dat ze aan dit alles zouden kunnen ontsnappen, over de dag waarop ze iets meer te zien zouden krijgen dan die smalle strook lucht.

Evenals zijn buren droomde ook Jesse Morgan van overleving. Hij droomde vaak, hij deed het beter dan menig ander omdat hij zo vaak oefende. Hij droomde tijdens zijn werk en als hij thuis was en hij droomde terwijl hij op weg was van de ene naar de andere plaats. Het was een manier van leven voor hem geworden. Hij gaf verreweg de voorkeur aan zijn schone, edele visioenen van glorie dan aan de werkelijkheid van de vieze en half-verlichte portalen van thuis.

Zijn moeder zei dat hij zijn verbeelding van vaderszijde had. Ongetwijfeld had ze gelijk, want Jesse's tante was de welbekende schrijfster Sarah Morgan-Cooper. Als schrijfster van vijfstuivers-romans was haar naam aan lezers van fictieve verhalen net zo bekend als die van Mary J. Holmes, die graag gelezen romantische verhalen over fabrieksmeisjes en keukenmeiden schreef; en die van Harlan P. Halsey, de schrijver van *Old Sleuth*, een detectieveserie waarin allerlei bloederige en adembenemende avonturen werden verhaald en die bovendien door de kleurige en lugubere boekomslagen nog gretiger aftrek vonden; en van Horatio Alger die met zijn boeken *Luck and Pluck* en *Ragged Dick* het thema van het wereldse succes verheerlijkte.

Ook Jesse's tante droeg haar steentje bij aan dit succesvolle genre. Het unieke van haar verhalen was echter dat ze een geestelijk element aan haar verhalen toevoegde. Haar meest bekende boek, de avonturen van Truly Noble en Charity Increase, was gebaseerd op morele uitgangspunten die aan de Bijbel waren ontleend. In de denkbeeldige wereld van mevrouw Cooper werden trouw en ijver altijd beloond. Haar held, een zestienjarige wees, gebruikte slechts als uiterste noodzaak geweld; aan het eind van het verhaal had hij altijd een morele les geleerd; en altijd, altijd, oogstte hij de bewondering en genegenheid van de beminnelijke Charity Increase.

Hoewel Jesse zijn beroemde tante nooit ontmoet had, had zij hem altijd haar boeken toegestuurd zodra ze uitgekomen waren. Binnen een dag nadat hij het boek ontvangen had, had hij het al verslonden. Na een week kende hij het boek woord voor woord en binnen een maand had hij allerlei thema's in het boek voor zichzelf verder uitgewerkt.

Toen hij haar eerste boek kreeg, was Jesse acht jaar geweest. Hij las het zo vaak dat de bladzijden beduimeld werden en dat de omslag zo dun werd, dat die er op zeker moment afviel. Vanaf die dag had Jesse de toezending van een nieuw avontuur met kerst met groot enthousiasme ontvangen.

In het begin was zijn moeder blij geweest met Jesse's enthousiasme voor lezen. Ze was er altijd van uitgegaan dat zijn smaak na verloop van tijd wel beter en meer volwassen zou worden. Maar toen Jesse tenslotte volwassen geworden was, toonde hij nergens anders belangstelling voor dan voor vijfstuiver-romans. Toen zijn moeder van een buurman op de derde verdieping, rabbi Moskowitz, *Les Miserables* van Victor Hugo leende, trok hij daar zijn neus voor op. Evenals zijn moeder maakte ook de rabbi zich zorgen over zijn oppervlakkige smaak ten aanzien van boeken en hij deed de suggestie dat Jesse misschien wel belangstelling zou hebben voor verhalen die wat moderner waren, verhalen over de trek naar het Westen zoals *Huckleberry Finn*, dat geschreven was door een onderhoudende journalist uit het Westen.

Jesse's moeder dacht dat de rabbi een goede oplossing gevonden had en ze leende het boek van hem. Ze gaf het aan Jesse en gaf er een aanbeveling bij waarvan de schrijver gebloosd zou hebben. Jesse kwam nooit verder dan de eerste bladzijde.

Toen Jesse het door de rabbi aangeprezen boek aan zijn moeder teruggaf, maakte hij haar duidelijk dat hij geen echte belangstelling voor lezen had. De enige reden dat hij las, was om de wereld van Truly Noble binnen te gaan, waarin goed en kwaad duidelijk te onderscheiden waren en waarin het recht altijd zijn loop had.

Jesse ging nooit ergens heen zonder één van de romannetjes van zijn tante bij zich te hebben. Voor hem vormden zij de poort tot het avontuur. En zodra hij die poort was doorgegaan, kon slechts een catastrofale gebeurtenis hem weer terugbrengen tot de werkelijkheid, zoals bijna overreden te worden door een tram of tegen een pilaar op te lopen - of een bloedstollende kreet uit een steeg.

Jesse liep de steeg al voorbij toen de kreet eindelijk tot zijn hersens doordrong. De muren weerkaatsten het geluid zijn kant op. Deze keer werd de kreet niet overstemd door het geratel van treinwielen. De kreet was een duidelijke schreeuw om hulp.

'Drommels!' Jesse gebruikte een woord uit zijn droomwereld. Het was de geliefde uitroep van Truly Noble, die hij gebruikte zodra hij iets bespeurde wat niet in orde was.

Aan het eind van de steeg stond een vat waarin een fel vuur brandde. Een vuile, in lompen gehulde kwajongen stond met zijn handen op zijn heupen toe te zien hoe twee andere, even vuile jongens van zijn lengte, een kleinere jongen aan zijn armen en benen boven het vuur heen en weer zwaaiden.

Aan het ene eind van de slingerbeweging raakte de verwarde rode haardos van de jongen de straatkeien; aan het andere eind van de slingerbeweging kwam de jongen in een soort zittende houding, waarbij zijn achterste boven de rand zweefde van het vat waarin het vuur brandde. Vanuit het vat likten de vlammen als speelse oranje en gele hondjes naar de rug van de jongen. Iedere keer als dit gebeurde, gilde de jongen.

'Finn! Zeg dat ze ophouden!', gilde hij. 'Finn, dit is niet leuk meer! Schiet op, Finn!'

Aan het doodsbange gezicht van de jongen was te zien dat de kwajongensstreek het stadium van een spelletje allang gepasseerd was. De tranen liepen over zijn vuile wangen. Zijn broek smeulde en zijn geschreeuw was niet alleen maar een protest, maar duidelijk het hulpgeroep van een slachtoffer dat verbrand wordt.

Jesse herkende de kreet. Hij had die eerder gehoord en hij had de gevolgen van dit spelletje ook eerder gezien.

Op dat moment begon het vuur hem te wenken. De jongens en hun bewegingen vervaagden. Het enige wat Jesse nog met afschrikwekkende duidelijkheid zag, waren de vlammen. Flikkerend kwaad. Vingers van de dood. En hij kreeg het gevoel dat die vlammen nu ook hem zagen. Ze herkenden hem van vroeger, daar was hij zeker van. Het was net alsof de vlammen in het vat hun belangstelling voor de jongen verloren hadden. Ze richtten nu hun belangstelling op hem. Ze hoonden hem. Ze daagden hem uit.

De vlammen in de ton dansten zo verleidelijk als Salome voor koning Herodes gedanst had. Ze draaiden rond, sprongen omhoog, plaagden hem. Onweerstaanbaar werd hij door de dansende vlammen aangetrokken. Ze wilden hem hebben. Zo hartstochtelijk als Salome het hoofd van Johannes de Doper op een schotel had willen hebben, zo wilden de vlammen in de ton hem hebben. En ze zouden niet eerder tevreden zijn tot hij net zo dood was als die prediker uit de woestijn.

Met onzichtbare handen overspanden de vlammen de afstand tussen hen en grepen hem naar de keel. Jesse kreeg het benauwd. Zijn hart bonsde in zijn keel. Hoewel er slechts een dun sliertje rook te zien was dat uit het vat naar boven kringelde, vulden in Jesse's verbeelding grote rookwolken zijn keel en longen. Ze verschroeiden hem zodat hij geen lucht meer kon krijgen.

Jesse hapte naar adem. Hij kreeg een hevige hoestbui.

De geluiden die hij maakte brachten het spel van de jongens aan het andere eind van de steeg tot een voorlopig einde. Het zwaaien hield op, maar de jongen werd niet losgelaten. Zoals hij daar met zijn rug op de grond lag, zijn armen en benen in de lucht, leek hij net op een varken aan het spit. Evenals de andere drie jongens keek hij naar Jesse.

'Hé, lange Jan, maak dat je wegkomt!' Finn, de aanvoerder van het spelletje, stak dreigend zijn vuist naar Jesse op.

De beschrijving die de jongen van Jesse gaf, was juist. Hij was mager en slungelig, waardoor hij langer leek dan hij in werkelijkheid was.

Jesse bewoog zich niet. Hij was zich ervan bewust dat iemand iets tegen hem zei, maar de stem was niet duidelijk en klonk als een geluid dat door water gesmoord werd. Het enige wat duidelijk voor hem was, was de hypnotische aantrekkingskracht van het vuur en de dodelijke greep die dat vuur op zijn keel had.

Finn stapte dreigend naar voren. Hierdoor kon Jesse het brandende vat niet langer zien.

De betovering werd plotseling verbroken. De verleidelijke aantrekkingskracht van het vuur vervaagde. Opnieuw was het vuur er niet in geslaagd hem tot slachtoffer te maken. Terwijl hij zich met één hand tegen de muur staande hield, probeerde Jesse zoveel mogelijk lucht binnen te krijgen.

Finn boog zich naar voren. 'Nou, ben je soms gek? Denk je soms dat ik tegen mijzelf praat? Maak dat je wegkomt!'

'Ik hoorde iemand om hulp roepen', bracht Jesse uit. Hij was nu weer op adem gekomen en richtte zich in zijn volle lengte op. Hij was minstens dertig centimeter langer dan Finn.

'Nou, dan heb je je vergist', zei Finn, zijn vinger naar Jesse uitstekend. 'Je hebt niets gehoord.' Zonder zijn hoofd om te draaien, zei hij tegen de andere jongens: 'Hé, hij heeft toch niets gehoord, jongens?'

'Nee, zeker niet!'

'Je hebt helemaal niks gehoord!'

De drie oudere jongens keken hem doordringend aan. Jesse voelde hun gemeenschappelijke dreiging. Hij werd erdoor van zijn stuk gebracht, maar hij bleef staan. Iemand moest toch voor dat joch opkomen, dat daar nog steeds met zijn armen en benen in de lucht op de grond lag.

Jesse wierp een geruststellende blik op de jongen. Hij wilde hem laten weten dat hij niet bang was. De manier waarop de jongen terugkeek, bracht hem echter in verwarring. Jesse had verwacht een smekende blik op het gezicht te zullen zien, een geluidloze roep om hulp. Maar de ogen onder de verwarde, rode haardos staarden onverschillig en vijandig naar hem.

Nou ja, dat was niet belangrijk. Hier werd onrecht gedaan. Wat deze grotere en oudere jongens een jongen die maar half zo groot was als zij, aandeden, was verkeerd. Jesse kon niet zomaar weglopen, waardoor ze hem opnieuw zouden kunnen kwellen. Maar wat moest hij nu eigenlijk doen?

Wat zou Truly Noble is zo'n situatie doen?

Deze gedachte schoot door zijn hoofd en dat was niet de eerste keer. Bij verschillende gelegenheden had hij zich door deze gedachte laten leiden. Steeds weer had Jesse wijsheid geput uit de avonturen van Truly Noble. En deze keer was het niet anders. Het antwoord op deze vraag werd hem onmiddellijk duidelijk.

Dat kwam in de vorm van een dialoog uit *De ondergang van de dwalende speurder*, het boek dat hij zojuist gelezen had en dat hij nu in zijn broeksband bij zich droeg. In het verhaal adviseerde Tru Docile Dan, een verlegen leerling-speurder, hoe hij een gevaarlijke situatie moest benaderen:

'Ten eerste, ren nooit op het gevaar af', had Tru gezegd. 'Zorg er altijd voor dat je weet wat je te wachten staat. Verkeerde actie is erger dan helemaal geen actie. Ten tweede, probeer tot overeenstemming te komen. Gebruik geweld alleen als laatste middel. En ten derde, doe alles wat noodzakelijk is om de zaken recht te zetten. God heeft behagen in de zaak van een rechtvaardig mens.'

Goed dan, dacht Jesse, *zo is de situatie dus. Het is drie tegen één. Maar tegenover wie moet ik mij teweer stellen? Drie uit de kluiten gewassen vlegels die een jochie, dat veel kleiner is, te lijf gaan. Wat voor iemand is het die iemand die veel kleiner is te lijf gaat? Een lafaard. Alle drie – lafaards. En een lafaard zal er altijd vandoor gaan voor iemand die net zo groot is als hij of die groter is.*

Gewapend met de wijsheid van zijn held, stapte Jesse Morgan manmoedig vooruit en zei: 'Laat die jongen met rust.'

Finn staarde Jesse in opperste verbazing aan.

Hij is er kennelijk niet aan gewend dat iemand het tegen hem opneemt, dacht Jesse.

Met een vuile wijsvinger streek Finn langs zijn neus en snoof. Hij schudde verwonderd zijn hoofd. Op zijn vuile gezicht verscheen een glimlach en een paar zwarte tanden werden zichtbaar. Achter hem lieten de twee andere slungels het jochie los en ze voegden zich bij hun leider. De jongen deed geen poging om op te staan.

Jesse stond oog in oog met zijn drie tegenstanders. *Het is hun om die jongen te doen,* dacht hij. *Zodra die verdwenen is, hebben ze niets meer om voor te vechten en dan gaan ze wel weg.* Hij schreeuwde langs de drie jongens die met grimmige gezichten tegenover hem stonden heen: 'Grijp je kans, jongen! Wegwezen!'

De jongen keek hem stompzinnig aan.

'Daar, door die poort!' Jesse wees naar de houten schutting die de steeg achter de jongen afsloot.

De jongen keek naar de deur en toen weer naar Jesse. Hij deed geen enkele poging om er vandoor te gaan.

'Als die deur op slot zit, klim er dan overheen!', schreeuwde Jesse. 'Ik zorg wel voor deze drie hier. Vooruit! Lopen, jongen!'

De jongen bleef liggen waar hij lag.

Finn lachte en er werden nog meer zwarte tanden zichtbaar. 'Die gaat er heus niet vandoor, of wel, Jake?' Finn draaide zich om en keek naar de jongen. De jongen schudde zijn hoofd. Finn grinnikte toen hij zich weer tot Jesse keerde. 'Zie je, Jake daar is mijn broer. Hij doet wat ik zeg.' Finn deed een stap vooruit, waardoor hij dichter bij Jesse kwam te staan. 'En niemand moet mij vertellen wat ik moet doen als het om mijn broertje gaat.'

Broers. Jesse keek langs Finn heen naar de jongen. Zijn ogen stonden dicht bij elkaar evenals die van Finn; en beiden hadden een zelfde soort kin. Waarom had hij de overeenkomst niet eerder gezien? Maar dat deed er nu niet toe.

'Broer of niet', zei Jesse, 'wat jullie deden, was verkeerd. Hij zou zich wel hebben kunnen branden.'

'Dan is het maar gelukkig dat jij net langskwam!', riep Finn verachtelijk uit. 'Want nu hoeven we hem geen pijn te doen. Nu hebben we *jou.*'

Voor Jesse iets kon doen, grepen de twee andere vlegels hem bij zijn armen. Hij was wel langer, maar zij waren veel steviger gebouwd. Instinctmatig probeerde Jesse los te komen. Toen gaf hij het op. Niet omdat hij overmeesterd was, maar omdat hij zich de woorden van Truly Noble herinnerde: *Probeer tot overeenstemming te komen. God heeft behagen in de zaak van een rechtvaardig mens.*

'Ik wil niet met je vechten, Finn', zei Jesse. 'Het ging mij alleen om de veiligheid van de jongen. Als je belooft hem geen kwaad te doen, zal ik je op je woord geloven en weggaan.'

'Wil je niet met mij vechten?', vroeg Finn terwijl hij over zijn knokkels wreef.

Jesse schudde zijn hoofd. 'Nee, ik wil geweld alleen maar als laatste red...'

Een plotselinge stomp in Jesse's maag maakte een abrupt einde aan Jesse's zin. Hij sloeg dubbel, maar werd door de twee kerels naast hem onmiddellijk weer overeind getrokken. Jesse kreeg een tweede klap en zag sterretjes.

'Weet je', zei Finn, 'ik gebruik geweld altijd als eerste redmiddel. Dat werkt veel beter. Vinden jullie ook niet, jongens?'

Jesse hoorde de twee Neanderthalers naast hem bulderen van de lach. Hij moest alle moeite doen om bij bewustzijn te blijven. Met het laatste restje bewustzijn formuleerde hij een vraag: *Wat zou Truly Noble doen?*

Maar deze keer schoot hem geen antwoord te binnen. Zijn hersens – die door de pijn en het gebrek aan zuurstof verschrompeld leken tot de grootte van die van een mus – konden de vraag wel stellen, maar niet begrijpen. De vraag bleef maar in zijn hoofd rondtollen: *Wat zou Truly Noble doen? Wat zou Truly Noble doen? Wat zou Truly Noble doen?*

'Ik weet wat!', schreeuwde Finn triomfantelijk. 'Laten we een geintje uithalen!' Hij keek naar het vat achter hem en zei: 'We zullen hem eens boven het vuur ronddraaien! Breng hem erheen, jongens.'

Jesse voelde hoe hij dieper de steeg ingesleurd werd naar het laaiende vat.

'Omdat jij onze eregast bent', zei Finn tot Jesse, 'mag jij eerst!'

Terwijl hij door ijzeren handen naar het vuur gesleept werd, klonk er nog meer gelach van de Neanderthalers. Jesse zette zich schrap tegen de straatkeien en probeerde hen tot staan te brengen. Hij gleed weg en werd verder gesleept. Toen het groepje bij de ton kwam, sloot Jesse zijn ogen om niet in het vuur te hoeven kijken. Als hij in het vuur zou kijken, zou het afgelopen zijn met hem.

Jesse voelde zijn kansen om zonder ernstige brandwonden aan het gevaar te ontsnappen, wegsmelten als sneeuw voor de zon. Zelfs als hij al zijn kracht kon aanwenden, zou hij die twee vlegels nog niet de baas kunnen en zeker niet nu hij door de twee stompen van Finn half versuft was.

De handen van zijn belagers grepen nu zijn hoofd vast en duwden zijn gezicht naar de vlammen in het vat. Jesse voelde de hitte van het vuur steeds groter worden.

'Stop zijn hoofd er maar in, jongens!', schreeuwde Finn in wilde triomf.

Eén van de twee schelmen zei nu: 'Finn, ik denk dat dat niet zo'n goed idee is.'

'Hou je bek! Laat het denken maar aan mij over!', schreeuwde Finn. 'Steek zijn hoofd in die ton!'

Ondanks het bevel aarzelden de jongens even. De huid op Jesse's gezicht begon te gloeien. Om redenen die hij zelf niet begreep, opende hij zijn ogen. De vlammen in de ton dansten en sprongen van vreugde naar hem omhoog. Ze knetterden alsof ze wilden zeggen: 'Zo, je dacht dat je aan ons ontsnappen kon, hè? Maar eindelijk hebben we je dan toch te pakken. Of niet soms?'

Terwijl hij gefascineerd in de vlammen staarde, mompelde Jesse in een trance: 'Wat zou Truly nu doen?'

'Wat zei hij?', vroeg één van de vlegels.

'Hou je bek en steek zijn hoofd in die ton!', schreeuwde Finn opnieuw.

'Maar hij zei iets.' Finn gilde hysterisch: 'Hou je bek! Hou je bek en doe het!'

Met alle kracht die hij bezat, wrong Jesse zich achteruit. Door de inspanning trilde zijn hele lichaam. Zijn armen en zijn nek werden nat van het zweet. De zweetdruppels van zijn neus en zijn kin vielen sissend op de ijzeren rand van het vat.

Als door een wonder zag Jesse kans zijn belagers te weerstaan, maar hoe lang zou hij dat kunnen volhouden?

'Je moet niet zo verlegen zijn, lange Jan', lachte Finn. 'Kom, laat ik je een handje helpen.'

Jesse voelde hoe er nog een hand zijn hoofd naar beneden probeerde te drukken. Dat was teveel. Tegenover drie handen had hij geen enkele kans. Toen zijn gezicht over de rand van de ton kwam, stak de hitte in zijn wangen, zijn neus en kin.

O God, help mij...

Vanuit de ton sprongen de oranje en gele vlammen vrolijk naar boven. De duivelse tongen probeerden zijn gezicht te likken.

Jesse vocht nog harder, maar tevergeefs. Hij kon de neerwaartse beweging van zijn hoofd niet weerstaan. *Wat zou Truly Noble doen?*

'Finn, hou op!' Het was Jake met zijn verbrande broek. Zijn stem huiverde.

'Hou je bek!', gilde Finn naar zijn broer. Hij drukte Jesse's hoofd nog verder naar beneden.

De hitte was intens. De vlammen bereikten bijna zijn wangen. Het geknetter van het vuur bespotte hem: *Je dacht dat je ons kon ontsnappen, hè? Maar er is geen ontsnappen mogelijk. Deze keer niet!*

Geheel onverwacht werd de druk aan één kant van zijn hoofd weggenomen. 'Hoorde je dat?' Het was één van de schelmen die de vraag stelde. Hij had zijn hand teruggetrokken. 'Een politiefluit!'

De schurk aan de andere kant haalde nu ook zijn hand weg. 'Ja, een politiefluit!'

'Koppen dicht alletwee en drukken!', schreeuwde Finn.

'Finn, ze komen deze kant op!'

De vlegel had gelijk. De fluittoon werd steeds luider. Het kwam van de andere kant van de houten schutting, maar het kwam snel naderbij.

'Laten we maken dat we wegkomen!', schreeuwde één van hen. Ze lieten Jesse allebei tegelijkertijd los. Het gebeurde zo plotseling dat Jesse omhoog veerde. Hij draaide zich om en zag zich tegenover Finn geplaatst. Er weerklonken gehaaste voetstappen tegen de muren van de steeg toen de twee vlegels en Finns jongere broertje door de steeg holden en aan het eind ervan de hoek omsloegen.

De politiefluit maakte een schel geluid. Het geluid kwam direct achter de schutting vandaan. De deur van de schutting trilde toen er hevig op geslagen werd.

Scheldend duwde Finn Jesse opzij, waardoor hij zijn evenwicht verloor. Hij rende naar de straat. 'Ik krijg jou nog wel, lange Jan!'

Er werd zonder ophouden op de fluit geblazen. Opnieuw werd er op de deur geslagen.

Jesse hervond zijn evenwicht en deed een uitval naar de wegrennende Finn, in de hoop hem vast te kunnen houden tot de politie de deur had ingetrapt. Maar zijn armen sloegen door de lucht en zijn handen grepen in het niets. Met een plof kwam hij op de straatkeien terecht.

Jesse keek hulpeloos toe hoe Finn om de hoek van de steeg in de Grand Street verdween.

Vanachter de andere kant van de poortdeur bleef de fluit maar klinken. De deur trilde opnieuw toen er weer op geslagen werd, maar hij ging niet open.

Om de een of andere reden was de eens zo welkome fluittoon nu een zenuwslopend geluid geworden. Jesse rolde op zijn rug en keek naar de deur, terwijl die weer trilde door een nieuwe slag. Hij schudde zijn hoofd. Het was maar goed dat Finn niet geweten had dat Jesse's bevrijder niet in staat was een deur in te trappen. Als hij dat wel geweten zou hebben, zou Jesse nu op zijn kop in de ton staan.

Jesse staarde verwonderd naar de deur. Dit was niet te geloven. Hoe kon een houten deur van nauwelijks twee meter hoog voor een politieagent zo'n obstakel zijn? Weer een slag. De poort zwaaide nog steeds niet open. Waarom klom die politieagent er niet gewoon overheen?

Op dat moment zag Jesse het. De deur zat helemaal niet op slot, maar was gewoon met een klink gesloten!

De fluit weerklonk en de deur trilde opnieuw.

Verontwaardigd stond Jesse op en liep op de deur af. Hij lichtte de klink met gemak op.

Als hij niet zo verontwaardigd zou zijn geweest over de onbekwaamheid van de politie van New York, zou hij waarschijnlijk een stap opzij gedaan hebben toen hij de klink had opgelicht.

BENG!

De deur vloog open en sloeg tegen Jesse's borst en kin aan. Hij struikelde en viel achterover met zijn hoofd op de keien. Een in het zwart gehulde figuur vloog door de opening en belandde bovenop zijn buik. De lucht werd uit hem geperst, zijn hoofd en voeten schokten ervan.

Terwijl hij de gevolgen van de val te boven probeerde te komen, keek Jesse door halfgesloten ogen naar het gezicht van de onhandige politieagent die bijna de oorzaak van zijn dood was geweest - eerst omdat hij niet over een nog geen twee meter hoge schutting kon klimmen en nu omdat hij hem bijna verpletterd had.

Toen zijn ogen weer wat scherper konden zien, begonnen vage vormen duidelijker te worden. Van wat hij zag begreep hij helemaal niets. In plaats van het gezicht van een politieagent te zien, zag Jesse het gezicht van een eveneens verschrikt kijkende jongedame. Haar wangen waren rood en opgezwollen. Een plotseling tot zwijgen gebrachte politiefluit bungelde aan haar lippen.

HOOFDSTUK 2

Zijn haar ogen altijd zo ongelooflijk groot? Of komt het door het feit dat die prachtige bruine ogen slechts een paar centimeter van mijn gezicht verwijderd zijn? En haar huid - nou ja, haar wangen zijn nu een beetje rood - is die altijd zo bleek en zacht als die er nu uitziet?

Dit waren Jesse's gedachten over de jongedame die door de deur gevlogen en boven op hem terechtgekomen was. Als het politiefluitje niet aan haar volle, zacht roze onderlip gebungeld had, zou hij haar voor een engel gehouden hebben die op zijn gebed naar hem toegezonden was.

Het fluitje voegde een komische noot toe aan een zeer aantrekkelijk geheel. Het bungelde aan haar lip zonder door haar bovenlip vastgehouden te worden die anders een uitdrukking van verbaasde verlegenheid getoond zou hebben.

Plotseling duwden overal zenuwachtige handen tegen Jesse's borst en buik en armen, terwijl de jongedame haar best deed om te gaan staan. Door al haar pogingen viel het fluitje uit haar mond. Het viel vlak bij zijn hals op Jesse's borst.

'Ga van mij af!', schreeuwde ze.

Jesse trok verbaasd zijn wenkbrauwen op bij dit bevel. 'Ga van mij af? Jij ligt boven op mij!'

Zijn opmerking had tot gevolg dat haar pogingen om afstand van hem te nemen nog heftiger werden. Jesse vertrok zijn gezicht van pijn toen haar hand tegen zijn schouder drukte en ze zich met haar volle gewicht afzette zodat zijn schouder tegen de straatkeien werd gedrukt. Hij vertrok zijn gezicht opnieuw toen ze haar knie in zijn maag stootte. Net toen ze vorderingen begon te maken, slipte haar hand van zijn schouder af. Met een verschrikt gezicht viel ze weer terug, waardoor ze met haar borst op zijn gezicht viel.

Ze barstte verontwaardigd los: 'Meneer Morgan, je verbaast mij!'

Jesse's gezicht werd opnieuw warm, maar deze keer hadden de vlammen er niets mee te maken. Hij deed zijn mond open om te protesteren, maar hij bracht geen woord uit omdat hij geen woorden kon vinden om zich te verontschuldigen voor iets wat hij niet gedaan had.

Hij werd opnieuw belaagd door duwen en porren toen de jongedame haar poging om zich van hem te bevrijden hervatte. Net toen ze haar gewicht van haar handen op haar voeten had overbracht, wankelde ze. Jesse greep haar bij de schouder om te voorkomen dat ze weer zou vallen. Ze keek even naar zijn hand en sloeg die toen weg. De klap ging gepaard met een dodelijk verschrikte uitdrukking op haar gezicht.

Omdat Jesse begreep dat alles wat hij zou doen als een aanval op haar zou worden uitgelegd, deed hij maar helemaal niets meer. Hij verduurde de stompen en duwen zo manmoedig mogelijk.

Toen ze tenslotte weer overeind stond, deed ze meteen een paar passen achteruit en sloeg het vuil van haar zwarte, katoenen jurk af.

Jesse bleef even liggen omdat ze anders misschien wel zou denken dat hij zo'n haast had overeind te komen om haar aan te vallen. Toen hij het tenslotte veilig achtte te gaan staan, tilde hij zijn hoofd op.

Zodra hij zich bewoog, zag hij uit zijn ooghoek in een flits een stuk zwart katoen langs zijn gezicht scheren. Hij bleef bewegingloos liggen. Een arm gleed langs zijn neus en de jongedame greep snel de fluit die op zijn borst lag. Ze sprong onmiddellijk weer terug alsof hij een wild dier, een reptiel of nog erger, misschien wel de duivel zelf was.

Toen hij stil bleef liggen, zei ze: 'Nou, kom je nog overeind of niet. Je ziet er belachelijk uit zoals je daar op je rug ligt.'

Jesse slaakte een wanhopige zucht.

Ze sloeg er geen acht op. 'Misschien is Finn wel niet zo stom als hij eruit ziet', zei ze. 'Als hij nadenkt, komt hij misschien wel terug.'

Jesse keek naar de straat. Er was niemand te zien.

'Schiet op!'

Jesse kwam overeind, waarbij alle blauwe plekken en schrammen die hij opgelopen had – zowel door toedoen van Finn als van de jongedame – hevig protesteerden.

'Finn. Je noemt hem bij zijn naam', zei Jesse. 'Ken je hem?'

Ze trok verachtelijk haar neus op, waarmee ze aangaf hoe belachelijk zijn vraag was. 'Ik heb hem tot vanavond nog nooit gezien en ik heb nooit over hem gehoord.'

Jesse ook niet. Maar hij had het meisje ook nog nooit eerder gezien. Voor zover hij wist tenminste niet. Toch kwam ze hem op de een of andere manier vaag bekend voor.

Er tolden duizenden vragen door zijn pijnlijke hoofd. *Wie is dit meisje? En waarom deed ze wat ze gedaan had?* Toen bedacht hij plotseling dat ze hem meneer Morgan had genoemd. Hoe kende zij zijn naam?

'Nu moet ik er echt vandoor', zei de jongedame, terwijl ze voor de laatste keer haar kleding nog eens afklopte. Het leek wel of ze van een gezellig onderonsje wegging. Met een kwiek knikje van haar hoofd gooide ze de politiefluit in de lucht, ving die weer handig op en met een lief glimlachje op haar gezicht liep ze naar de straat.

'Wacht even!', riep Jesse. 'Wie ben je eigenlijk?'

Ze gaf geen antwoord.

'Ik heb je nog niet eens bedankt', riep hij haar na.

Zonder stil te staan riep ze vrolijk over haar schouder: 'Graag gedaan.'

Jesse rende achter haar aan. 'Wacht nou even!'

Ze was nu de straat ingelopen. Achter haar strekte Jesse zijn hand uit om haar bij de schouder te grijpen, maar toen bedacht hij zich. Toen hij dat eerder had gedaan, had hij een klap gekregen. Hij rende haar voorbij, draaide zich om en versperde haar de weg.

Zonder hem direct aan te kijken, bleef ze abrupt staan. Ze keek aan beide zijden langs hem heen om te zien hoe ze hem het beste kon ontlopen. Ze liep verder en wilde hem passeren. Maar Jesse versperde haar opnieuw de weg.

'Meneer Morgan, ik sta erop dat je mij laat passeren.' Ze keek hem nog steeds niet direct aan en gaf er kennelijk de voorkeur aan om tegen zijn borst te spreken. 'Het is 's avonds op straat niet veilig voor een dame en zeker niet als er zulke figuren als Finn rondzwerven.'

Jesse lachte. 'Finn zou wel gek zijn om iets met jou uit te halen', zei hij. 'Hij zou er flink van langs krijgen.'

'Ik ben blij dat ik je zo amuseer, meneer Morgan', zei ze. De woorden werden opnieuw tot zijn borst gesproken. Jesse kon nog net genoeg van haar ogen zien om er de spotlichtjes in te zien. Ze mocht dan wel protesteren, maar kennelijk vond ze het gesprek wel leuk.

'Dat is nu de derde keer dat je mijn naam noemt', zei Jesse. 'Ken ik je dan?'

De geamuseerde glimlach verdween. Ineens. Van het ene ogenblik op het andere. 'Daar is geen enkele reden voor', zei ze ijzig. 'En ga nu alsjeblieft opzij.' Ze wrong zich met haar schouder naar voren langs hem heen.

'Wacht nou toch even!', riep Jesse.

Maar ze wachtte niet. Ze liep midden in de verlaten straat in de richting van de Grand Street.

Hij riep haar na: 'Je komt mij zo bekend voor... Ik kan mij alleen niet herinneren waar ik je eerder gezien heb!'

Jesse was geen jongen die achter meisjes aanliep. Normaal gesproken zou hij haar zonder meer hebben laten lopen. Vrouwen hadden hem altijd teleurgesteld. Niet één van hen leek op Charity Increase. Af en toe dacht hij wel eens dat, als hij ooit een meisje zou tegenkomen die op de heldin uit de boeken van zijn tante zou lijken, hij van gedachten zou veranderen. Maar de meisjes die hij kende, leken niet op Charity. Ze vertoonden geen enkele overeenstemming.

Vroeger had Jesse de meisjes die hij kende wel eens de avonturen van Truly Noble verteld. Hij vertelde die verhalen met grote hartstocht en de spannendste gedeelten daarvan speelde hij soms voor. Hij werd soms zo door het verhaal gegrepen dat de woorden rechtstreeks uit zijn hart schenen te komen, zozeer vereenzelvigde hij zich met de held van het verhaal.

Maar alle pogingen om de verhalen die zoveel voor hem betekenden door te vertellen, waren op een ramp uitgelopen. De meisjes begonnen hem al uit te lachen nog voor hij de kans had zijn verhaal af te maken. De meisjes staken de draak met hem en zijn aanstellerij. De manier waarop hij Truly Noble beschreef, deden de meisjes soms na en dat was dan weer de aanleiding tot een nieuwe lachbui.

Dikwijls vielen ze hem bij het meest dramatische gedeelte van het verhaal in de rede, juist op het moment dat Jesse zo in het verhaal opging dat hij en Truly Noble tot één en dezelfde figuur versmolten. Dan barstten ze in lachen uit. Op dat moment werd Jesse weer tot de werkelijkheid teruggebracht, een werkelijkheid die hem maar vreemd vond. Onvolwassen. Dwaas. Stom.

Dat was Jesse's ervaring met meisjes. Het was deze ervaring die hem deed beseffen dat hij een keuze moest maken. Hij zou moeten kiezen tussen Truly Noble en meisjes. Voor Jesse Morgan was dat helemaal geen moeilijke keus.

Toen hij dus achter het onbekende meisje naar de Grand Street liep, had hij geen andere belangstelling voor haar dan er achter zien te komen waarom zij hem van Finn en de andere schurken verlost had.

'Ik wil je iets vragen!' Jesse greep de jongedame van achteren bij haar elleboog. Ze draaide zich snel om en keek hem aan.

De gaslantaarn op de hoek van de Grand Street en de Allen Street wierp een gelijkmatig, zacht licht op hen. Ronde, bruine ogen, waaruit een sprankje ondeugd sprak, keken hem met een zekere verwachting aan. Jesse begreep niet helemaal waarom. Was de verwachting die hij in haar ogen zag een laatste kans voor hem om zich te herinneren waar hij haar eerder had gezien? Of was het nog iets anders?

Ze was een hoofd kleiner dan hij. De kruin van haar haar reikte tot aan zijn kin, zodat, als ze naar hem opkeek, haar gezicht door het licht van de straatlantaarn volledig verlicht werd. Jesse werd opnieuw getroffen door de zachte bleekheid van haar gezicht en handen. Haar bleke huid werd nog geaccentueerd door de zwarte lange mouwen en haar hooggesloten jurk.

Ze liet haar hoofd weer zakken en sprak weer tegen zijn borst: 'Je zei dat je mij iets wilde vragen.'

Jesse dacht dat ze last had van het licht van de lantaarnpaal en ging daarom tussen haar en de straatlantaarn instaan, waardoor haar gezicht in de schaduw kwam. Dat scheen haar echter niets uit te maken. Ze keek hem nog steeds niet aan.

'Ik wilde alleen maar weten waarom je dit voor mij gedaan hebt', zei Jesse.

'Waarom ik je bevrijd heb?'

Jesse grijnsde een beetje. Hij voelde zich door haar woordkeus niet zo erg op zijn gemak. De gedachte dat hij verlost moest worden, was al niet zo aangenaam en dat hij door een meisje verlost was, maakte dat nog erger. Hij kromp een beetje in elkaar alsof hij zojuist gestoken was.

Hij stamelde: 'Waarom... waarom vond je het nodig om Finn en zijn kornuiten bang te maken... door die politiefluit?'

Nu tilde zij haar hoofd op. Uit haar blik sprak ongeloof. Ze zei: 'Omdat ze je hoofd in die brandende ton wilden steken, daarom!'

'Nou ja, ik bedoel, liep je zomaar toevallig langs, of loop je voortdurend uit te kijken naar een reden om op je politiefluit te blazen?' In zijn gedachten leek het niet zo stom die vraag te stellen als nu hij hem uitgesproken had.

Met nauwelijks onderdrukt ongeduld zei ze: 'Meneer Morgan, ik liep van mijn werk naar huis. Toen ik de steeg passeerde, hoorde ik daar lawaai en zag ik wat er gebeurde. Drie tegen één. Je had geen enkele kans. Ik kon niet veel doen om je op een directe manier te helpen en daarom bedacht ik een andere manier. Ik rende een blokje om en ik kwam van de andere kant naar de steeg toe, waarbij ik op mijn fluit blies. Ik hoopte dat Finn en die andere schurken zouden denken dat het de politie was.'

'Dat dachten ze dan ook', zei Jesse.

'Ik ben blij dat het werkte', zei ze glimlachend. 'Nu moet ik echt gaan.'

'Het kantoor van de Austinfabriek!', riep Jesse uit. 'Daar heb ik je eerder gezien.'

Er trok een tevreden glimlach over haar gezicht.

'Je werkt daar als typiste!', zei Jesse.

'En jij brengt papieren naar mijn baas', antwoordde ze.

'Waar haal je die politiefluit vandaan?'

'Mijn vader gaf die aan mij ter bescherming. Hij houdt er niet van dat ik 's avonds nog over straat moet. Maar ik heb geen keus. Ik moet nu eenmaal van en naar mijn werk.'

'Waar woon je?'
'Hier vlakbij.'
Jesse knikte. Beiden hielden even hun mond, ze keken elkaar niet aan. In de verte blies de fluit van een locomotief.
'Hmm!' Jesse schudde zijn hoofd.
'Wat is er?'
'Ik ken je naam niet eens!'
Het meisje glimlachte. 'Nee, die ken je niet, hè?' Ze keek langs hem heen alsof ze naar iets achter hem keek en ze zuchtte zacht.
'Nou?'
'Wat nou?', vroeg ze.
'Je zou mij je naam kunnen vertellen.'
Ze giechelde: 'Ja, dat zou kunnen.'
Weer stilte.
Toen giechelde ze weer en zei: 'Emily. Ik heet Emily Barnes.'
Jesse glimlachte. 'Bedankt Emily. En bedank ook je vader. Zeg hem maar dat zijn fluit vanavond uitstekend dienst gedaan heeft.'
'Goedenavond, meneer Morgan.' Emily liep weer naar de Grand Street.
'Mag ik je thuisbrengen?', vroeg Jesse.
Emily keerde zich om en liep achteruitlopend door. 'Nee, maar bedankt.' Ze keerde zich weer om en liep verder.
Jesse keek haar even na, keerde zich toen om en liep door de Allen Street naar huis.

Emily liep zo rustig mogelijk de straat uit. Ze wilde omkijken om te zien of hij daar nog steeds stond, maar ze weerstond de aandrang, hoewel die bij iedere stap groter werd. Toen ze het eind van de straat bereikt had, kon ze zich echter niet langer beheersen en keek nog snel even over haar schouder.
Hij was er niet meer. De verlichte straathoek was leeg.
Ze sloeg de hoek van de Eldridge Street om en begon toen te rennen door de straat die parallel met de Allen Street liep. Haar voetstappen weerklonken tegen de huizen in de straat. Toen ze de Hester Street bereikte, bleef ze staan. Ze probeerde weer op adem te komen en ze stak vervolgens haar hoofd om de hoek. De straat was leeg. Ze trok haar hoofd weer terug en rustte uit tegen het gebouw dat op de hoek stond. Ze wachtte. Na een poosje keek ze weer om de hoek. Nog steeds niets te zien.
Ze slaakte een diepe zucht. Tussen de Grand Street en de Hester Street was er geen andere toegang tot de Allen Street. Hij kon de Hester Street nog niet overgestoken zijn, of wel? Hoe zou ze hem anders gemist kunnen

hebben? Ze keek nog eens. De straat was leeg.

Juist toen ze de Hester Street in wilde lopen, kwam hij eraan. Ze sprong terug. Ze gebruikte de hoek als dekking en zag toen Jesse Morgan op zijn gemak door de straat lopen. Emily's hart bonsde wild toen ze hem daar over straat zag lopen. Ongeveer halverwege het huizenblok ging hij een deur van het appartementengebouw binnen en verdween.

Emily schreef het huisnummer en de naam van de straat op een stukje papier. Ze keek nog een keer naar het gebouw, zuchtte diep en keerde toen terug naar de Grand Street.

Terwijl haar gedachten nog bij Jesse waren, liep Emily Finn en zijn bende tegen het lijf.

De straatjongens hadden nu een andere bron van vermaak gevonden. Deze keer was het een dood paard. Dode dieren die zomaar op straat lagen, waren niet ongewoon in deze omgeving. Soms werden neergevallen dieren zomaar twee of drie dagen achtergelaten voordat ze weggesleept werden. De kinderen uit de buurt speelden dikwijls in de buurt van die dode dieren zonder daaraan veel aandacht te besteden. Maar de stank die deze zwarte merrie verspreidde, was zo doordringend dat de meeste mensen er vandaan bleven. De stank had Finn echter aangetrokken. Hij zag het dode paard als een nieuwe kans om zijn kleine broertje te kwellen.

'Zet hem op dat paard, jongens!', beval hij.

De kleine Jake werd opgetild. Hij probeerde zich aan de greep van de twee Neanderthalers te ontworstelen. Terwijl ze hun neus optrokken vanwege de doordringende stank en hun hoofden heen en weer bewogen om de vliegen af te weren, zetten ze de jongen op het dode paard en sprongen toen snel achteruit.

'Nou, vooruit, cowboy!', schreeuwde Finn.

Jake gleed zo snel mogelijk van het koude, verstijfde paard af alsof het gloeiend ijzer was. De twee overmaatse schurken en Finn begonnen tot ontzetting van de jongen te krijsen.

'Zet die cowboy weer op zijn paard!', schreeuwde Finn.

De twee schelmen renden op het schreeuwende jochie af, grepen hem vast en tilden hem op om hem weer op het paard te zetten.

Emily huiverde van afschuw toen ze dit macabere vermaak gadesloeg. Ze greep haar fluit en vroeg zich af of haar politielist twee keer op een avond zou werken. Net toen ze op haar fluit wilde blazen, verscheen er uit het raam op de derde verdieping boven de straat waar het dode paard lag een woest uitziend gezicht.

'Hé, jullie daar! Maak dat je weg komt! En gauw een beetje!', schreeuwde de man.

Beneden hem in de straat werd de actie gestaakt. Jake bengelde tussen de twee straatjongens in. Finn keerde zich tot degene die de aanleiding was van deze onderbreking. Hij maakte wilde gebaren en schreeuwde scheldwoorden naar de man. 'Bemoei je met je eigen zaken, ouwe!'

Weer ging er een raam open en verscheen er een ander hoofd; deze keer van een vrouw. 'Ga naar huis Finn O'Shaughnessy! Ga naar huis voordat ik je vader vertel wat je nu weer aan het uitspoken bent!'

Een derde raam ging open. Een man met een keppeltje op en een gebedsmantel om voegde zijn stem bij die van zijn buren.

Finn keek van raam naar raam, terwijl er van alles tegen hem geschreeuwd werd. Hij deed een stap terug.

Emily borg haar fluitje weer op. Het toenemend aantal buren had de zaak goed in de hand. Ze trok zich terug, liep een blokje om en nam een andere route. Ze wilde Finn en zijn troep niet opnieuw tegen het lijf lopen.

Emily liet de huurkazernes achter zich en kwam nu in een welgestelde wijk van de stad. De buurt waar ze doorheen liep, bestond voornamelijk uit huizen die gebouwd waren van rode bakstenen en in een stijl die een tiental jaren daarvoor in de mode was geweest. Als klein meisje had Emily gedacht dat de roodbruine huizen van chocola gemaakt waren. Het donker van de nachtelijke schaduwen herinnerde haar weer aan die indruk die zij als klein kind had gehad.

Ze liep behoedzaam door de Achtendertigste Straat naar de Vijfde Avenue. Ze vermeed de voorbijgangers op straat en de haar passerende rijtuigen. Bij het minste geluid zocht ze dekking in de schaduw.

In tegenstelling tot de torenhoge huurkazernes waren de huizen waar ze nu langsliep slechts drie of vier verdiepingen hoog. Er waren nog andere opvallende verschillen. Deze woningen waren statiger en beter onderhouden dan de appartementen; in ieder huis woonde slechts één gezin; en er lagen geen dode dieren in de straten. Dit waren de huizen van de middenklasse van New York.

De nieuwe rijken vormden een nieuwe klasse onder de Amerikaanse burgerij. Ze behoorden niet tot de rijke, oudere Amerikaanse families, waarvan de rijkdom gebaseerd was op grondbezit en van wie de levensstijl en normen tot aan de burgeroorlog overheersend waren geweest. Ze behoorden ook niet tot de welgestelden die het respect van de oudere families probeerden te winnen door met hun grote welstand te pronken. De middenklasse vervulde een soort brugfunctie tussen de oude en de nieuwe klassen door oude tradities te laten samengaan met nieuwe rijkdom. Onder deze nieuwe middenklasse behoorden families als de Vanderbilts, de Livingstones, de Schuylers en de Van Rensselaers.

Emily bleef abrupt staan. Wat was dat? Ze luisterde ingespannen. Op een afstand kon ze het ritmische getrappel van paardenhoeven horen en het geratel van de wielen van een rijtuig over de straat. Het geluid werd steeds luider.

Ze gleed in de schaduw van een grote olm en ging achter de brede stam staan. Ze wachtte ademloos en luisterde. Het duurde even voor het rijtuig zichtbaar werd. Uit het rijtuig klonk gegiechel en het niet verstaanbare geluid van een flirtende vrouwenstem.

Emily leunde met haar hoofd tegen de boomstam. Ze sloot haar ogen. Ze kon niets anders doen dan wachten tot het rijtuig haar voorbijgereden zou zijn. Pas toen het weer stil was geworden in de straat stapte zij uit de schaduw en vervolgde haar weg.

Toen Emily het eind van de straat bereikt had, glipte zij door een gat in een lage heg, die de tuin van het roodstenen huis op de hoek omsloot. In elkaar gedoken achter de heg tuurde ze naar een groot marmeren huis aan de overkant van de straat.

Het huis leek op een Griekse tempel. De eerste en de tweede verdieping werden aan beide kanten door dezelfde Corinthische zuilen gedragen. Tussen de zuilen bevonden zich hoge, uit veel ruiten bestaande ramen. Een gebeeldhouwde fries liep als een van olijftakken gemaakte Olympische overwinnaarskrans langs de bovenzijde van het huis.

Het witmarmeren huis viel tussen de bakstenen gebouwen in de omgeving op als een diamant tussen robijnen. Alles aan het huis - van zijn roomkleurig voorkomen en zijn brede bordestrappen die naar de voordeur leidden, tot zijn prominente locatie op de goed zichtbare straathoek - scheen erop te wijzen dat er in de wijde omgeving niemand zo welgesteld was als de eigenaar van dit huis.

Vanuit haar schuilplaats bestudeerde Emily het huis. Ze lette op lichten en bewegingen achter de ramen. Op de benedenverdieping waren de gordijnen van een raam van de hoekkamer die het dichtst bij de straat lag, niet gesloten. Het licht viel door het raam op een met gras bedekte helling. Binnenin de kamer zag Emily rijen boeken op planken staan. Voor het raam liep iemand heen en weer. Een man met een dikke buik en gekleed in een pak. Hij praatte tegen iemand. Af en toe bleef hij staan en maakte gebaren. Zijn bewegingen waren nadrukkelijk en krachtig.

Emily slaakte een zucht en schudde haar hoofd. Het zou heel wat gemakkelijker zijn als er niemand thuis zou zijn.

Alle andere ramen in het huis waren donker, met uitzondering van een flauw verlichte kamer op de hoek van de vierde verdieping. Emily bestudeerde het huis een aantal minuten. Voor zover zij kon zien, veranderde er niets. De man op de eerste verdieping bleef heen en weer lopen en praten. De kamer op de vierde verdieping bleef flauw verlicht. Er gingen geen andere lichten aan. Ook zag ze verder nergens iets bewegen.

Ze speurde de vier toegangswegen af die op het kruispunt op de hoek bij elkaar kwamen. Ook daar was alles stil. Ze glipte door het gat in de heg terug naar de straat en liep zo geruisloos mogelijk naar het marmeren huis toe. Een witte muur van ruim een meter hoog scheidde de tuin van het huis van de straat. Over de muur heen liep een buis die op een reeks eindeloze bloempotten leek te rusten. Ze trok haar rok wat op en klom bij de hoek van het huis over de muur. Met een zachte plof belandde ze in het gras.

Ze bleef dicht tegen de muur aan staan en keek opnieuw of ze iets zag bewegen. Van de voorzijde van het huis kon ze nu de stem van de man horen. Hij schreeuwde, maar ze kon niet verstaan wat hij zei.

Emily bewoog zich in de schaduw van het huis voort en tastte met haar vingers langs de muur van het marmeren huis om zo naar de achterkant van het huis te komen. Ze kwam bij een stapel hout. Het hout was onder een raam tegen het huis aan opgetast. Ze keek naar links en naar rechts. Er was niemand te zien. Er bewoog niets.

Ze trok haar rok opnieuw iets op en klom op de stapel hout onder het raam. Hoewel er geen licht door het raam scheen, ging ze toch uiterst voorzichtig te werk. Toen ze de vensterbank bereikte, hief ze langzaam haar hoofd op om naar binnen te kijken.

Het vertrek waar ze naar binnen gluurde, was de keuken. Er brandde geen licht. Het enige licht dat te zien was, kwam door de deur van de voorkant van het huis aan het eind van een lange gang.

Op dat moment hoorde Emily een snuivend geluid dat gevolgd werd door gehinnik. Haar hart sloeg wild en leek toen stil te staan alsof het naar adem hapte.

Links van haar zag ze bij de hoek van het huis een paardehoofd en hals verschijnen. Het paard liep stapvoets door de straat. Toen het paard om de hoek van het huis verder tevoorschijn kwam, zag ze ook de berijder.

Een politieagent.

Emily's hart bonsde nu zo hevig dat het leek of het de slagen die het gemist had, wilde inhalen. Ze dook in elkaar en drukte zich zo stijf mogelijk tegen de muur aan.

De politieagent reed op zijn gemak door de straat. Toen hij het eerst verscheen, was zijn hoofd van haar afgewend. Hij boog zich wat naar voren en speurde de heg af die kort daarvoor haar schuilplaats was geweest. Toen richtte hij zich tot Emily's schrik weer op en draaide zijn hoofd in haar richting. Hij boog zich opnieuw wat naar voren alsof hij daardoor beter in het donker kon turen.

Kon hij haar zien? Zij kon hem wel zien. Duidelijk. De maan scheen zo helder dat ze zelfs zijn gelaatstrekken zag. Een breed gezicht met een grote neus. Een dikke hangsnor en een vierkante kin. Zijn ogen kon zij echter niet zien. Die gingen schuil in de schaduw van de rand van zijn hoed. Net zoals zij schuil ging in de schaduw van het huis.

Ze greep het raamkozijn vast en drukte zich zo stijf mogelijk tegen de muur; ze wilde wel dat ze ermee kon samensmelten. Ze overwoog haar ogen te sluiten, hiertoe aangezet door de kinderlijke gedachte: *Als jij hem niet kan zien, kan hij jou niet zien.* Maar ze was er al als kind achtergekomen dat die theorie niet opging. Ze hield haar ogen dus open. Ze moest zo stil mogelijk blijven staan. Hij zou zo voorbij zijn.

Maar hij ging niet voorbij. De politieagent trok aan de teugels en het paard bleef gehoorzaam staan. De agent boog zich nog verder naar voren en tuurde in het donker naar de achterkant van het huis. Hij keek nu rechtstreeks naar haar.

Emily haalde gejaagd adem. Haar borst ging zo snel op en neer dat het leek of ze erdoor uit de schaduw van het huis in weggeduwd zou worden in het maanlicht. Zou ze hard wegrennen? Nee, hij zou als eerste moeten reageren.

Het leek wel of de politieman minutenlang in haar richting bleef turen. Toen, zonder dat hij alarm sloeg, klakte hij met zijn tong en spoorde zijn paard aan verder te gaan. Even later was hij verdwenen.

Nu sloot ze van opluchting haar ogen. Haar ademhaling werd spoedig weer normaal, maar het kostte even tijd voordat haar hart ervan overtuigd was dat het ook weer een normaal tempo kon aannemen.

Emily slaakte een diepe zucht en kwam overeind om weer door het raam te kijken. Binnen was niets veranderd. Ze stak haar vingers tussen de verticale spleet tussen de twee openslaande ramen en ze glimlachte gelukkig toen de ramen, zonder enig geluid te maken, opendraaiden.

Ze klom op het raamkozijn en zwaaide haar benen naar binnen. Beneden haar stond een zware tafel met een marmeren bovenblad. Ze stapte zacht op de tafel, er zorgvuldig voor wakend niet de kopjes en het ander serviesgoed dat op de tafel stond, te raken. Ze trok de ramen achter zich weer dicht, ging op de tafelrand zitten en liet zich toen op de vloer zakken.

Emily stond in een grote keuken met witbetegelde muren en een donkere houten vloer. Een massief kolenfornuis in een even massieve schouw stond rechts van haar. Tegen de muur aan de andere kant stond een blinkende heetwatertank en een porseleinen gootsteen. De waterleidingen die in het plafond verdwenen, getuigden van heel wat badkamers op de andere verdiepingen van het huis.

Emily liep op haar tenen over de houten vloer naar voren. Ze bleef bij de deur staan en luisterde. Alles was rustig. Te rustig. Waarom werd er niet meer geschreeuwd? Emily gaf de voorkeur aan wat herrie als ze zoiets deed. Lawaai gaf aan waar de mensen zich in huis ophielden. Stilte betekende dat ze overal konden zijn. Zonder enige waarschuwing konden ze zomaar tevoorschijn komen.

Ze bleef even staan en wachtte op enig geluid, waardoor ze zou weten waar de mensen waren. Ze dacht dat ze wat geritsel van papieren hoorde, maar was er niet zeker van en ze wist ook niet waar het geluid precies vandaan kwam. Ze stond daar in het donker en onwillekeurig huiverde ze. Toen ze niet langer kon wachten, liep ze over de houten keukenvloer naar de gang die met een dikke loper bedekt was.

De gang liep uit op een ontvangstkamer bij de voordeur. Aan het eind van de gang bevond zich een toog. De toog was versierd met roodfluwelen gordijnen die met goudkleurige koorden tegen de zijkanten waren getrokken. Vanachter de gordijnen waren een paar palmbladeren te zien.

Toen ze bij de toog kwam, zag ze aan haar rechterkant een mahoniehouten trap. Het licht dat uit een deuropening viel, verlichtte de eerste treden van de trap. De deur gaf toegang tot de kamer waarin ze van buitenaf door het raam de man gezien had.

Ze bleef weer staan en luisterde. Ze hoorde niets. *Dit klopt niet*, zei ze bij zichzelf. Als er nog iemand in de kamer zou zijn, dan moest er iets te horen zijn, al was het alleen maar het omslaan van een bladzij. Maar als de man die ze in de kamer gezien had en degene tot wie had sprak niet meer in de kamer waren, waar waren ze dan wel?

Emily liep behoedzaam naar de trap.

Vanuit de verlichte kamer kwam het geluid van een stoel die verschoven werd. Toen hoorde zij voetstappen die haar kant opkwamen!

De trap op? Nee, dat zou te lang duren. Terug naar de keuken.

Emily draaide zich vliegensvlug om. Ze deed een stap en liep toen tegen de man op die ze door het raam gezien had.

Ze gilde.

'Wat...?', schreeuwde de man. Er viel een stapeltje papieren uit zijn handen. Ze dwarrelden alle kanten op.

Het gezicht dat haar aanstaarde, zag er even hard uit als het marmer waarvan het huis gebouwd was. Gladgeschoren. Dunne lippen. Op zijn rechterwang een duidelijk in het oog vallende moedervlek.

Aanvankelijk was de man net zo geschrokken als Emily. Toen deed hij een stap terug en keek Emily doordringend aan. In zijn grijze ogen viel grote woede te lezen.

'Emily!', barstte hij uit. Hij keek naar haar kleren. 'Ben je nu weer op straat geweest?'

Nog voor zij kon antwoorden, kwamen er uit de verlichte kamer achter haar twee mannen. De ene had dunnend, zacht bruin haar en ogen die daarbij pasten. Hij had zo'n zware baard en snor dat zijn mond er helemaal door verborgen werd. De andere man had vettig, zwart haar. Hij had een wat opgezet gezicht met een modieuze snor. Zijn vierkant geknipte baard rustte op zijn borst en het leek wel of hij aan zijn gezicht geplakt was.

De man met het vettige haar stelde zich zo op dat hij Emily onmiddellijk grijpen kon als ze een poging zou doen om weg te vluchten. 'Meneer Austin, alles goed met u?', vroeg hij. 'Is er iets aan de hand?'

Austin schudde zijn hoofd. Hij deed geen moeite om te verbergen dat hij geïrriteerd was. 'Het is alleen mijn dochter. Ga maar weer terug naar de studeerkamer. Ik kom zo weer bij jullie.'

Beide mannen zeiden verder niets en deden onmiddellijk wat hij zei. De man met het vettige haar wierp echter nog wel een achterdochtige blik op Emily.

Zodra beide mannen in de studeerkamer verdwenen waren, mompelde Austin een verwensing. 'Waarom moet je dat nu juist vanavond doen, Emily? Eerst zij, nu jij!'

Emily antwoordde niet. Ze bukte zich en raapte de papieren op.

'Je weet hoe belangrijk deze avond voor mij en je moeder is! Waarom moest je nu juist vanavond zo egoïstisch en stom doen?'

Emily raapte een papier op dat naast de voeten van haar vader lag. Daarbij zag ze haar weerschijn in zijn glimmend gepoetste schoenen. Natuurlijk. Waarom was haar dat niet eerder opgevallen? Haar vader was deftig gekleed - zwart pak, zwarte das en een wit boord. Ergens lag ongetwijfeld een hoed om het geheel te completeren. Dit was de avond van het jaarlijkse bal voor de Vierhonderd.

Het was de sociale gebeurtenis van het jaar. Ieder jaar nodigde mevrouw Astor de vierhonderd meest welgestelde echtparen van New York uit voor het grootste bal van de stad.

De afgelopen tien jaar had Emily haar ouders steeds weer horen mopperen als zij de in de krant vermelde lijst van genodigden lazen. Dit jaar was het echter anders verlopen. Dit jaar hadden ze een uitnodiging ontvangen. Dit jaar stond hun naam in de krant. Dit jaar was het de beurt van iemand anders om te mopperen. Want dit jaar zouden Franklin en Eleanor Austin tot de gasten behoren die mevrouw Astors exclusieve soiree zouden bijwonen.

Emily raapte de laatste papieren op en overhandigde die toen aan haar vader. Hij pakte ze niet aan, maar bleef staan zonder een beweging te maken, alsof hij van graniet was. Zijn grijze, koude ogen keken haar doordringend aan.

'U zult nog te laat komen', zei Emily zacht.

Haar vader rukte de papieren nu uit haar hand. 'Ik kom hier later nog wel op terug! Ga naar je kamer en blijf daar!' Austin liep boos de studeerkamer binnen waar de twee mannen op hem wachtten.

Emily zuchtte. Boven alles had ze een confrontatie met haar vader willen vermijden. Langzaam sjokte ze de trap op.

In de studeerkamer van haar vader klonken nu weer boze stemmen.

Nu bespreken ze wel zaken! Nu maken ze wel lawaai! Waarom deden ze dat niet toen ik... Emily bleef boven aan de trap staan. Er schoot een vreemde gedachte door haar heen. Wat had haar vader ook al weer gezegd?

Waarom moet je dat nu juist vanavond doen, Emily? Eerst zij, nu jij!

Wat voor zaken konden hem weghouden van het feest dat mevrouw Astor gaf. Dat moesten wel bijzonder belangrijke zaken zijn.

Voorzichtig daalde Emily de trap weer af. Ze liep zo ver als ze durfde naar de deur toe, ver genoeg om de stemmen duidelijk te horen.

Austin: Die brand is vijftien jaar geleden.

Vethaar: Dat heb ik hem gezegd! Vijftien jaar. Dat is nu toch niet belangrijk meer. Vijftien jaar terug is verleden tijd!

Als Emily de stem van 'Vethaar' niet eerder had gehoord, zou ze die nog hebben kunnen thuisbrengen, want die klonk net zo vet als zijn haar was. Ook de stem van de andere man kwam met zijn uiterlijk overeen - zacht en vriendelijk, hoewel hij duidelijk opgewonden was.

De vriendelijke man: Wat heeft die vijftien jaar er nu mee te maken? Bij die brand kwamen mensen om!

Vethaar: Maar twee!

De vriendelijke man: Maar twee? Maar twee? Hoeveel doden moeten er vallen om iets tot een tragedie te maken? Bovendien is dit voor mij iets persoonlijks. Eén van die twee was een vriend van mij. Een goed mens. Een zeer goed mens. Hij hielp mij tijdens een zeer moeilijke periode in mijn leven. Hij hielp niet alleen mij, maar ook nog een heleboel andere mensen.

Vethaar: Hij was een opruier.

De vriendelijke man (boos): Ben was een predikant. Ja, hij hield een pleidooi voor betere werkomstandigheden, maar dat deed hij uit het oogpunt van veiligheid. Hij gaf om mensen. Het ging niet om hemzelf; wat hij deed, deed hij voor anderen.

Austin (ongeduldig): Nou goed dan. Je hebt mij overtuigd. Hij was een goed mens. Jammer dat hij omgekomen is. Maar wat heeft dat ermee te maken? Ik heb je het verslag laten zien. De brand in de fabriek was een ongeluk. Goede avond, heren.

De vriendelijke man: Ik heb gehoord dat de brand was aangestoken.

Austin: Dat is onzin.

De vriendelijke man: Dat betekent dat de mensen die daarbij omgekomen zijn, vermoord zijn.

Austin: Dat is belachelijk. Lees het verslag dan eens.

Vethaar: Dat heb ik hem ook steeds gezegd, meneer Austin, maar hij wil niet naar mij luisteren. Wat moest ik doen? Hij zei mij dat hij naar de pers zou gaan. Wat moest ik doen? Het enige wat ik kon bedenken, was hem naar u te brengen. We zijn uiteindelijk alletwee bij u in dienst en ik dacht dat dat maar het beste zou zijn.

De klink van de voordeur piepte. Emily sprong op. De koetsier van de Austins kwam met de hoed in de hand naar binnen. Toen hij Emily op de trap zag staan, knikte hij. Emily knikte terug en beduidde met haar hand dat haar vader in de studeerkamer was. Dat was niet nodig, want de luide stem van haar vader gaf duidelijk aan waar hij was.

De koetsier knikte opnieuw, deze keer met een glimlach en een sluwe blik in zijn ogen. Hij begreep dat ze had staan afluisteren. Hij wist het en zij wist dat hij het doorhad.

Emily draaide zich om en liep haastig de trap op naar haar kamer. Ze wilde nog meer van het gesprek horen en daarvoor had ze goede redenen. Maar de verschijning van de koetsier had dat onmogelijk gemaakt. Nou ja, het was niet anders. Alle opwinding van die avond had zijn tol geëist. Ze was helemaal uitgeput.

Met een zucht sloot Emily de deur van haar slaapkamer achter zich. Ze liep de ruime kamer door en legde haar politiefluit en haar aantekenboekje op haar toilettafel. Ze boog zich wat naar voren en keek naar haar spiegelbeeld. Haar opgetrokken neusje gaf aan hoe ze zichzelf vond. Ze trok het lint uit haar haar. Haar dikke haar viel over haar schouders. Haar vingers gebruikend als kam streek ze door haar haar. Ze pakte een haarborstel maar legde die toen weer neer. Later zou ze haar haar wel borstelen.

Tegenover de muur met een open haard stond een eenpersoonsbed. Emily liet zich op het bed vallen. Ze draaide zich op haar rug en sloot haar ogen. Ze zuchtte opnieuw en dutte bijna in.

Toen herinnerde zij zich plotseling iets. Ze deed haar ogen open, sprong van het bed en liep naar haar bureautje dat naast de haard stond. Vanonder een stapeltje papieren haalde ze een dagboek en sloeg het open. Ze haalde het stukje papier tevoorschijn waarop ze het adres van Jesse Morgan geschreven had en legde het naast haar dagboek. Met de grootste zorg schreef ze zijn adres over in haar dagboek. Toen ze daarmee klaar was, keek ze naar wat ze opgeschreven had en glimlachte.

Daarna bladerde ze het stapeltje papieren door. Toen ze het papier vond waar ze naar zocht, legde ze het voor zich neer. De bovenste helft van het blaadje was van de ene tot de andere kant beschreven met slechts één naam:

Jesse Jesse Jesse Jesse Jesse Jesse Jesse Jesse Jesse Jesse Jesse Jesse Jesse
Jesse Jesse Jesse Jesse Jesse Jesse Jesse Jesse Jesse Jesse Jesse Jesse Jesse
Jesse Jesse Jesse Jesse Jesse Jesse Jesse Jesse Jesse Jesse Jesse Jesse Jesse
Jesse

Ze doopte haar pen in de inkt en ze voegde eraan toe:

Jesse Morgan Jesse Morgan Jesse Morgan Jesse Morgan
Jesse Morgan Jesse Morgan Jesse Morgan Jesse Morgan
Emily Morgan Emily Morgan Emily Morgan Emily Morgan
Emily Morgan Emily Morgan Emily Morgan Emily Morgan
mevr. Jesse Morgan mevr. Jesse Morgan mevr. Jesse Morgan
mevr. Jesse Morgan mevr. Jesse Morgan mevr. Jesse Morgan

HOOFDSTUK 4

'Ik hoop dat je mij wilt verontschuldigen, maar ik heb eigenlijk geen tijd voor een praatje', zei Clara.

De keurige vrouw tegenover haar glimlachte liefjes. Misschien wat al te lief. Ze had vriendelijke, bruine ogen. Haar bruine haar was opgestoken naar de laatste mode en het omlijstte een roze hoedje met veren. Haar tengere handen lagen samengevouwen op een boek dat op haar schoot lag.

In tegenstelling tot haar had Clara Morgan een van nature wat droevige, bezorgde oogopslag. Ook zij had haar haar opgestoken, maar het was aanzienlijk minder zorgvuldig gekapt. Voortdurend vielen er een paar haarslierten langs haar oren over haar naaiwerk heen. Zelfs als ze praatte ging ze door met haar werk.

'Ik zou je eigenlijk moeten helpen', zei de vrouw verontschuldigend, 'maar ik ben nooit zo erg handig geweest met naald en draad.'

'We hebben allemaal onze gaven', zei Clara vlak. Ze boog zich weer over haar naaiwerk zonder het werkelijk te zien. Haar ogen brandden en ze kon zich voorstellen dat ze roodomrand waren. Ze knipperde een paar keer met haar ogen om wat beter te kunnen zien. Maar het brandende gevoel bleef.

'Misschien kan ik thee voor ons maken', bood de vrouw aan.

'De ketel staat op het fornuis en je vindt de thee op de plank erboven', zei Clara kortaf. Ze trok haar lippen samen. Ze gedroeg zich lomp en het hinderde haar. Waarom gedroeg ze zich zo tegenover deze vrouw?

Haar gast stond op. Ze legde het boek op het bed dat vlak bij haar stoel stond. Toen liep ze naar het fornuis, stookte het vuur op, zette de ketel op het vuur en nam de thee van de plank.

Voor Clara zag de vrouw er, van top tot teen, uit als een zuidelijke schoonheid. Haar aankomst in een glanzend rijtuig had de aandacht van de hele buurt getrokken. Een menigte kinderen en nieuwsgierige volwassenen was haar op de trap gevolgd, terwijl haar roze japon ritselde en ruiste toen ze door de hal liep.

Een buurmeisje dat niet veel meer dan lompen aan had, had zich tegen de vuile muur aangedrukt en haar twee broertjes staakten hun spel om de dame in het roze te zien passeren. 'Mam! Mam!', gilde het meisje. 'Er is een engel in huis!'

Clara keek op om te zien hoe de engel van het buurmeisje vorderde. De vrouw in het roze mocht dan geen verstand van naaien hebben, maar bij het fornuis gedroeg ze zich erg handig. 'Hoe sterk wil je je thee hebben?', vroeg ze.

'We moeten met de thee doen tot ik weer betaald word', antwoordde Clara.

De vrouw knikte en maakte twee koppen slappe thee. Ze zette de ene kop op de gekraste houten tafel naast Clara, die met een knikje bedankte. De vrouw ging weer zitten en hield het kopje als een volmaakte dame op haar schoot.

Beiden zwegen. Vanachter de deur weerklonk het gepiep van een pompzwengel. De pomp was de enige watervoorziening van de hele huurkazerne. Het gepiep van de pomp ging maar door en werd alleen even onderbroken als de zwengel door de andere hand werd overgenomen.

'Wanneer moet dat allemaal af zijn?', vroeg de vrouw, waarbij ze naar de stapel broeken wees die op het bed lag.

'Morgenochtend om zes uur.'

'Morgenochtend?', riep haar bezoekster uit. 'De hele stapel?'

Clara knikte zonder van haar werk op te kijken. Alle broekspijpen moesten omgezoomd worden en er moesten vier knopen aan iedere broek worden gezet. Zodra een broek klaar was, legde ze die op het bed en greep weer een andere van de stapel. 'Als ik ze tegen die tijd niet af heb', zei ze, 'geeft de "slavendrijver" de volgende stapel aan een ander.'

'De slavendrijver?'

'Dat is de man die een contract met de kledingfabriek heeft voor het stukwerk zoals dit. De laagste bieder krijgt het contract.'

'En mag ik vragen hoeveel je per stuk krijgt?'

Clara keek op naar de vrouw. 'Eén en een kwart cent per stuk - maar dat gaat je eigenlijk niet aan.'

De vrouw dacht even over de prijs na en zei toen: 'Dat is niet veel. En hoeveel bedraagt de huur?'

Clara staarde de vrouw lange tijd aan.

'Neem mij niet kwalijk', zei de vrouw schaapachtig. 'Ik ben misschien wat al te vrijpostig. Het gaat mij eigenlijk niet aan.'

Clara dwong zichzelf ertoe beleefd te blijven. Maar het was duidelijk dat de vrouw hier niet thuishoorde. Ze was veel te kleurig - haar kleding, de glans in haar ogen en zelfs de kleur op haar wangen. Dat alles stond in fel contrast met de bruin-grijze, saaie kleuren waaraan de bewoners van de huurkazerne gewend waren.

Clara vroeg zich af of de vrouw besefte dat ze hier helemaal uit de toon viel. Ze vroeg zich af hoe zo'n duidelijk welgestelde vrouw zich in een vervallen kamer van een huurkazerne zou voelen.

De enige deur van de kamer zat vol krassen en beschadigingen. Eén paneel was vervangen door een stuk hout dat aanzienlijk lichter van kleur was dan de originele deur. Het saaie behang op de muur was verschoten en zes ondiepe planken die in de muur gebouwd waren, deden dienst als provisiekast. Voor de planken hing een gordijntje dat zo dun was dat je er doorheen kon kijken. Naast de provisiekast stond een met hout gestookt fornuis. De muur aan de andere kant werd helemaal in beslag genomen door een eenpersoons bed. Clara zat met haar rug naar het raam dat op de Hester Street uitkeek, terwijl haar bezoekster met haar rug naar de deur zat.

'Zes dollar per maand', zei Clara tenslotte. 'Dat moeten we als huur betalen. Het kon erger. Niet iedereen in het gebouw is zo goed af.'

De vrouw trok verwonderd haar wenkbrauwen op.

'Wij hebben een raam', legde Clara uit. 'We hebben iedere dag zonlicht. Eén van de kamers verder op de gang krijgt maar eens per jaar zonlicht. Ze hebben geen ramen. Het gezin dat daar woont weet precies de dag en het uur in het jaar dat het zonlicht tussen de gebouwen door naar binnen valt door de deur van de binnenplaats en hun eigen deur.'

'Vreselijk!', zei de vrouw.

Clara knikte. 'En bovendien wonen alleen Jesse en ik maar in deze kamer. Op de zesde verdieping zit een Duits gezin in een kamer die net zo groot is als deze. Maar hun gezin bestond uit negen personen. Man, vrouw, zijn moeder en zes kinderen. Er zijn er nu nog acht over. Een paar maanden geleden heeft de moeder zich uit het raam gegooid.'

'Verschrikkelijk, verschrikkelijk!'

Clara glimlachte flauwtjes. Om de een of ander vreemde reden deed het haar plezier deze welgestelde vrouw te shockeren met de realiteit van het wonen in een huurkazerne.

'En Jesse', vroeg de vrouw, 'hoe maakt hij het in zo'n omgeving?'

'O, hij overleeft het wel', zei Clara, 'net als wij allemaal. Hopelijk duurt het niet zo lang meer voordat we hier weg kunnen.'

'Wanneer dacht je dat dat zou zijn?'

Clara schudde haar hoofd. 'Dat is moeilijk te zeggen. Ik draai iedere cent om en probeer zoveel mogelijk te sparen. Misschien over een jaar, misschien over twee jaar. Dan kan ik hem naar school sturen.'

De vrouw keek verheugd op. 'Naar welke school wil Jesse?'
Clara fronste haar wenkbrauwen. 'Jesse wil eigenlijk helemaal niet naar school. Maar als hij iets van zijn leven wil maken, zal dat toch moeten. Als het eenmaal zo ver is, gaat hij wel.'
'Waar heeft hij belangstelling voor?'
Clara's hand plofte in haar schoot. Ze zat even stil, keek de vrouw aan en zei toen scherp: 'Op het ogenblik is zijn enige interesse dagdromen. Hij denkt bijna de hele dag dat hij Truly Noble is.'
'Lieve help', antwoordde de vrouw. Ze staarde zwijgend in haar kopje.
Clara wreef in haar vermoeide ogen. *Waarom zei ik dat allemaal?* schold ze zichzelf uit. Ze pakte haar werk weer op en begon weer te naaien. Op een wat verzoenlijker toon zei ze: 'Toen Jesse nog klein was, wilde hij brandweerman worden.'
'Tot zijn vader stierf', zei de vrouw.
Clara knikte.
'Dat moet een vreselijke tijd voor hem geweest zijn.'
'Hij is er nog niet overheen.'
'Nee, dat begrijp ik.'
'Hij geeft zichzelf de schuld van de dood van zijn vader.'
'Waarom? Jesse was pas vijf jaar toen het gebeurde!'
'Hij denkt dat hij iets had moeten doen om zijn vader te redden.'
'Was Jesse daar dan bij? Was hij ook bij de brand? Dat wist ik niet.'
Clara knikte. 'Hij is met Ben mee naar de fabriek gegaan. Toen de brand uitbrak, liet Ben Gerald - één van de medewerkers van de evangelisatiepost - Jesse vasthouden terwijl hij zelf naar binnenging om mensen te helpen uit het gebouw te ontsnappen.'
'Wat vreselijk voor Jesse!'
'En toen Ben niet meer naar buiten kwam, wilde Jesse naar binnen om hem te gaan halen. Maar alles stond toen in lichterlaaie. Gerald moest Jesse wel tegenhouden.'
'Het lijkt erop dat hij veel van zijn vader weg heeft.'
'Hij is een Morgan', zei Clara. 'Hij denkt dat hij de wereld kan redden.'
Door haar vinnige opmerking sloeg de vrouw opnieuw de ogen neer en er volgde een pijnlijke stilte. Clara gaf zichzelf opnieuw op haar kop. *Waarom zeg ik toch zulke dingen?*
Zonder op te kijken zei de vrouw zacht: 'Ben was slechts voor zo korte tijd een Morgan. Zijn ijver na de oorlog was een poging om zijn verleden goed te maken.' Ze glimlachte en keek op. 'Vader was zo trots op hem toen hij en J.D. samen naar de theologische school gingen. Ik herinner mij dat hij uitriep: "Twee zoons die hun vader in de bediening volgen!

Wie zou om een grotere zegen kunnen vragen?"'

De vrouw zweeg even toen ze eraan terugdacht.

Toen vervolgde ze: 'Toen Ben afstudeerde en voor het beroep van grotestadsgemeenten bedankte en besloot onder de armen te gaan werken, huilde vader. Hij zei dat Bens moeder erg trots op hem geweest zou zijn.'

Clara zei: 'Op die manier wilde Ben bewijzen het waardig te zijn de Morganbijbel te hebben ontvangen. Alles wat hij deed, moest dienen om te bewijzen dat hij het waardig was een Morgan te zijn.'

'Hij hoefde ons niets te bewijzen.'

'Zo voelde hij het nu eenmaal.' Clara's ademhaling werd gejaagder. Haar boosheid groeide toen ze zei: 'Hij probeerde dat ieder dag weer te bewijzen. Daardoor werd hij gedreven. Ik moet toegeven dat die hartstochtelijkheid in hem mij aanvankelijk aantrok. Hij was zo ijverig en vurig. Hij was zo verschillend van iedereen die ik kende. Zij dachten alleen maar aan hun carrière, hun toekomst, terwijl hij juist in de eerste plaats aan anderen dacht. Hij had voor anderen alles over. Hij hielp hen met het vinden van werk. Hij gaf ze geld. Hij las hen voor uit de Bijbel en hij bracht hen van de drank af.'

De vrouw in het roze glimlachte hartelijk. 'Ben had zich geen zorgen behoeven te maken om door de familie aanvaard te worden. Wat hij deed, bevestigde alleen maar wat wij al wisten. Hij was een Morgan.'

'O ja?', vroeg Clara koeltjes. Ze probeerde haar steeds groter wordende boosheid te onderdrukken, maar dat had ze in de loop der jaren al te lang moeten doen. 'Is het een eigenschap van de Morgans die hem deed besluiten de financiële zekerheid die samengaat met een predikantsplaats in een gemeente, af te wijzen? Is het een eigenschap van de Morgans die hem ertoe bracht zijn bruid naar dit smerige hol te brengen? Is het een eigenschap van de Morgans die hem ertoe bracht om midden in de nacht zijn vrouw en pasgeboren zoon achter te laten om een of andere dronkelap te gaan helpen? Is het een eigenschap van de Morgans waardoor hij, zonder ook maar een moment aan zijn gezin te denken, een brandend gebouw inrende om mensen te redden die hij niet eens kende?'

Clara's wangen waren rood en ze hijgde van boosheid. Maar het kon haar niet schelen.

De vrouw op de stoel was helemaal van haar stuk gebracht en zei niets.

Clara legde haar naaiwerk neer en stond op. 'Ik ben blij dat je hier bent', zei ze, terwijl ze haar emoties weer de baas probeerde te worden. Ze duwde haar stoel achteruit en bukte om iets onder het bed uit te halen. Er kwam een groot boek tevoorschijn dat ze aan de vrouw gaf.

De vrouw moest haar kopje wegzetten om het aan te pakken. Ze deed dat met een bezorgd gezicht.

'Ik wil je graag jullie familiebijbel teruggeven', zei Clara.

De vrouw nam de Bijbel met tegenzin aan. 'Die moet je doorgeven aan Jesse', zei ze.

Clara schudde haar hoofd. 'Ben heeft mij alles over de familietraditie ten aanzien van die Bijbel verteld. Hij leeft niet meer en kan dus ook niet meer aan zijn verplichting voldoen om de volgende ontvanger van de Bijbel aan te wijzen en daarom moet hij teruggegeven worden aan degene wiens naam boven die van Ben staat.'

De vrouw sloeg met een zekere eerbied de familiebijbel van de Morgans open. Op het schutblad stond een lijst namen vermeld die terugging tot 1630. Benjamin McKenna-Morgan was de laatste naam op de lijst; boven zijn naam stond de naam van zijn vader geschreven: Jeremiah Morgan.

'Weet je zeker dat je dit zo wil doen?', vroeg de vrouw.

'Zeker, zo is het het beste.'

De vrouw keek naar haar op. 'Vader is het afgelopen jaar gestorven. Ik weet niet zeker of hij gewild zou...'

'Geef de Bijbel dan aan J.D. Als ik mij niet vergis, was hij de eerste keus van je vader.'

De vrouw staarde bedroefd naar de Bijbel. Ze sloot het boek en toen keek ze naar Clara. Op haar gezicht viel tederheid en liefde te lezen. 'Clara, laten wij je helpen. Ik zal met J.D., Marshall en Willy praten. We kunnen Jesse helpen...'

Clara viel haar in de rede. 'Jesse en ik voelen er niets voor om van de liefdadigheid van de Morgans te leven. De omstandigheden in aanmerking genomen, hebben we aardig voor onszelf kunnen zorgen. Dank je, dat doen we niet.'

De vrouw legde troostend haar hand op Clara's arm. 'Maar Clara, liefje, denk eens...'

De deur achter haar ging open en sloeg tegen de stoel waarop de vrouw gezeten had. Door de gedeeltelijk geopende deur verscheen iemand met een pet op en een brede glimlach op zijn gezicht.

'Jesse!', zei Clara, 'ik ben blij dat je thuis bent. Hier is iemand die je graag wil ontmoeten.'

'Drommels! Ik kan het nauwelijks geloven!' Jesse kon niet stil blijven zitten. Het rijtuig veerde door zijn opwinding op en neer. 'Ik kan het bijna niet geloven', herhaalde hij. 'Hier zit ik dan in een rijtuig met Sarah Morgan Cooper! Sarah Morgan Cooper, de schrijfster!'

Aan weerszijden van het rijtuig verschenen voor de ramen allerlei gezichten, terwijl de koets middenin het marktgewoel van de Hester Street stond. Handkarren kwamen tot stilstand. Kopers en verkopers bogen zich naar voren om te zien wie er in dat mooie rijtuig zat.

'Ik hoop dat je mijn nieuwste boek aardig vindt', zei Sarah. Ze zat op het randje van haar zitplaats en haar handen rustten in haar schoot. Ze was blij met Jesse's reactie, maar werd afgeleid door al die mensen om de koets heen. Ze werd niet zozeer van de wijs gebracht door die starende gezichten op zichzelf, maar veel meer door de leegheid die ze in al die ogen zag. Ze had gehoord over de geestelijke verwording die armoede en slechte voeding met zich meebrachten. Maar ze had dit nog nooit eerder zelf gezien. Had deze achterbuurt ook zijn tol geëist van Jesse's geestelijke vermogens?

'Of ik het aardig vind? Ik vind het prachtig!', riep Jesse uit. Hij hield het boek omhoog om er weer naar te kijken. *Gevaar in Deadwood: een nieuw, opwindend avontuur van Truly Noble*. Op de omslag waren twee plaatjes te zien: het ene stelde Truly Nobel voor als sheriff die met een geweer vier veedieven op de vlucht joeg en het andere was een plaatje van Chastity die in een schuur aan een paal gebonden was terwijl een onguur, in het zwart gekleed persoon een lucifer bij een hoop hooi hield. Onderaan rechts had de schrijfster geschreven: *Aan Jesse. Mag je de kracht vinden die uit goedheid voortkomt. Je tante Sarah Morgan Cooper.*

'Dat is toch wel het minste wat ik voor mij trouwste lezer kan doen', zei Sarah.

'Dit is geweldig! Dit is werkelijk geweldig!', glunderde Jesse.

'Ben je klaar om te gaan?', vroeg Sarah. 'Ik heb je moeder beloofd dat we hoogstens een half uurtje weg zouden blijven.'

Jesse keek uit het raampje naar de menigte mensen die, in ieder geval voor een moment, zouden willen dat ze hem waren. Hij knikte enthousiast.

Sarah leunde naar voren. Haar japon ruiste toen haar arm omhoog ging en ze tegen het dak van het rijtuig klopte. Toen zonk ze weer in de kussens. Het rijtuig kwam met een ruk in beweging en daar gingen ze.

Jesse leunde eveneens achterover op de bank, maar hij kon niet stil blijven zitten. Hij wilde met volle teugen genieten van zijn rit in de koets. Zijn hand gleed over het leer van de banken en hij was meer geïnteresseerd in het interieur van de koets dan in het voorbijtrekkende landschap.

'Heb je veel gereisd?', vroeg Sarah hem.

Jesse schudde zijn hoofd. 'Moeder heeft mij verteld dat zij en vader mij mee naar Ohio genomen hebben toen ik net geboren was. Ze namen mij mee om mij aan opa Jeremiah te laten zien. Maar daar herinner ik mij natuurlijk niets meer van.'

'Ik herinner het mij nog wel', zei Sarah glimlachend. 'Het was een soort familiereünie. Je vader was zo trots dat hij een zoon had. Je had moeten zien hoe hij je vasthield – ik heb nooit een man gezien die zo behoedzaam met een baby omging.'

Jesse glimlachte toen hij zich het beeld voorstelde. 'Afgezien van die tocht ben ik nooit de stad uit geweest', zei hij. 'Maar dat komt vast nog wel een keer.'

Sarah zei: 'Ik herinner mij nog dat mijn vader mij meenam naar Cincinnatti toen ik nog een klein meisje was. Volgens hem veroorzaakte ik een hoop deining toen hij eens een lezing op het seminarie moest houden. Ik mocht tot de hoofdweg met hem meerijden, maar toen we daar waren, weigerde ik om uit te stappen en daarom nam hij mij maar mee!'

Ze lachte om haar eigen verhaal.

'Daarna werd het een jaarlijks terugkerende gebeurtenis', vervolgde zij. 'Wat ik mij vooral nog goed herinner, is dat ik net voor het uitbreken van de oorlog, bij een van die bezoeken aan school, Harriet Beecher Stowe ontmoette. We hadden samen een heel gesprek. We zaten buiten op een bank en het was geweldig voor mij om haar te ontmoeten.'

'Ik kan mij precies voorstellen hoe u zich gevoeld heeft toen u haar ontmoette', zei Jesse grijnzend.

Sarah bloosde. 'Ja, maar ik ben natuurlijk niet zo beroemd als mevrouw Stowe. Maar ik dacht eraan hoe anders het nu is nu ik de schrijfster ben.'

'U reist als schrijfster zeker heel wat af?', vroeg Jesse.

'Meneer Cooper en ik zijn naar Engeland en Europa geweest. We zijn twee keer op het Witte Huis uitgenodigd, eens door president Grant en de andere keer door president Arthur, kort nadat president Garfield vermoord was.'

Jesse boog zich op zijn bank naar voren. Hij scheen helemaal vergeten te zijn dat hij in een rijtuig zat.

'O ja', riep Sarah uit, 'dit zal je ook wel interesseren. Meneer Cooper en ik waren zo gelukkig om het eeuwfeest in Fairmont Park te Philadelphia bij te wonen.'

Jesse's opengesperde ogen gaven aan dat hij inderdaad geïnteresseerd was.

Sarah glimlachte. 'Heb je gehoord van de stoommachine van Corliss?'

'Tweeëneenhalfduizend paardenkrachten', zei Jesse.

'We waren op de openingsdag toen president Grant en Dom Pedro, de keizer van Brazilië, de machine startten. Er gebeurde iets bijzonder grappigs', giechelde ze. 'Toen de keizer het aantal omwentelingen per minuut van de machine hoorde, antwoordde hij: "Dat zijn meer omwentelingen dan onze republieken in Zuid Amerika meegemaakt hebben!"'

Jesse lachte.

'Je bent vlug van geest, meneer Morgan', zei Sarah, blij dat hij het grapje meteen begreep.

Het rijtuig bracht hen naar de betere stadswijken en de volksbuurten maakten plaats voor winkels en bakstenen huizen. Sarah voelde zich op haar gemak. Ze bevonden zich niet meer in een mensenmassa en hun rijtuig trok nog nauwelijks bekijk. Het reed zonder op te vallen door de straten.

Tijdens de rest van de rit vertelde Sarah Cooper Morgan nog meer verhalen aan Jesse over de dingen die ze op de tentoonstelling tijdens het eeuwfeest gezien had: luxe Pullman treinrijtuigen, totempalen, Zweedse kachels, de drukpers van Franklin, de jas, het vest en de broek van George Washington en allerlei bouwwerken die net zo fascinerend waren als de tentoonstelling zelf.

Clara Morgan stond voor de verweerde spiegel die achter de deur hing. Ze staarde naar haar kleurloze, saaie spiegelbeeld. Haar wangen waren ingevallen en bleek. Haar ogen waren vermoeid en keken droefgeestig terug. Dof bruin, opgestoken haar waaraan iedere glans ontbrak.

Ze was niet iemand die lang in de spiegel keek. Hoewel ze de spiegel dagelijks gebruikte om haar haar op te steken, keek ze maar zelden echt naar zichzelf. Maar nu, hiertoe aangezet door het verschijnen van de halfzuster van haar man, nam ze er de tijd voor om zichzelf te bekijken.

Als Sarah haar niet bezocht zou hebben, zou de tol die de achterbuurt van haar geëist had, waarschijnlijk niet opgevallen zijn. Wat viel er op te merken? Ze zag eruit als iedere andere vrouw in de buurt. Sarah Morgan Cooper had kleur in de huurkazerne gebracht. Ze viel op als een regenboog tegen een grijze, sombere lucht.

Ook Jesse zag dat. Hoe zou hij het verschil tussen zijn tante en al de andere vrouwen in de huurkazernes niet op kunnen merken? Die gedachte verontrustte Clara. Bij de afwezigheid van kleur had Jesse er zich tevreden mee gesteld zijn sombere wereld aan te vullen met zijn verbeeldingskracht. Maar hoe zou hij reageren op een echt kleurrijk leven? Of juister gesteld, hoe zou een overwerkte moeder die de kost met naaien moest verdienen, kunnen wedijveren met een beroemde schrijfster?

Clara sprak tot de spiegel: 'Jij bent alles wat ik nog heb, Jesse. Ik laat je niet achter een denkbeeldige regenboog aanjagen.'

Door het rumoer dat op staat ontstond, vermoedde Clara dat het rijtuig was teruggekeerd. Ze liep naar het raam en keek op de menigte neer toen Jesse uit het rijtuig stapte, waarbij hij naar de mensen wuifde alsof hij een politicus was. Hij droeg zijn nieuw-gekregen roman als een kostbare schat onder zijn arm.

In eerste instantie overwoog Clara het boek te verstoppen zodra hij in slaap gevallen was, maar toen bedacht ze zich. Jesse zou de kamer op zijn kop zetten om het te vinden. Hij kon het boek maar beter houden. Ze had in ieder geval de voldoening dat ze van de Morganbijbel af was. Ze achtte de Bijbel een nog grotere bedreiging dan die roman.

Ze herinnerde zich hoe Ben gewoon was geweest verhalen te vertellen over de personen wier namen voorin de Bijbel geschreven stonden. Als hij de verhalen over Drew Morgan en al die anderen vertelde, was hij zo opgewonden geweest als een kleine jongen. Hij had die verhalen al aan Jesse verteld nog voordat de jongen in staat was deze werkelijk te begrijpen.

Clara vond het maar beter dat Jesse die verhalen niet meer zou horen. Het waren gevaarlijke verhalen, vooral voor een jongen als Jesse. Hij werd door fictieve verhalen al zo gemakkelijk beïnvloed. Hoe zou hij dan reageren op verhalen over de Morgans die echt gebeurd waren? De jongen zou binnen een week een ongeluk krijgen als hij zich als een Morgan ging gedragen.

'Het is voor je eigen bestwil', zei Clara, terwijl ze zag hoe enthousiast Jesse het rijtuig stond na te zwaaien. Er biggelde een traan langs haar bleke wang. Clara deed geen moeite haar tranen terug te dringen.

De laatste woorden die Sagean die dag tegen hem gezegd had, hadden nogal dreigend geklonken. 'Ik kan geen excuses voor je blijven maken, Jesse! Meneer Ruger denkt toch al dat ik gek ben om je in dienst te houden. Misschien ben ik dat ook wel... Je moet je hoofd eens uit de wolken halen en iets van je leven gaan maken. Je bent geen jochie meer! En als je niet beter je best gaat doen dan... ik vind het vervelend om dit te moeten zeggen... maar dan laat je mij geen andere keus dan je te ontslaan... vader of geen vader.'

Door Sageans loyaliteit tegenover Jesse's vader had Jesse het baantje bij de glasfabriek van Ruger gekregen. Albert Sagean, de bedrijfsleider van de fabriek, was één van Bens succesverhalen. Ben had de dronkelap Sagean letterlijk uit de goot gevist. Ben had hem meegenomen naar de evangelisatiepost, had hem eten en kleren gegeven en hem van de drank verlost.

Maar Sagean had nooit het gevoel gekregen dat hij iemands evangelisatieproject was. Ben was een vriend voor hem geweest, hij had hem allerlei klusjes in de post laten doen. Hij had met hem gepraat en naar hem geluisterd. Nog nooit had iemand zo naar Sagean geluisterd als Ben.

'Toen ik het zelf niet meer zag zitten, geloofde die man in mij', zou Sagean later over Ben zeggen. 'Het was 12 oktober 1872 - ik herinner het mij nog als de dag van gisteren - en Ben leidde de zondagse dienst. Ik bad zoals hij mij gezegd had dat ik moest doen, toen er plotseling een dubbel wonder plaatsgreep. Ten eerste, God verloste mij en gaf mij een nieuw leven in plaats van mijn oude verwoeste leven. Maar dat was nog niet alles! Diezelfde avond verloste God mij ook van mijn drankzucht.'

De mensen in zijn directe omgeving waren niet erg overtuigd van zijn bekering. 'Dat duurt niet lang', zeiden ze tegen elkaar. En daar hadden ze ook alle reden toe, want de geschiedenis had hen al vaak in het gelijk gesteld.

Dit was niet de eerste keer dat Sagean zijn leven gebeterd had en het was ook niet de tiende keer. Het vaststaande patroon was dat Sagean een paar weken niet dronk, een baantje kreeg en een normaal leven ging leiden. Als dat dan een poosje gelukt was, voelde hij zich daar zo goed over dat hij een borrel nam. En dan nog één en dan nog één. Hij hield er niet mee op tot hij weer zijn baan kwijtraakte en weer in de goot terecht kwam. Toen Sagean nadrukkelijk zei dat het deze keer anders was, geloofden de meesten hem dan ook niet. Ze cirkelden als aasgieren om hem heen en wachtten tot iemand hun zou vertellen dat hij Sagean weer ergens in de goot had zien liggen.

Ze wachtten tevergeefs. Albert Sagean was een nieuw mens geworden.

Toen Ben erachter kwam dat Sagean in Grafton in West-Virginia glasblazer was geweest, ging hij naar Bill Ruger en hij kreeg het voor elkaar dat deze Sagean een baan gaf in de glasfabriek. Achttien jaar later werkte Sagean daar nog steeds en had hij zich tot bedrijfsleider opgewerkt. Hij vergat nooit dat het Ben Morgan was geweest die hem in eerste instantie op het rechte pad had gebracht dat hij nu al achttien jaar bewandelde.

Toen de enige zoon van Ben dan ook een baan nodig had, was Sagean graag bereid om hem daarbij te helpen. Volgens de regels van de vakbond moesten glasblazers hun eigen assistent in dienst nemen. Hij haalde zijn beste glasblazer ertoe over Jesse in dienst te nemen.

Op de eerste dag maakte Jesse kennis met 'het vurige gat' – een sarcastische bijnaam voor de oven van de glasfabriek. Degenen die bij het vurige gat werkten, moesten tegen grote hitte bestand zijn. Veel jongens die daar gewerkt hadden, liepen daarbij zulke verwondingen op dat ze er invalide door werden. De directie van de fabriek schreef dat toe aan persoonlijke onachtzaamheid of onoplettendheid. Maar de jongens die het ondanks de hitte en het gevaar volhielden, werden door de andere arbeiders met een zeker respect bejegend.

Jesse wierp één blik op het 'vurige gat' en wilde niet dichterbij komen. Wat ze ook probeerden, hij liet zich niet overhalen.

De glasblazer die hem aangenomen had, wilde Jesse voor zijn weigering meteen ontslaan, maar Sagean kwam tussenbeide. Hij stelde voor dat Jesse waarschijnlijk beter geschikt was voor het baantje van matrijzenjongen.

Jesse kreeg dus een tweede kans. De taak van een matrijzenjongen bestond eruit dat hij urenlang in gehurkte houding aan het einde van de blaaspijp moest blijven zitten en erop moest letten dat het gesmolten glas de goede vorm aannam. Het baantje hield in dat je lange tijd niets behoefde te doen, maar dat je, als er iets fout dreigde te gaan, onmiddellijk en op het juiste moment moest ingrijpen.

Dat werkeloze wachten deed Jesse de das om. Hoewel zijn handen werkeloos waren, werkte zijn geest op volle toeren. En als hij in actie moest komen, werd zijn geest in beslag genomen door Truly Noble – die zich teweer stelde tegen een malafide bankier, of een sluipmoord op een president voorkwam, of die in een mijnschacht afdaalde om een onschuldige Charity Increase te bevrijden. Het gevloek van de glasblazer bracht hem dan weer terug naar de fabriek. Maar dan was het al te laat om er nog iets aan te kunnen doen.

Op de dag dat hij drie vazen verknoeide, werd hij ontslagen.

Hoewel Sagean teleurgesteld was in Jesse, liet hij hem nog niet vallen. De bedrijfsleider herinnerde zich hoe ook Ben hem niet in de steek gelaten had, toen iedereen tegen hem zei dat hij zijn tijd aan het verknoeien was. Daar hij geen andere glasblazer vond die Jesse in dienst wilde nemen, besloot Sagean de jongen als loopjongen op het kantoor in dienst te nemen.

Dat baantje lag Jesse wel. Hij was daardoor vaak alleen – als hij op weg was kon hij zijn gedachten de vrije loop laten of als hij door zijn werkzaamheden met de paardentram ergens heen moest, kon hij een paar avonturen van Truly Noble lezen. Vanaf die tijd had hij altijd een boek in zijn broeksband gestoken. Als hij met zijn taak bezig was, verknoeide Jesse geen tijd. Hij had teveel respect voor meneer Sagean om dat te doen. Maar hij streefde er ook niet naar om de snelste loopjongen van New York te worden. Het was een baantje dat hem uitstekend beviel. Meneer Sagean mocht hem wel. Het werk was makkelijk. En hij en zijn moeder konden samen de kost verdienen. Hoewel meneer Sagean hem aanspoorde te solliciteren naar andere baantjes die beter betaalden en betere kansen boden, verlangde Jesse er helemaal niet naar om iets anders te gaan doen.

Toen Sagean met ontslag dreigde, schrok Jesse. Maar er was iets wat hem nog grotere zorgen baarde en daarom bleef hij bij zijn verzoek.

'Ik wil alleen maar een half uur eerder naar huis', zei Jesse. 'Ik zit dan toch al aan die kant van de stad. Wat voor zin heeft het om hier terug te komen en meteen daarop weer weg te gaan?'

Sagean schudde zijn hoofd. 'Het gaat niet om dat halve uur, Jesse. Het is je hele houding. Je doet geen enkele moeite om vooruit te komen. Een knaap die zes of zeven jaar jonger is dan jij kan dit baantje ook doen!'

Uiteindelijk vond de bedrijfsleider het goed dat Jesse direct naar huis zou gaan als hij zijn pakje bij het kantoor van de Austinfabriek had afgeleverd. Maar hij liet Jesse beloven eens over zijn toekomst te gaan nadenken.

Maar het was juist Jesse's toekomst die hem ertoe bracht zijn verzoek te doen. Zijn onmiddellijke toekomst wel te verstaan. Sinds hij in de steeg met Finn en zijn kornuiten te maken had gekregen, hadden de schurken er hun gewoonte van gemaakt Jesse op zijn weg naar huis lastig te vallen. Tot nu toe had hij zich eruit weten te redden en was het niet tot een handgemeen gekomen. En Jesse stelde er prijs op om dat zo te houden.

Iedere avond nam Jesse een andere weg naar huis. Hij liep soms helemaal naar de Henry Street om dan weer langs allerlei sluipwegen terug te keren naar de Hester Street. Finn reageerde hierop door zijn twee overmaatse handlangers en zijn kleine broertje Jake op verschillende straathoeken te laten posten. Het was een voordeel dat Finn niet wist waar Jesse precies woonde.

Jesse's volgende zet was zijn tijdschema te wijzigen. Hij wachtte lang genoeg om de uitkijkposten te doen geloven dat hij al langs hen heen geglipt was. Als ze dan weg waren, liep hij door de straten die zij even daarvoor nog in het oog gehouden hadden. Vandaag hoopte hij Finn te slim af te zijn door een half uur eerder naar huis te gaan.

Op de hoek van de Grand Street en de Forsyth Street sprong Jesse van de tram. Hij had een verzegelde envelop bij zich die hij in de Delancey Street bij het kantoor van de Austin fabriek moest bezorgen. Hij vond het vervelend dat hij meneer Sagean zo boos had gemaakt. Maar dat hij eerder naar huis kon, was een kans die hij niet voorbij kon laten gaan, wilde hij zich aan de stelling van Truly Noble houden: *Vecht alleen maar als laatste redmiddel; en dan alleen maar om jezelf of anderen te verdedigen.* Jesse nam zich voor om de volgende dag een uur langer te werken. Door dat te doen, zou hij niet alleen meneer Sagean gelukkig maken, maar het zou ook goed passen in zijn strategie om Finn te vermijden door zijn schema te veranderen.

Jesse sprong met drie treden tegelijk de trap op en hij bereikte zijn plaats van bestemming.

Terwijl de meisjes achter de typemachines naar hem keken, nam het geratel van de machines af. Er stonden drie rijen bureaus en achter ieder bureau keek een paar ogen over de typemachine heen naar hem. Achter de tweede typemachine keken een paar bekende ogen in blijde verrassing naar hem. De blik ging met een warme glimlach gepaard. Jesse herkende haar. Emily Barnes. Het meisje met de politiefluit.

'Aan het werk, meisjes', gromde een man met een bril, een wit overhemd en rode bretels naar hen. Het toenemende geratel van de schrijfmachines gaf aan dat ze aan zijn bevel gevolg gaven.

'Waar ben je zolang gebleven?', schreeuwde de man naar Jesse.

Zonder iets te zeggen overhandigde Jesse hem de envelop. De baas van het kantoor graaide hem uit zijn hand. Jesse was er achter gekomen dat hij de baas van het kantoor op geen enkele manier een plezier kon doen. 'Waar ben je zolang gebleven?' was de enige begroeting die hij ooit van de man gehoord had. Een paar keer wist Jesse zelfs zeker dat men de brief niet had kunnen verwachten. Niettemin had de man hem begroet met de woorden: 'Waar ben je zolang gebleven?'

'Waarom sta je hier nu nog?', brulde de man. 'Als die meisjes allemaal naar jou blijven kijken, doen ze helemaal niets meer. Maak dat je wegkomt!'

Jesse kon het niet laten. Toen hij naar de deur liep, keek hij gauw even naar de meisjes. Eén meisje zat in ieder geval naar hem te kijken. Emily.

'Barnes! Aan het werk!', schreeuwde de baas. Hij gooide de deur met een klap achter Jesse dicht.

Als uit bakstenen gebouwde huurkazernes rotsen zouden zijn, zou de menselijke voortbeweging aan de voet ervan een rivier zijn en dan moest Jesse stroomopwaarts zwemmen om thuis te komen. Zo ver als hij kon zien, stonden er aan de kant van de straat handkarren. Kopers en verkopers zwermden als kleine draaikolken rond de karren, onderhandelend over de prijs van vis en groenten, fruit en brood. In het midden van de straat voeren door paarden getrokken wagens als rivierboten langzaam voort. Het lawaai van de onderhandelingen, de gesprekken en het geroddel werd door de verticale muren weerkaatst als het gekabbel van de golfslag.

Jesse waadde door de stroom heen. Normaal gesproken was de Hester Street vrijwel leeg tegen de tijd dat hij naar huis ging. Maar gezien de omstandigheden van zijn vroege thuiskomst vond hij het wel goed dat het zo druk was. Hij ging helemaal op in de menigte. Daardoor zou het voor Finn moeilijker zijn hem te zien, hoewel hij op dit moment waarschijnlijk nog niet naar hem op zoek zou zijn. Dat hij vandaag zonder problemen kon thuiskomen, maakte het feit dat meneer Sagean in hem teleurgesteld was wat gemakkelijker te dragen.

Maar hij was nog steeds voorzichtig. Hij bleef midden op straat lopen, waar het wat minder druk was. Als dat noodzakelijk was, kon hij in iedere richting ontsnappen. Aan de zijkant van de straat kon hij gemakkelijk klem komen te zitten tussen de rij karren of een groep kopers en verkopers. Terwijl hij door de straat liep, gingen zijn ogen voortdurend heen en weer. Hij zorgde ervoor dat hij altijd tenminste één ontsnappingsroute in het vizier had.

Links van hem tilde een vrouw met een vuil-witte schort voor een haring boven haar hoofd en met een schelle stem riep ze boven het lawaai van de menigte uit hoe vers de vis wel was. Ze ving de blik van een vrouw op en ze liep op haar toe om haar te laten zien dat de vis echt heel vers was. 'Kijk eens hoe de zon op die schubben glanst', zei de visvrouw. 'En ruik eens!' Ze duwde de haring onder de neus van de vrouw. 'Heb je ooit zulke verse vis geroken? Nee toch zeker?'

Achter de visvrouw zat een groepje mannen met vesten aan en hoeden op op stoelen die in een kring geplaatst waren. De kleinste van hen, een man met een grote snor en een schorre stem, beweerde dat president Benjamin Harrison zijn verkiezing aan New York te danken had. 'Als Harrison weet wat goed voor hem is, dan zal hij de pensioenwet moeten herzien! Dat zeg ik je! Ons land staat bij onze oude soldaten in het krijt!'

Alle mannen om hem heen waren het roerend met hem eens.

'Appels! Moesappels!' Het stemgeluid van een grote man trok Jesse's aandacht weer naar het midden van de straat. 'Appels! Eet ze vers! Kook ze! Geen betere waar voor je geld! Appels!'

Finn!

Toen Jesse hem zag, bleef hij zo abrupt staan dat de man achter hem tegen hem opbotste. De man schold hem uit, Jesse voelde zijn warme adem in zijn nek. De man duwde Jesse verachtelijk opzij. Jesse was er zich echter nauwelijks van bewust dat iemand tegen hem opgelopen was, hij hoorde niet wat de man zei en had geen aandacht voor zijn boze gezicht. Het enige wat Jesse zag, was dat Finn recht op hem af kwam!

De straatjongen droeg een vilten bolhoed. De donkere schaduw van de rand verborg zijn ogen en de helft van zijn neus. Als de kleine roodharige Jake niet naast hem gelopen had, zou Jesse Finn waarschijnlijk te laat opgemerkt hebben. De jongens liepen zo'n vijftig meter voor hem en passeerden net de trap die naar Jesse's appartement voerde. Finn liep met een air of de hele markt van de Hester Street van hem was.

Jesse had geluk. Ze hadden hem nog niet gezien. Een jongevrouw op de tweede verdieping leunde uit een raam en ving Finns blik. Hij keek glimlachend naar haar op en tikte aan zijn hoed. Jake keek naar iets op de grond en trapte tegen een steentje.

Jesse's eerste reactie was om te draaien en weg te rennen, maar toen bedacht hij dat een plotselinge beweging Finns aandacht zou kunnen trekken. Met kloppend hart bedacht Jesse dat hij iets anders zou moeten verzinnen en dat hij dat snel moest doen. Finn was bijna bij hem.

Jesse keek naar links. Als hij bij dat groepje mannen achter die visvrouw zou kunnen komen, zou hij zich waarschijnlijk achter hen kunnen verschuilen zonder dat Finn hem zou opmerken. Als Finn dan voorbij was, zou hij naar zijn appartement kunnen lopen.

Maar stel je voor dat Finn hem wel zou zien. Erger nog, stel je voor dat Finn achterom zou kijken en zou zien dat hij zijn appartement binnenging. Hij zou op de trap goed zichtbaar zijn. Nee, hij kon het risico niet nemen dat Finn zou ontdekken waar hij woonde.

Doe iets!, hield Jesse zichzelf voor. *Als je niet naar links gaat, ga dan naar rechts. Weg van het huis!*

Jesse deed twee stappen naar rechts en bleef toen stokstijf staan. Zijn hart bonsde in zijn keel.

Een grote wagen met stoelen en ander meubilair blokkeerde zijn weg. De stoelpoten staken in de lucht als dode vogels. Maar het was niet de wagen zelf die hem tot staan bracht. Achter op de wagen zaten de twee kornuiten van Finn steentjes te gooien.

Eén van de twee schelmen had net een steentje in de lucht gegooid. Het raakte een in lompen gehuld jochie boven op zijn hoofd. De jongen wreef over zijn hoofd en keek in de lucht. 'Hé, het regent stenen', schreeuwde hij. Alle jongens om hem heen keken ook naar boven om te zien of het stenen regende.

De twee schurken bulderden van het lachen. Ze gooiden opnieuw.

Jesse liep langzaam achteruit, ervoor wakend dat hij niet hun aandacht trok. Er was nog maar één richting voor hem overgebleven, de weg die hij had willen nemen. Hij draaide zich om om te proberen zo snel mogelijk zoveel mogelijk mensen tussen hem en Finn te krijgen.

Net toen Jesse zich omkeerde, keek Jake op van de steen waar hij tegenaan trapte. Ze keken elkaar aan. De jongen deed verschrikt zijn mond open toen hij hem herkende.

'Finn, kijk eens!', schreeuwde Jake. 'Hij is het!'

Als Paul Revere net zo'n succes gehad zou hebben om de kolonialen tot actie over te halen als Jake kans zag zijn strijdkrachten te mobiliseren, zouden de Engelsen destijds in een paar weken van het continent verdreven zijn geweest. Finn had Jesse in het oog nog voordat hij een stap had kunnen doen. Ook de twee straatbengels op de wagen hadden Jake's kreet gehoord en zagen hem nu ook.

Vier paar hongerige ogen waren nu op Jesse gericht. Zoals een dier bij het zien van een groot vuur bewegingloos blijft staan, zo stond ook Jesse als aan de grond genageld en staarde naar zijn vervolgers. Heel even vervaagde alles en iedereen om hen heen naar de achtergrond. In de drukke Hester Street waren nu nog maar vijf mensen. Vier tegen één.

Het leek wel of Jesse's hart stilstond en of hij geen adem meer kon krijgen. De enige lichamelijke reactie waarvan Jesse zich gewaar was, was dat het zweet van zijn voorhoofd en bovenlip droop.

'Grijp hem!', schreeuwde Finn.

Hij greep zijn hoed om te voorkomen dat hij die verliezen zou en sprong naar voren. De twee schelmen op de wagen waren dichterbij, maar langzamer. Ze sprongen van de wagen en vielen op Jesse aan.

De plotselinge beweging verbrak de verlammende betovering. Net toen de eerste van de twee schelmen hem bereikte, dook Jesse onder de viskar, raakte de grond en rolde onder de kar.

Eén van de schelmen dook achter hem aan, maar zijn reflexen waren wat traag en daarom dook hij wat te laat. De hele kar schudde toen zijn hoofd tegen de zijkant van de kar sloeg juist op het moment dat Jesse er aan de andere kant onderuit kwam. Het leek wel of er een hele waterval van haringen over Jesse uitgegoten werd. Het visvrouwtje liet een gil van schrik toen ze Jesse onder de kar uit zag rollen. En ze schreeuwde opnieuw toen ze al haar verse vis op de grond zag glijden.

Jesse krabbelde overeind. De tweede schelm achter hem besloot niet onder, maar over de kar te gaan. Hij sprong op de viskar en greep Jesse nog net bij zijn overhemd.

De visvrouw trok woedend haar schort af en begon de schelm die boven op haar vis lag daarmee te slaan, waarbij ze luidkeels klaagde dat die schurk al haar vis platdrukte. Bij iedere klap vertrok de schelm zijn gezicht, maar hij liet Jesse niet los.

Zijn maat onder de kar schudde met zijn hoofd om weer bij zijn positieven te komen en greep toen naar Jesse's benen.

Jesse deed een stap terug, keerde zich om en sloeg op de armen van de andere knaap die hem vasthield. De visvrouw ging door om hem met haar schort op zijn hoofd te slaan. Maar de jongen hield vast. Van onder de kar kroop de andere schelm dichter naar zijn benen.

Terwijl Jesse zich probeerde los te rukken, keek hij op om te zien hoever Finn inmiddels gevorderd was. Een duivelse grijns onder de rand van de vilten bolhoed aan de andere kant van de kar, begroette hem.

Jesse trok in paniek nog harder om zich te bevrijden. Finn probeerde om de kar heen te lopen.

'Hebbes!'

De schelm onder de kar kreeg Jesse's enkel te pakken.

Op datzelfde moment zwiepte de riem van de schort van de visvrouw als een zweep door de lucht. Met een kreet van pijn liet de schurk boven op de kar Jesse's overhemd los. Hij zwaaide zijn arm ter bescherming voor zijn gezicht.

'Nee!', schreeuwde Finn.

Jesse liep achteruit, waarbij hij de knaap onder de kar met zich meetrok. In een poging Jesse te grijpen voordat hij kon ontsnappen, sprong Finn op de kar.

Het gewicht van beide jongens bleek voor de kar teveel te zijn. Met een luid gekraak brak de as. De kar helde nu naar één kant en de overige haringen, de schelm en Finn vielen van de kar bovenop de andere schelm en vormden één grote stinkende warboel op de grond.

Het lawaai dat de visvrouw maakte, werd nu nog versterkt door de kreten van de schurk en Finn die door de visvrouw met haar riem op het hoofd geslagen werden. Ze probeerden tussen de eens zo verse, glibberige haringen uit overeind te komen.

Jesse zag kans er vandoor te gaan. Hij worstelde zich door de te hoop lopende menigte heen die kwam kijken wat er aan de hand was. Hij rende naar de Allen Street en de daarboven gelegen spoorbaan.

HOOFDSTUK 6

De fluit van een locomotief trok Jesse onweerstaanbaar naar de verhoogde spoorbaan als ijzervijlsel dat door een magneet wordt aangetrokken. Bij een vorige ontmoeting met Finn had Jesse de verhoogde spoorbaan gebruikt om aan hem te ontsnappen door op het moment dat de trein het station verliet, op de trein te springen. Finn en zijn kornuiten hadden op het perron het nakijken gehad. Ze konden alleen maar schelden en op het perron meerennen en hulpeloos toezien hoe de trein vertrok.

Tijdens die ontsnapping was het tijdschema natuurlijk helemaal in zijn voordeel geweest. Jesse moest er niet aan denken wat er gebeurd zou zijn als de trein een paar seconden later vertrokken zou zijn. Finn en zijn kornuiten zouden dan eveneens op de trein gesprongen zijn en Jesse zou dan in een zich snel voortbewegende trein, hoog boven de straten van de stad, gezeten hebben, waaruit geen ontsnappen mogelijk was.

Toen hij weer naar de spoorbaan rende, vroeg hij zich af of het hem deze keer weer zou lukken. Hij bleef lang genoeg onderaan de trap die naar het perron voerde, staan, om te zien dat Finn hem inderdaad achterna kwam. De Allen Street was wel druk, maar breder en lang niet zo druk dan de Hester Street. Er waren veel minder voetgangers en karren en wagens. Jesse kon de hoek met de Hester Street duidelijk zien.

Boven hem klonk opnieuw de fluit van de locomotief. De trein stond op het punt te vertrekken.

Het juiste moment, dacht Jesse terwijl hij zenuwachtig op de trapleuning trommelde. *Alles komt aan op het juiste moment.*

Van om de hoek met de Hester Street verschenen drie figuren. Finn liep voorop met zijn hoed in de hand om harder te kunnen rennen. Direct achter hem waren zijn twee zwaardere vrienden te zien. Zelfs op deze afstand zag hij dat hun kleding onder de schubben van de haring zat.

Boven hem hoorde hij drie keer het fluitsignaal van de trein. Die zou nu vertrekken.

Jesse keek naar de in beweging komende trein. Net als alle locomotieven kwam ook deze met een schok in beweging en trok toen langzaam op. Te langzaam! Finn en zijn kornuiten naderden snel.

Net toen Jesse de trap op wilde stormen, ving hij de geamuseerde grijns van een man op die in een krantenkiosk stond. De kiosk stond onderaan de trap die naar de spoorbaan leidde. Allerlei tijdschriften waren op een bord geprikt om de voorpagina's te laten zien. Op een toonbank onder het bord lagen stapels tijdschriften, boeken en kranten. De man in de kiosk had Jesse zien rennen, naar de trein kijken en toen naar de drie figuren die hem achtervolgden. Waarschijnlijk vermoedde hij wat er aan de hand was. Hij scheen de situatie nogal grappig te vinden.

Jesse sprong de treden op naar het perron. Er waren twee trappen naar het perron die door een platform van elkaar gescheiden waren.

Toen Jesse de eerste trap was opgerend, bleef hij op het platform even staan om de situatie in ogenschouw te nemen. De trein kroop langzaam vooruit en Finn rende schreeuwend op hem toe.

'Hij krijgt je te pakken!' De stem kwam van beneden. De man in de kiosk keek grijnzend naar hem op.

Jesse rende de tweede trap op. Toen hij de laatste trede nam, viel hij op de grond.

De trein kwam nu op snelheid.

Jesse krabbelde overeind.

Finn rende zo hard als hij kon en verloor zijn lange, magere prooi geen moment uit het oog. De leider van de jeugdbende schatte de snelheid van de trein in toen deze het station uitreed. Met zijn jarenlange ervaring als straatjongen berekende hij zijn kans. Hij grijnsde breed. 'Deze keer zal je mij niet ontsnappen', mompelde hij.

Hij draaide zijn hoofd wat om en gilde: 'We hebben hem! Schiet op! We hebben hem!'

Finn vloog langs de krantenkiosk met de grijnzende man. Hij greep de paal onderaan de trap en zwaaide zonder zijn vaart te verliezen de trap op. Zijn voeten roffelden op de houten treden. Hij vloog de eerste trap op, rende over het platform en rende toen de tweede trap op. Hij bereikte het perron op het moment dat het laatste rijtuig langs hem heen reed.

Met een goed berekende sprong belandde hij op de treeplank van het langs hem heen rijdende rijtuig. De voetstappen achter hem gaven aan dat zijn kornuiten hem op de voet volgden. Hij draaide zich vliegensvlug om en trok eerst de ene en toen de andere schavuit omhoog, juist voordat de trein het eind van het perron bereikt had. Zwaar hijgend liepen de drie door het gangpad van het laatste rijtuig, waarbij ze alle inzittenden nauwkeurig opnamen. Finn trok zich niets aan van de afkeurende blikken en de opmerkingen van de overige passagiers over hun plotselinge aanwezigheid. Hij had alle tijd en hij genoot van zijn overwinning. Hij had die Morgan dan eindelijk te pakken. Hij zou hem deze keer niet ontsnappen.

Jesse zat in elkaar gedoken in het donker. Hij wachtte en luisterde.

Finn was iemand die altijd aan het woord was. Iedere keer als Jesse hem tegengekomen was, had de straatschender bedreigingen of bevelen geschreeuwd. Als Finn in de buurt was, zou Jesse dat horen. Daar rekende hij in ieder geval op.

Maar het was beter om geen haast te maken. Jesse wachtte.

Toen hij er zeker van was dat de kust veilig was, kwam Jesse vanachter de krantenkiosk tevoorschijn. Het verbaasde gezicht van de man in de kiosk was net zo voldoeninggevend als het applaus voor een goed gespeelde wedstrijd.

De verbijsterde krantenverkoper keek op naar het perron en toen weer naar Jesse. Plotseling begreep hij het. 'Je bent onder de trap door naar beneden geslopen en toen achter de kiosk gesprongen!'

Jesse glimlachte en knikte en hij genoot van de bewonderende blik van de man.

'Ik was er vast van overtuigd dat ze je te pakken zouden krijgen', zei de man. 'Dat heb je handig gedaan!'

'Dank je.' Jesse maakte een bescheiden buiging.

In de wetenschap dat Finn en zijn kornuiten zich steeds verder van hem verwijderden, wilde een tevreden Jesse naar huis terugkeren.

Plotseling werd zijn aandacht getrokken door een woeste rode haardos. Jake liep de trap van het perron af. Daar hij kleiner was had hij zijn broer niet bij kunnen houden. Hij had de trein gemist. Hij sprong van de laatste tree af en kwam toen oog in oog met Jesse te staan. Hij keek net zo verbaasd als de man in de kiosk, maar in tegenstelling met de krantenverkoper ging zijn verbazing gepaard met grote schrik.

Jesse wist niet waarom, maar hij greep de jongen bij de arm en wist toen eigenlijk niet wat hij met hem aan moest. De jongen zwaaide met zijn vuisten, gilde en schopte. Jesse zag kans om hem ver genoeg van zich vandaan te houden, zodat hij niet geraakt werd.

'Laat mij los!', schreeuwde Jake.

'Ik zal je niets doen!', zei Jesse.

'Laat me los!'

'Rustig maar!'

'Laat me los!'

Jesse sleepte de jongen terug naar de trap en dwong hem op de eerste trede te gaan zitten. Het was een goede plaats om de jongen onder controle te houden. Jesse blokkeerde zijn mogelijkheid om te ontsnappen naar de straat, en vanwege de zijpanelen langs de trap kon hij niet langs de zijkanten ontsnappen. Iedere keer als de jongen probeerde op te krabbelen, trok Jesse hem met zijn lange armen weer naar beneden.

'Blijf zitten. Ik zal je niets doen!', schreeuwde Jesse.

Maar de jongen bleef stompen en schoppen en probeerde Jesse te bijten.

Toen bleek dat dit allemaal niets uithaalde, kwam de jongen eindelijk tot rust. Jesse wist dat het slechts tijdelijk zou zijn. De jongen had de blik van een in het nauw gedreven dier. Zodra hij de kans kreeg zou hij ervan door gaan.

'Wat ben je met mij van plan?', vroeg Jake.

'Ik ben helemaal niets met je van plan.'

'Waarom heb je mij dan gegrepen?'

Jesse had geen antwoord op die vraag. Hij had instinctief gehandeld. En nu hij hem te pakken had, wist Jesse niet wat hij met hem aan moest.

'Ik wil gewoon eens met je praten', zei Jesse.

De jongen keek hem met toegeknepen ogen achterdochtig aan. 'Waarover?'

Op de een of andere manier werd Jesse ontroerd toen hij op de jongen neerkeek. Het rode haar piekte alle kanten uit, zijn gezicht zat vol sproeten en vuile vegen en zijn groene, grote ogen keken hem doordringend aan. De kleren die hij droeg waren gescheurd en hier en daar was zijn huid zichtbaar. Op de een of andere manier wilde Jesse de jongen helpen, net zoals zijn vader mensen had willen helpen. Haal ze uit hun wanhoop en geef ze weer hoop.

'Waarom vind je het goed dat Finn je zo behandelt?', vroeg Jesse.

De jongen staarde Jesse aan alsof hij gek was. 'Hij is mijn broer.'

'Dat is toch geen reden voor hem om je zo te behandelen.'

De jongen keek naar hem op en probeerde erachter te komen wat hij nu eigenlijk bedoelde. 'Zo erg is het niet', zei de jongen. 'Zeker de laatste tijd niet.'

'Doet Finn niet zo gemeen meer tegen je?'

Jake haalde zijn schouders op. 'Niet helemaal. Nu we achter jou aan zitten, heeft hij daar niet zoveel tijd meer voor.'

'O, bedoel je het zo', zei Jesse met een droge grijns. Hij probeerde nu een andere tactiek. 'Laat ik je dan eens vragen wat je eigenlijk wilt worden als je volwassen wordt?'

Zonder een moment te aarzelen, antwoordde de jongen: 'Ik wil net als Finn worden!'

'Maar waarom wil je dan net als Finn worden?'

'Omdat mensen doen wat hij zegt en iedereen bang voor hem is!'

'Wil je dan dat mensen bang voor je zijn?'

Jake knikte heftig. 'En dat ze doen wat ik zeg.'

Jesse boog zich naar de jongen toe. 'Daar ben je toch te goed voor, Jake!'

De jongen keek hem niet begrijpend aan.

'Laat ik het zo zeggen', zei Jesse. 'Je kunt worden wat je maar wilt. Toen ik nog wat jonger was dan jij nu, wilde ik brandweerman worden. Ik hield van de sirene en ik vond het prachtig om de paarden in volle galop door de straten te zien rijden en te zien hoe de stoom aan de stoommachine ontsnapte. Ik vond het geweldig als de mannen in de vlammen op de ladders klommen en vrouwen en kinderen uit brandende huizen redden.'

Jake trok zijn wenkbrauwen op. Hij luisterde aandachtig. 'Ben jij brandweerman?'

'Nee', zei Jesse behoedzaam, 'ik zei dat ik brandweerman wilde worden toen ik jonger was.'

'Waarom ben je dat dan niet geworden?'

'Daar gaat het nu niet om', zei Jesse. 'Wat ik je probeer te vertellen is dat het niet nodig is om zoals Finn te worden. Er zijn veel belangrijker dingen die je zou kunnen worden!'

'Maar ik wil nu eenmaal net als Finn worden!'

Jesse slaakte een wanhopige zucht. Toen kreeg hij een idee. 'Kun je lezen?', vroeg hij.

De jongen schudde zijn hoofd.

Jesse trok een boek over Truly Noble uit zijn broeksband – *Gevaar in Deadwood*, het boek dat zijn tante hem persoonlijk gegeven had.

'Heb je ooit van Truly Noble gehoord?', vroeg hij de jongen.

Jake schudde zijn hoofd opnieuw, maar hij keek met grote belangstelling naar de plaatjes op het boekomslag.

'Dit is Truly Noble', zei Jesse en hij wees op de omslag naar de figuur die zijn held voorstelde. 'En dit is Charity Increase.'

Voor het meisje had de jongen niet zoveel belangstelling.

Jesse sloeg het boek open. 'Luister, ik zal je een gedeelte van het verhaal voorlezen.'

De jongen maakte geen bezwaren en Jesse begon meteen te lezen. Jesse las de jongen meer dan een half uur voor. Nadat hij een paar minuten voorgelezen had, ging Jesse naast de jongen op de trap zitten. De jongen maakte geen aanstalten om weg te rennen; hij ging, tot groot genoegen van Jesse, helemaal op in het verhaal.

Wat Jesse nog meer verbaasde dan de gretigheid waarmee Jake luisterde, was de opwinding die hij voelde over het feit dat hij het avontuur met iemand anders kon delen. En niet alleen het avontuur, maar ook de morele lessen die daarin werden voorgehouden. Het gaf hem een groot genoegen het gevoel te hebben dat hij een jong leven aan het vormen was.

Toen Jesse het boek sloot, keek Jake naar hem op. 'Ik weet wat jij worden wilt als je volwassen wordt', zei hij.

'O ja?'

Jake knikte. 'Jij wilt een held worden, net als Truly Noble.'

Jesse keek de jongen glimlachend aan. 'Daar zou je wel eens gelijk in kunnen hebben.'

HOOFDSTUK 7

Er gingen verscheidene dagen voorbij zonder dat Jesse Finn of Jake of één van de andere schelmen in de straten van het oostelijke deel van de stad zag. De eerste dag meende Jesse alleen maar geluk gehad te hebben. Maar op de vierde dag begon hij zich af te vragen of zijn ontmoeting met Jake zijn vruchten begon af te werpen. Hij stelde zich voor dat Jake Finn verteld had dat hij hem voorgelezen had op de treden van de trap naar de spoorbaan. Omdat hij zo vriendelijk voor Jake was geweest, lieten de straatjongens hem nu misschien met rust.

Zou dat zo makkelijk gaan?, vroeg Jesse zich af.

Toen er op de vijfde dag nog niets gebeurd was, nam Jesse zich voor het eerst sinds een maand voor een rechtstreekse route naar huis te nemen. Hij voelde zich goed en was tevreden met het leven. Het leek er niet alleen op dat Finn hem nu met rust liet, maar ook zijn pogingen om meneer Sagean in de glasfabriek tevreden te stellen, bleven niet ongemerkt. Meneer Sagean was weer aardig tegen hem.

Jesse liep op zijn gemak naar huis en sloeg de Hester Street in. In de streep lucht boven hem werden de eerste sterren zichtbaar en de koele avondlucht gaf hem een aangenaam, tintelend gevoel.

Toen de trap die naar zijn appartement leidde in zicht kwam en er nog steeds niets van Finn te bespeuren was, dwaalden Jesse's gedachten naar huis. Sinds het bezoek van zijn tante Sarah was zijn moeder erg stil geweest en werkte ze harder dan ooit. Iedere avond zat ze langer te naaien. Als Jesse in slaap viel, zat ze nog te naaien en als hij 's morgens wakker werd was ze nog steeds aan het naaien. Ze zei wel dat ze geslapen had, maar aan haar vermoeide ogen was duidelijk te zien dat dat niet lang geweest was.

Toen Jesse opmerkte dat haar koppelbaas te veel van haar vroeg, deelde zijn moeder hem mee dat ze zelf om meer werk gevraagd had. Ze zei dat ze het zat was om in het appartement te wonen en dat Jesse naar school moest en dat ze met wat extra werk net voldoende zou kunnen verdienen om hem tegen de herfst op school te laten inschrijven.

Omdat zijn moeder zo haar best deed om zijn schoolgeld bijeen te schrapen, durfde Jesse haar niet te vertellen dat hij eigenlijk helemaal niet naar school wilde. Hij wist dat hij haar dat op zekere dag zou moeten vertellen. Maar het duurde nog een half jaar voordat het herfst zou zijn en daarom meende hij nog voldoende tijd te hebben om haar dat te zeggen. Er zou vast wel eens een geschikt moment aanbreken om haar dat te zeggen.

Plotseling schoot er een gedachte door hem heen. Als hij niet naar school zou gaan, zou het geld dat ze met haar extra werk verdiend had, voor iets anders gebruikt kunnen worden. Ze zouden dan eerder uit de huurkazerne kunnen verhuizen. Misschien wel meteen! Dat zou zijn moeder veel plezier doen. Jesse nam zich voor om zijn moeder deze avond te vertellen dat hij niet naar school wilde.

Toen ging hij zich ongerust maken. Zolang hij dacht dat hij nog een half jaar de tijd had om haar dat te vertellen, voelde hij zich op zijn gemak. Hij wilde het haar wel vertellen, maar niet vanavond. Hij vond het verschrikkelijk haar gezicht te zien als hij haar ooit teleurstelde.

Nou ja, redeneerde hij, *ze moet toch een keer teleurgesteld worden. Of dat nu vanavond is of over zes maanden. Dan is ze er ook eerder overheen. Dan kunnen we plannen gaan maken om uit deze huurkazerne te gaan verhuizen.* Hij probeerde zichzelf gerust te stellen. *Ze zal moeten toegeven dat dit eigenlijk het beste is. Het zal wel even duren, maar dan zal ze gaan inzien dat ik gelijk heb.*

Vastbesloten zette Jesse zijn voet op de trap die naar het appartement voerde. Plotseling werd zijn aandacht getrokken door een beweging rechts van hem. Hij keek die kant op.

Drommels!

Jesse's hart klopte in zijn keel. Hij draaide zich om om te kunnen vluchten

Eén van Finns domme krachten rende op hem toe.

In de verwachting dat ook de andere handlanger naar hem toe kwam rennen, keek Jesse naar links. Maar de straat was leeg. Jesse draaide zich om en rende die richting uit.

'Wacht!', schreeuwde de schurk. 'Morgan! Wacht! Ik heb je hulp nodig!'

Dat was net zo geloofwaardig als wanneer de schurk geroepen zou hebben dat Finn heilig verklaard was. Jesse liep nog harder.

'Morgan! Morgan!'

Jesse stond maar één ding voor ogen - ontsnappen. Eerst keek hij de straat af of hij Finn en zijn andere maat zag. Maar de straat was leeg. Goed. Maar hoe moest hij ontsnappen? Op een wagen springen? Die gingen te langzaam. Weer naar de spoorbaan? Te riskant en te veel voor de hand liggend.

'Morgan! Het gaat om Jake!'

De woorden van de schelm hadden tot gevolg dat Jesse even iets langzamer ging lopen. Dat moest een smoes zijn. Maar het noemen van de naam van de jongen stemde hem wel tot nadenken.

'Morgan! Dit is geen smoes!'

Doorrennen, hield Jesse zich voor.

'De jongen wil van het dak springen! Hij wil zelfmoord plegen!'

Jesse draaide zich vliegensvlug om, maar hij bleef doorrennen. Hij stak beide handen op om daarmee aan te geven dat de schelm zijn achtervolging moest stoppen. De jongen bleef staan. Ook Jesse bleef nu staan, maar hij was erop voorbereid om bij het bij het eerste teken van bedrog het weer op een lopen te zetten.

De schelm boog zich naar voren. Hij legde zijn handen op zijn knieën en hij probeerde gelijktijdig op adem te komen en te spreken.

'Zeven verdiepingen hoog... zegt dat ie er af zal springen... wil niet luisteren... zegt dat hij met jou wil praten...'

'Ik geloof je niet!' Jesse keek naar links en naar rechts zonder daarbij de schelm uit het oog te verliezen.

'Finn is erg gemeen tegen hem geweest', hijgde de schelm. 'Hij heeft Jake boven op het dak nagezeten en hem overal geslagen... Ineens sprong Jake op de daklijst om aan Finn te ontsnappen... Toen Finn naar hem toe kwam, dreigde hij naar beneden te springen... Ik houd je niet voor de gek, Morgan!'

'Waarom wil hij met mij praten?'

Nog steeds voorover gebogen, schudde de schelm zijn hoofd. 'Weet ik niet... alles wat ik weet, is dat hij zal springen als hij niet met jou kan praten.'

Jesse wist waarom de jongen met hem wilde praten. Dat kwam door de tijd die ze samen op de trap naar het station hadden doorgebracht. Jesse was een vriend van hem geworden. Hij had Jake laten zien dat niet iedereen zoals Finn was. Iets wat hij tegen de jongen gezegd of wat hij voorgelezen had, moest hem geraakt hebben.

'Nou', zei de schelm, 'ga je nu mee of niet?'

Het leek net of hij Jesse de keus liet. Sinds wanneer liet Finn de beslissing aan hem over?

'En als ik niet mee ga?'

De jongen kneep zijn ogen half dicht en schudde bedroefd zijn hoofd. 'Ik zou niet graag in jouw schoenen staan als die jongen naar beneden springt. Finn zal jou daarvan de schuld geven.'

Zoveel keus had hij dus niet. Maar omdat hij wist hoe krom Finn redeneerde, wist Jesse dat de jongen gelijk had.

Wat zou Truly Noble in deze situatie doen?

Die vraag kwam spontaan bij Jesse op. En toen dat het geval was, wenste Jesse dat die vraag maar niet bij hem opgekomen was, want hij wist precies wat zijn held zou doen.

'Goed dan', zei Jesse waarbij hij het vreemd vond dat die woorden over zijn lippen kwamen. 'Breng mij naar Jake.'

Jesse liep op een paar meter afstand achter de straatjongen aan door de Hester Street naar de Forsythe Street, waarin een rij van zeven huurkazernes stond. De straatjongen keek van tijd tot tijd over zijn schouder om te zien of Jesse nog wel volgde.

Toen ze de Forsythe Street uitliepen, leidde de straatjongen hem tussen twee flatgebouwen door. Overal lag vuilnis, oud papier en lompen. Boven hun hoofd hing overal tussen de gebouwen wasgoed te drogen, als de haveloze vlaggen van een vervallen natie. Kinderen speelden in brandgangen en staakten hun spel om hen na te kijken.

De schelm bleef bij een haveloze, houten deur staan. Hij opende de deur en beduidde dat Jesse naar binnen moest gaan. Jesse bleef voor de deur staan en met een grimmig gezicht beduidde hij dat de straatjongen eerst naar binnen moest. De schelm haalde zijn schouders op en ging als eerste naar binnen.

Voordat de deur dichtviel, keek Jesse nog gauw even de steeg in. Het wasgoed waaide in de wind heen en weer, hier en daar waaide het straatvuil weg en de kinderen begonnen weer te spelen. Niets wees erop dat dit een val zou kunnen zijn. Jesse wist niet of hij zich opgelucht moest voelen of niet. Hij keek de gang in. De jongen voor hem liep doelbewust naar een trap toe.

Het angstzweet brak Jesse plotseling uit. Hij wilde de deur opengooien en er vandoor gaan. Maar als hij dat zou doen en als Jake naar beneden zou springen, zou Finn als nooit tevoren achter hem aan gaan. En bovendien, het was mogelijk dat hij iets menselijks in Jake had losgemaakt. Had hij nu niet de plicht om zijn missie af te maken?

Wat zou Truly Noble doen?

Jesse volgde de straatjongen de trap op.

De trap boog zeven keer naar links en naar rechts voordat ze bij een deur kwamen die op het dak uitkwam. De jongen opende de deur, stapte het dak op en hield de deur voor Jesse open.

Jesse bleef een paar treden van boven op de trap staan en hij deed zijn best zoveel mogelijk te zien van wat er op het dak gaande was. Finn en de andere straatjongen stonden aan de andere kant van het dak en staarden naar de trap. Jake was niet te zien.

'Hij staat daar.' De straatjongen wees naar een gedeelte van het dak dat Jesse niet kon zien.

Jesse maakte een handgebaar en zei: 'Ga van die deur weg.'

De jongen liep weg. De deur sloeg dicht en Jesse stond in het donker zonder er een idee van te hebben wat zich aan de andere kant van de deur afspeelde. *Dat was niet zo slim*, mompelde hij. *Wat nu? Verder gaan of terug?*

Hij aarzelde even en besefte toen dat hoe langer hij bleef staan, hoe meer gelegenheid hij Finn en zijn kornuiten zou geven om een goede positie in te nemen om hem te pakken te nemen.

Hij deed vier stappen, gooide de deur open en zette zich schrap tegen een mogelijke aanval.

De jongen die naast de deur stond, staarde hem sullig aan en Finn en de andere jongen stonden nog steeds op dezelfde plaats. Jesse voelde zich een dwaas. Maar een dwaas die nog steeds op zijn hoede was.

Hij liep door de deuropening heen en nu werd het hele dak zichtbaar. Uit het grijze, korrelige oppervlak dat bij iedere stap kraakte, staken overal schoorstenen als paddestoelen uit de grond. Vanaf de rivier waaide een koele bries over het dak. Aan alle kanten spreidde de stad zich als een geweldig panorama uit. Van horizon tot horizon waren lichtjes te zien, niet zomaar hier en daar een streep, maar het leek wel of de lucht ermee bezaaid was. Zou de situatie anders zijn geweest, dan had Jesse er urenlang naar kunnen kijken.

Jake's positie op de daklijst van het gebouw verdreef echter iedere aangename gedachte en het hart klopte Jesse in de keel.

'Jij bent hiervoor verantwoordelijk, Morgan!', gilde Finn. Dreigend kwam hij twee stappen dichterbij. Zijn maat naast hem greep hem bij zijn arm en hield hem tegen.

De straatbengel naast Jesse fluisterde: 'Ik heb Finn nog nooit zo gek gezien. Haal Jake nu maar van die daklijst af!'

Jesse richtte zijn aandacht op de jongen. Hij lag op de daklijst met een schouder boven de straat en zijn andere schouder boven het dak. Hij hield zijn hoofd gebogen alsof hij al zijn concentratie nodig had om in evenwicht te blijven. Hij keek zenuwachtig naar Jesse en toen weer naar de rand. De lompen die de jongen droeg, waren altijd vuil en smerig, maar nu zagen ze grijs van het stof en het vet. Ook zijn hoofd en armen waren ermee bedekt. Het was moeilijk uit te maken wat vuil was en wat blauwe plekken waren. Hij had een blauwe, opgezwollen plek onder zijn oog en uit zijn rode haar staken strootjes en takjes.

'Ik wil niet meer op Finn lijken', zei hij half huilend.

Finn deed een uitval naar Jesse. De jongen naast hem moest zijn uiterste best doen om hem tegen te houden. 'Je hèbt mijn eigen broer tegen mij opgezet!', schreeuwde hij.

De straatjongen die Jesse naar het dak gebracht had, liep nu ook naar Finn toe om hem tegen te houden.

Jesse liep centimeter voor centimeter naar de jongen op de daklijst toe. Hij hield daarbij Finn voortdurend in de gaten. 'Je hoeft toch niet op Finn te lijken', zei Jesse, waarbij hij zijn best deed zo geruststellend mogelijk te klinken.

'Hij heeft mij pijn gedaan, Jesse.' De jongen begon te huilen. 'Erge pijn.'

'Hij zal je geen kwaad meer doen. Daar zullen we voor zorgen.'

Jesse keek naar de twee straatjongens. Het was een raar bondgenootschap dat hij met hen had, maar tot nu toe hielden ze Finn in bedwang.

'Je bent nu veilig', zei Jesse tegen Jake. 'Kom maar van die daklijst af.'

Jake bleef strak naar de daklijst kijken. Hij schudde zijn hoofd. 'Ze kunnen Finn niet altijd vast blijven houden.'

'Doe iets', schreeuwde Finn tegen Jesse. 'Haal hem daar af.'

'Jij bent er de oorzaak van dat hij daar zit', schreeuwde Jesse terug. 'Word jij eerst eens wat rustiger! En het zou zeker helpen als je belooft dat je hem verder met rust zult laten.'

'Oké, dat beloof ik. Afgesproken!'

'Hij meent het niet', zei Jake.

Jesse was daar evenmin van overtuigd.

Wat zou Truly Noble in zo'n geval doen? Als praten niet hielp, zou Truly Noble de jongen grijpen. Zelfs met eigen levensgevaar.

Jesse liep langs een metalen luchtkoker heen. Hij liep heel langzaam dichter naar Jake toe. De jongen was nog een paar meter van hem vandaan. Jake rilde.

'Als ik...' Hij hield zijn mond omdat hij de namen van de twee straatjongens die hem nu al weken nagezeten hadden, niet kende. Hij draaide zich naar hen om en vroeg hun namen.

'Philemon', zei de één.

'Elihu', zei de ander.

'Echt waar?', vroeg Jesse.

De twee schelmen knikten.

Jesse keerde zich weer naar Jake om. 'Als ik Philemon en Elihu laat beloven dat ze je voor Finn zullen beschermen? Is dat voldoende?'

Jake keek naar de twee straatjongens.

'Ik zal ervoor zorgen dat Finn je geen kwaad meer zal doen', zei Elihu.
'Ik ook', zei Philemon.
Dat scheen Jake een beetje gerust te stellen. Bij de gedachte dat hij nu twee bondgenoten had, glimlachte hij een beetje. Maar daardoor kon hij zich minder goed concentreren. Met een angstige gil verloor hij zijn evenwicht. Hij kon met maaiende armen nog maar net voorkomen dat hij over de rand viel.
Toen de jongen zijn evenwicht verloor, was Jesse nog een stap dichterbij gekomen. Hij wilde vooruitspringen om de jongen te grijpen, maar toen hij zag dat de jongen zijn evenwicht weer vond, bleef hij staan en maakte geen enkele beweging, om te voorkomen dat de jongen zijn evenwicht opnieuw zou verliezen. Zijn hart bonsde en hij haalde zwaar adem om weer rustig te worden, waarbij hij de jongen geen moment uit het oog verloor.
'Gaat het weer, Jake?', vroeg hij.
'Ik ben bang', antwoordde de jongen.
'Jake, kom daar vandaan', smeekte Finn. 'Ik zal je niets meer doen. Dat beloof ik je echt.'
Voor de eerste keer leek het erop dat Finn het meende. De jongen scheen te luisteren.
'Jake', zei Jesse, 'keer je langzaam naar mij toe.'
Jake wankelde. 'Dat kan ik niet', schreeuwde hij.
'Ja, dat kun je wel!', zei Jesse. 'Steek je armen uit en keer je naar mij toe. Dan zal ik je vastgrijpen.'
Jake lachte zenuwachtig. 'Dit zou een echt avontuur voor Truly Noble zijn, hè?'
Jesse lachte, zowel van de zenuwen als vanwege het feit dat Jake zich Truly Noble herinnerde. Hij had dan toch invloed gehad! 'Ja Jake, dit zou echt een avontuur voor Truly Noble zijn geweest!', zei Jesse. 'Keer je nu langzaam, heel langzaam naar mij toe.'
Met de grootste voorzichtigheid zag Jake kans één voet op de daklijst te krijgen en toen heel langzaam de andere. Even dreigde hij weer zijn evenwicht te verliezen, maar hervond het dan weer.
'Je bent er bijna, Jake', zei Jesse. Hij schoof nog iets dichter naar de jongen toe. Ze waren nu nog ruim een meter van elkaar af. 'Probeer nu mijn hand te pakken.'
Uiterst behoedzaam strekte Jake zijn rechterhand naar Jesse uit.
'Kijk mij nu aan, Jake.'
De jongen verstijfde.
'Jake, je bent er bijna. Kijk mij aan.'
De jongen sloeg zijn ogen op naar Jesse en keek hem tenslotte strak aan.

Er speelde een zweem van een glimlach om zijn lippen.

Hun handen waren nu nog slechts een halve meter van elkaar gescheiden.

Terwijl hij Jake strak bleef aankijken, glimlachte Jesse. Gedachten tolden door zijn hoofd: Nu nog één stap. Grijp mijn hand. Doe een stap en blijf vasthouden. Eén stap nog maar.

De neus van Jesse's schoen raakte plotseling vast. Hij wankelde naar voren.

Nee! Nee! O God, nee!

Jesse probeerde overeind te blijven, maar het lukte hem niet. Hij viel voorover. Zijn knie raakte het grind van het dak. Terwijl hij viel, greep hij naar Jake. Jesse keek omhoog om te zien of hij zich ergens aan vast kon grijpen. De armen van de jongen zwaaiden hulpeloos door de lucht. Een van angst vertrokken gezicht keek op hem neer. Jesse greep naar Jake's arm, maar hij miste.

Hij kon niets doen. Hij viel tegen de benen van de jongen aan, waardoor de kleine Jake over de dakrand tuimelde. Jesse zag met afschuw hoe het lichaam van de jongen plotseling verdween.

Jesse's hoofd sloeg met een klap tegen de daklijst. Hij sloot instinctief zijn ogen om de lichtflits die met de klap en de pijn gepaard ging, terug te duwen. Hij hoorde de kleine Jake gillen toen hij viel. Toen was alles plotseling stil.

'Jake! Jake!'

Het was de stem van Finn, op de grens van normale en blinde woede.

Jesse slaagde erin zijn ogen te openen. Hij werd omringd door drie paar benen. Finn en zijn kornuiten bogen zich over de dakrand heen om op straat te kunnen kijken.

'Hij heeft mijn broer vermoord! Hij heeft mijn broer vermoord!', schreeuwde Finn.

Het volgende wat Jesse zich herinnerde, was dat Finn bovenop hem zat en hem aftuigde. Jesse's verdediging was alleen maar instinctmatig. Hij was te zeer verdoofd om zich te kunnen verdedigen. Hij was zozeer verdoofd dat hij Finns vuistslagen zelfs niet voelde, hoewel hij wist dat ze hem hysterisch te lijf gingen.

Toen was er niets meer. De slagen hielden op. Finn werd van hem afgetrokken. Het volgende wat Jesse zich herinnerde, was dat hij overeind getrokken werd. Hij knipperde een paar keer met zijn ogen en kon toen weer een beetje zien.

'Maak dat je weg komt! Vooruit! Weg!'

Eén van de schelmen schreeuwde naar hem – hij wist niet meer wie. De

andere schurk hield Finn tegen de grond gedrukt.
'Ik vermoord hem! Ik vermoord hem!', raasde Finn.
De schelm duwde Jesse naar de trap.
'Hoe is het met Jake?', vroeg Jesse.
'Wat denk je? Die is natuurlijk dood!', schreeuwde hij wild. Finn rukte zich los. De schelm die naast Jesse stond, ving hem op, net voordat hij Jesse bereikte.
'Het was een ongeluk!', schreeuwde de schelm tegen Finn.
Nog helemaal versuft deed Jesse een verontschuldigende stap in Finns richting. 'Het spijt mij... ik probeerde ...'
Finn sprong naar voren en greep Jesse's hemd. Hoewel Jesse nog steeds versuft was, drong de blik in Finns ogen diep tot hem door. Nog nooit tevoren had Jesse zoveel haat in iemands ogen gezien. Die haat maakte Jesse duidelijk dat die door woorden niet weg te nemen was.
De andere schelm greep Finn beet en rukte hem van Jesse los.
'Weg', schreeuwde hij. 'Maak dat je weg komt!'
Jesse keerde zich om en strompelde weg. Hij begreep nog steeds niet helemaal wat er gebeurd was. Twee keer moest hij naar de deurklink grijpen om de deur open te doen. Tenslotte liep hij volkomen versuft de trap af.

De twee schelmen keken toe terwijl Jesse vertrok. Toen hij buiten hun blikveld was, werd Finn plotseling rustig en lieten zij hem los. Finn liet zich op het dak zakken, rolde op zijn rug en ging toen met zijn armen om zijn benen geslagen weer zitten. Hij keek omhoog naar zijn twee kornuiten en grinnikte.
Zijn gegrinnik ging over in gelach en tenslotte brulde hij van het lachen.
Aan de andere kant van het dak kwam een hoofd met een piekerige rode haardos boven de dakrand uit. Eén van de schelmen liep erheen en trok Jake van de brandtrap, waarop hij terecht gekomen was, over de dakrand heen.
'Heb ik het goed gedaan, Finn?', riep de jongen.
'Je hebt het goed gedaan, jongen. Je hebt het uitstekend gedaan', zei Finn.

HOOFDSTUK 8

Jesse Morgan werd door het donker opgeslokt. Het enige waarvan hij zich vaag bewust was, was dat hij een trap afliep. Op de een of andere manier slaagde hij erin overeind te blijven op de trap, maar hij zwalkte wel van de ene naar de andere kant van de trap. Dieper en dieper drong hij in het stinkende gebouw door. Hij kon niet blijven staan en bewoog zich automatisch voort. Hij werd door krachten gedreven die hij niet kon zien, laat staan dat hij er zich tegen zou kunnen verzetten.

Maar het donkere trappenhuis was als morgengloren in vergelijking met het inktzwarte duister dat hij in zijn ziel voelde. Nog nooit tevoren hij zo'n hopeloos en wanhopig gevoel gehad. Een totale leegheid.

Het geluid van zijn voetstappen op de houten treden van het trappenhuis vormden de echo van een wreed refrein:

Je hebt hem vermoord... je hebt hem vermoord... je hebt hem vermoord...

Hij legde zijn handen tegen zijn oren om die beschuldiging maar niet te horen. De stem werd alleen maar luider. Ze weerklonk in zijn oren. Hij kon er geen eind aan maken. Hij kon er niet voor wegrennen. De woorden klonken als hamerslagen in zijn hoofd.

Halverwege de laatste trap verloor hij alle gevoel voor evenwicht, hij struikelde en botste tegen de deur die openzwaaide. De bakstenen muren van de steeg, de ijzeren brandtrappen en het heen en weer waaiende wasgoed draaiden voor zijn ogen toen hij met een plof op de grond kwam.

Hij bleef liggen tot het draaierige gevoel zou verdwijnen. Stukken papier en as waaiden langs zijn hoofd. Kreunend rolde hij op zijn rug. Hij staarde versuft naar de kinderen uit de achterbuurt die hoog boven hem op de brandtrappen speelden. Ze keken verwonderd naar Jesse.

Door zijn tranen kon Jesse hun gezichtsuitdrukking niet zien.

Dat waren Jake's speelmakkers. Hoe zullen ze reageren als zij horen dat hij dood is? Ze kunnen het nieuws over zijn tragische val nu ieder moment te horen krijgen. Dan zullen ze ook horen dat een man hem probeerde te redden, maar dat hij hem in plaats daarvan over de daklijst duwde. Ze zullen naar de andere kant van het gebouw hollen en zijn levenloze lichaam zien. Ze zullen naar zijn verwrongen ledematen en het bloed kijken. Ze zullen er vannacht nachtmerries van krijgen. De herinnering hieraan zal hen nog jarenlang achtervolgen.

Jesse krabbelde overeind.

'k Moet maken dat ik weg kom. Kan hier niet blijven. Als het bekend wordt, moet ik hier niet zijn. Ik kan hun gezichten niet verdragen als Finn naar mij wijst als de man die Jake over de rand geduwd heeft.

Met zijn rechterarm vooruit, zoals een blinde met zijn stok, vond Jesse op de tast zijn weg uit de steeg. Hij struikelde over dozen, liep tegen vaten op en kwam toen in de Forsythe Street. Daar bleef hij staan, helemaal verward en versuft en hij voelde overal pijn.

Waar moest hij heen? Naar huis? Nee. Hij moest weg. Hij moest nadenken. Hoe moet je dit uitleggen? Hoe moest hij het aan zijn moeder vertellen. Wat moest hij zeggen tegen... De gedachte deed opnieuw de tranen over zijn gezicht stromen... *Jake's ouders? Wat kan ik zeggen tegen een moeder van wie ik haar zoon vermoord heb? Het spijt me? Ik heb geprobeerd hem te redden, maar in plaats daarvan heb ik hem vermoord? Zou het helpen als ik u vertel dat ik liever in zijn plaats gestorven was?*

Woorden. Niets dan woorden die vervliegen in de wind. Wat voor troost kunnen die een moeder bieden die net haar kind verloren heeft?

Terwijl de tranen over zijn gezicht stroomden, strompelde Jesse naar de Oostelijke rivier. Hij was zich er niet van bewust dat mensen hem aanstaarden als zij hem passeerden. Ook hoorde hij Finn en Jake en de twee schelmen niet lachen boven op het dak. Ook de vrouw die zich achter een hoek verscholen had en hem nu volgde, merkte hij niet op.

Jesse was dertien jaar oud geweest toen de Brooklyn Brug voltooid werd. Evenals iedereen in New York had hij met zijn moeder de opening bijgewoond. Nog nooit hadden de steden New York en Brooklyn zo'n gebeurtenis meegemaakt. President Chester Arthur had de feestelijkheden met een toespraak geopend. De brug werd het achtste wereldwonder genoemd en de constructie had veertien jaar in beslag genomen, had vijftien miljoen dollar gekosten, en had aan ten minste twintig mensen het leven gekost.

Op een prachtige, zonnige dag werd de brug geopend met een groot fanfarecorps. De gebouwen waren versierd met rode, witte en blauwe wimpels; op de rivier onder de brug voeren allerlei boten met vlaggen en aan beide oevers van de rivier stonden de duizenden feestvierders. Toen president Arthur en de gouverneur van New York, Grover Cleveland, met hun gevolg als eersten over de brug liepen, klonk overal muziek en klokgelui en klonken er kanonschoten.

Toen de avond viel, werd de brug door een bijna twee kilometer lange reeks lampen verlicht. Veertien ton vuurwerk verlichtte de nachtelijke hemel. Het vuurwerk vond zijn hoogtepunt in het afschieten van vijfhonderd raketten die in waaiers van goud en zilver uit elkaar barstten. Het schouwspel ging gepaard met klokgelui, fanfarecorpsen en koorzang en alle boten op de rivier lieten hun scheepshoorn blazen.

Vanaf de dag van de opening was de brug één van Jesse's meest geliefde plekken geweest. Hij greep iedere gelegenheid aan om erheen te gaan en naar de schepen te kijken die over het zilverkleurige water voeren, of om van de wijdsheid en de frisse lucht te genieten die in de binnenstad met haar huurkazernes ontbraken.

Toen Jesse dacht dat hij Jake vermoord had, rende hij naar deze brug. Deze keer was er geen sprake van exploderende raketten, klokgelui of zingende koren. Alleen het gehuil van de wind die met de staaldraden van de brug speelde als met de snaren van een harp, was te horen. Buiten de lichtplekken die door de lampen boven het brugdek hingen, was de brug in het duister gehuld. Jesse liep over het voetgangerspad tot halverwege de brug. Hij leunde met trillende handen en armen op de brugleuning en keek de rivier op. Achter hem liepen er af en toe voetgangers voorbij. Hij vroeg zich af of ze konden zien hoe slecht het met hem gesteld was.

Om zichzelf tot kalmte te brengen, haalde hij diep adem en snoof de vochtige lucht van de rivier in. Hij dwong zichzelf kalm te worden en geen overhaaste beslissingen te nemen. Hij moest eerst de dingen eens op een rijtje zetten. Maar dat was op zichzelf al bijna een onmogelijke taak. Gedachten en emoties wervelden eindeloos door zijn hoofd en zijn hart bonsde hevig. Zijn maag reageerde met een overmatige galproductie, waardoor hij een brandend gevoel in zijn slokdarm kreeg. Opnieuw haalde Jesse diep adem. Hij probeerde weer kalm te worden door aan niets te denken.

Op de rivier voer een schip recht op hem af, om vervolgens onder de brug te verdwijnen op zijn tocht naar zee. Het maanlicht deed het water glinsteren en vermengde zich met de stadslichten op de rivieroever. Het licht werd even voor de kust onderbroken door een donkere streep land van bijna twee mijl lang en tweehonderdvijftig meter breed. Het eiland Blackwell. Het licht van een eenzaam huis verlichtte slechts een klein gedeelte van het eiland.

Daar zal je tenslotte terecht komen als je jezelf niet in de hand weet te houden, zei Jesse tot zichzelf.

Het eiland Blackwell was bij iedere moeder en bij ieder kind in de omgeving bekend. Kinderen beschuldigden elkaar voor de grap ervan dat ze daar thuishoorden. Moeders dreigden hun kinderen daarheen te sturen als ze niet wilden gehoorzamen. Oorspronkelijk werd het eiland Blackwell gebruikt als weidegrond voor varkens, maar nu was er een krankzinnigengesticht gevestigd.

'Heb je nog een bed over?', riep Jesse in de richting van het verlichte gebouw.

Een sprankje sarcastische luchtigheid. De vergeefse uitroep van een wanhopig mens.

Hoe langer Jesse naar het eiland staarde, hoe meer hij het gevoel kreeg dat hij daar hoorde. Hij meende stemmen te horen die van Blackwell kwamen. Wanhopige zielen die steeds weer zijn naam riepen.

Jesse... Jesse... Jesse... Jesse...

De donkere rivier beneden hem voegde zich in een hypnotisch, golvend ritme bij het spreekkoor.

Spring over de leuning. Waarom al die ellende verdragen? Er is geen hoop. Niemand zal het begrijpen. Dus waarom zou je het proberen? Laat je gewoon gaan. Maar één stap. Laat dat donker je verzwelgen, je verdoven, je bevrijden. Dan zullen die kwellende gedachten ophouden en zal je geen pijn meer hebben.

De stemmen van het eiland vielen weer in:

Jesse... Jesse... Jesse... Jesse... Jesse...

'Kom je hier vaak?'

Hoewel de stem zacht en aardig klonk, schrok hij. Het gezicht dat bij de stem hoorde was eveneens aardig. Een jonge vrouw. Onschuldige, grote, bruine ogen. Hij had haar eerder gezien.

Jesse probeerde zijn schrik te verbergen door zich haar naam te herinneren. 'Emily... Emily...'

'Barnes', zei Emily Austin. Ze herhaalde nog eens: 'Ik heet Emily Barnes.'

'De jongedame met de politiefluit', herinnerde Jesse zich.

Ze trok de fluit uit haar riem. Ze hield hem tussen twee vingers omhoog en zei met een ondeugend lachje: 'Een vrouw kan nooit te voorzichtig zijn.'

De vrouw met de fluit herinnerde Jesse aan Finn. Hij keek langs haar heen. 'Ben je alleen?'

'Nee', antwoordde ze. 'Ik ben hier met jou.' En ze voegde er met een glimlach aan toe: 'En met mijn fluit voor het geval je onbetamelijke ideeën mocht krijgen.'

'O, wees maar niet bang, dat zal ik nooit doen!', protesteerde Jesse.

Emily schudde quasi teleurgesteld haar hoofd. 'Jammer dan', zei ze en ze stak de fluit weer tussen haar riem.

Jesse wist niet wat hij denken moest van de vrouw die bij hem op de brug stond. Maar hij wist dat dit de tweede keer was dat zij hem gered had. De eerste keer was geweest toen Finn hem met zijn hoofd in de brandende ton had willen stoppen. De tweede keer was deze avond. Door haar aanwezigheid had ze hem gered van de donkere stemmen van het water onder de brug die hem riepen.

Misschien was het haar plotselinge verschijning direct na dat duistere, wanhopige moment, maar om de een of andere reden scheen Emily werkelijker, menselijker en aantrekkelijker te zijn dan wie dan ook die hij ooit ontmoet had. Het zacht gele licht van de lampen op de brug deed haar zachte huid en bruine haar glanzen.

'Je hebt mijn eerste vraag nog niet beantwoord', zei Emily.

'Vraag?'

'Of je hier vaak komt?'

Jesse glimlachte en probeerde nonchalant te doen. Hij keerde zijn rug naar het eiland Blackwell en liep op zijn gemak naar de zeezijde van de brug toe. Emily volgde hem, wat hem meer plezier deed dan hij zichzelf wilde toegeven. Hij leunde op de brugleuning en keek naar het Vrijheidsbeeld dat tegen de donkere lucht te zien was. 'De brug is een plaats waar ik het liefste heen ga', zei hij. 'Ik kom hier zo vaak als mogelijk is.'

Emily leunde nu ook op de brugleuning. 'Ik ook', zei ze.

De twee hadden het voetpad vrijwel alleen voor zichzelf. Naast elkaar staande keken Jesse en Emily naar het Vrijheidsbeeld in de haven. De golfslag was een volle minuut lang het enige geluid dat te horen was. Emily draaide zich om en leunde nu met haar rug tegen de brugleuning. Ze zag de rivier nu in stroomopwaartse richting.

'Ben je op de hoogte met het eiland Blackwell?', vroeg ze.

Jesse draaide zich niet om. 'Ik heb erover gehoord.'

'Ik kom hier om ernaar te kijken. Het inspireert mij.'

Jesse draaide zich verwonderd om. 'Een krankzinnigengesticht inspireert je?'

Haar grote ogen keken hem aan. 'Ja, ik weet dat het vreemd klinkt', zei ze, 'maar dat komt omdat je niet weet wie ik werkelijk ben.'

'Ben je dan niet Emily Barnes, een typiste op het kantoor van de Austinfabriek?'

Emily schudde haar hoofd. 'Dat is slechts mijn vermomming.'

'Je vermomming?' Jesse werd steeds nieuwsgieriger. De vrouw die naast hem stond, was erin geslaagd om hem door haar aantrekkelijkheid en geheimzinnigheid af te leiden van zijn problemen. Althans voor het moment.

'Heb je ooit van Nellie Bly gehoord?', vroeg ze.
'Ben jij Nellie Bly?'
Emily lachte. 'Natuurlijk niet. Maar ik wil wel worden zoals zij.'
Jesse schudde zijn hoofd om aan te geven dat hij nog nooit van die vrouw gehoord had.
'Lees jij geen kranten?', vroeg Emily. 'In het afgelopen jaar heeft Nellie Bly het record van Philias Fogg om rond de wereld te reizen, gebroken!'
'Philias Fogg?'
Emily keek hem verbaasd aan. 'Je moet meer lezen, meneer Morgan!'
'Mijn moeder vindt dat ik te veel lees.'
'Philias Fogg is de held in het boek van Jules Verne, *In tachtig dagen de wereld rond.*
'Ik heb van dat boek gehoord', zei Jesse verontschuldigend.
'Nou, Nellie Bly, een redactrice van de New Yorkse krant *World,* heeft dat record van tachtig dagen gebroken!'
'Onmogelijk!'
Emily glimlachte triomfantelijk voor de vrouw die ze zo bewonderde. 'Tweeënzeventig dagen, zes uur, elf minuten en veertien seconden. Ze reisde per schip, trein, riksja, sampan en per koets en paard.'
De verbazing op Jesse's gezicht amuseerde Emily. Toen maakte zijn verbazing plaats voor verlegenheid. 'Wat heeft dat alles met Blackwell en je vermomming te maken?'
Emily lachte. Haar lachje klonk meisjesachtig. 'Je zou je gezicht eens moeten zien, Jesse Morgan!', zei ze.
Jesse keek weer ernstig.
Ook dit amuseerde Emily. Toen legde ze uit: 'Nellie Bly werd beroemd toen ze een aantal krantenartikelen schreef over Blackwell. Ze deed net of ze krankzinnig was geworden om in het gesticht te komen. Toen ze daar met eigen ogen gezien had hoe onmenselijk de situatie daar was, bracht ze daarover in de krant verslag uit. Door haar artikelen werd er een onderzoek ingesteld, waardoor er een aantal hervormingen werden doorgevoerd.'
Jesse knikte heftig om aan te duiden dat hij haar begreep. 'En jij wilt net als Nellie Bly worden', zei hij.
'Ik *ben* net als Nellie Bly', riep Emily niet zonder verontwaardiging uit.
'Heb je krantenartikelen geschreven?'
Emily trok haar neus op. 'Wel geschreven, ja, maar nog niet gepubliceerd. Tenminste, tot nu toe niet. Maar ik ben nog steeds met mijn onderzoek bezig.'
'Op de Austinfabriek?'
Emily knikte ernstig. 'Typiste zijn is mijn vermomming. Daardoor heb

ik een positie waarin ik belangrijke papieren en documenten kan inkijken. Ik vermoed dat er sprake is van wijdverbreide corruptie, gekonkel en misschien wel criminaliteit in de ondernemingen van Austin.'

Jesse was duidelijk onder de indruk. Hier was een vrouw die een gevaarlijk en opwindend leven leidde waarvan hij alleen maar kon dromen. Nu begreep hij zijn redding in de steeg ook beter. Als geheim verslaggeefster was deze vrouw gewend aan gevaar. En toen ze later niet met hem wilde praten, wilde ze dat niet omdat ze haar vermomming niet prijs wilde geven.

'Maar waarom vertel je mij dit eigenlijk?', vroeg Jesse. 'Je geeft zodoende je vermomming prijs.'

Emily had op deze vraag niet zo gauw een antwoord. Ze keek naar beneden. De manier waarop haar ogen heen en weer flitsten maakte duidelijk dat ze deze vraag niet verwacht had. Toen kwam ze weer tot rust en staarde tenslotte naar een plank vlak bij haar voeten. Ze zuchtte en haalde haar schouders op. 'Iemand kan zich wel eens alleen gaan voelen als zij steeds vermomd door het leven moet. Jij lijkt mij iemand die ik vertrouwen kan. Dus dat risico heb ik maar genomen.'

'Je geheim is veilig bij mij', zei Jesse vlug.

Emily keek hem gerustgesteld aan. 'Dat wist ik wel.'

HOOFDSTUK 9

Als iemand geluisterd zou hebben naar de voetstappen op het voetgangers-pad van de Brooklynbrug, dan zou hij gedacht hebben dat er slechts één persoon op hem toeliep, zo volmaakt kwamen de passen van Jesse en Emily overeen. Ook Jesse viel dit op.

Hun gelijkmatige pas, haar arm die zo dicht bij hem was dat hij de warmte ervan kon voelen, de geur van haar parfum, de manier waarop ze naar elkaar keken – al die dingen leidden Jesse voor het moment af van zijn verdriet over de kleine Jake.

Hij was blij met de afleiding. Het was alsof haar aanwezigheid hem ervan overtuigde dat er nog leven voor hem mogelijk was. Nog nooit had hij dat gevoel gekend dat hij nu bij Emily had. Het was net of zij een onzichtbaar web tussen hen beiden sponnen waardoor al hun gevoelens verhevigd werden. Ieder woord dat ze sprak en iedere blik die zij hem toewierp was geladen met leven. Zelfs de wind van de rivier was frisser. De lucht die ze inademden was zilter. De lichten waren helderder en de geluiden scherper.

'Vertel mij eens iets over jezelf', zei Emily, waarbij zij hem een van die geladen blikken toewierp. 'Wat doe je als je geen brieven bezorgt of kleine jongens van hun grote broers redt?'

De onverwachte verwijzing naar Jake was een slag. Die kwam hard aan, waardoor het tussen hen beiden even verbroken werd. Jesse keek even opzij zodat Emily zijn pijnlijk vertrokken gezicht niet zou kunnen zien.

'Heb ik iets verkeerds gezegd?', vroeg Emily.

Jesse schudde zijn hoofd. Er schoten allerlei beelden door zijn hoofd. Jake op de daklijst. Zijn zwaaiende armen. De lege lucht. De gil.

Emily bleef staan. 'Er is iets wat je hindert.' Ze raakte Jesse's arm aan. De warmte van haar vingertoppen beroerde hem. Nu bleef ook Jesse staan. 'Vertel mij wat er aan de hand is', zei Emily terwijl ze haar hele hand op Jesse's arm legde.

Twee tegenstrijdige gevoelens, tragedie en extase, vochten om de overhand; beelden van Jake en de sensatie van Emily die hem aanraakte, verdrongen elkaar – *Jake, bang, op de rand van het dak... Emily's grote bruine ogen, vriendelijk en meelevend... maaiende armen, Jesse die zijn handen uitstak, maar in het niets greep... de warmte van Emily's hand op zijn arm... een lege lucht, de echo van een gil... Jesse alsjeblieft, vertel het mij, misschien kan ik helpen...*

Jesse deed zijn best om bij het heden te blijven, bij Emily. Hij overwoog haar het ongeluk te vertellen. Hij wilde het haar vertellen. Hij was er zeker van dat ze het zou begrijpen. Ze had gezien hoe wreed Finn zijn broertje behandelde. Maar een andere gedachte hield hem tegen. Hoe zou Emily reageren als ze te horen zou krijgen dat niet Finn, maar hij Jake over de rand geduwd had? Zou ze zich van hem terugtrekken als ze te horen kreeg dat hij Jake vermoord had? Hij wist het niet zeker. Hij kon dat risico niet nemen, of beter gezegd, hij wilde dat risico niet nemen. Hij besloot dat een vaag antwoord maar het beste zo zijn.

'Ik heb net Finn weer ontmoet, dat is alles', zei hij. Hij wachtte gretig op haar antwoord.

Emily keek hem begrijpend aan. Haar zwijgzaamheid bracht hem ertoe nog iets te zeggen.

Jesse keek langs haar heen. 'Ik praat er liever niet over', zei hij.

'Heeft Finn je pijn gedaan?'

'Nee, hij heeft mij geen pijn gedaan.' Dat was waar. De pijn die hij voelde was niet door Finn veroorzaakt, maar had hij zichzelf aangedaan. Hij had zichzelf pijn gedaan door zijn onhandigheid en omdat hij zo stom geweest was.

Emily trok haar hand terug. Ze keek bedroefd. Ze was teleurgesteld om het feit dat hij haar niet in vertrouwen wilde nemen. Jesse voelde een steek in zijn hart toen de wind de plaats waar haar hand op zijn arm gelegen had, afkoelde. Hij veranderde van onderwerp en hoopte iets te vinden waardoor ze weer haar hand op zijn arm zou leggen.

'Mijn tante was onlangs in de stad', zei hij. 'Jij en zij hebben iets met elkaar gemeen.'

Emily keek hem met een zekere belangstelling aan.

'Ze is schrijfster... net als jij. Maar zij schrijft niet voor kranten. Zij schrijft avonturenromans.'

'Romans? Hoe heet ze?'

'Sarah Morgan Cooper.'

'Ik heb over haar gehoord', zei Emily, duidelijk onder de indruk. 'Zijn haar boeken goed?'

'Ze zijn geweldig, en niet omdat zij mijn tante is', zei Jesse trots. Hij reikte naar achter en haalde uit zijn broeksband het boek *Gevaar in Deadwood* tevoorschijn. Hij gaf het aan Emily.

Ze las de eerste alinea's terwijl hij toekeek.

'Indrukwekkend!'

Jesse straalde.

'Niet iedereen heeft een tante als schrijfster.'

Jesse's stem klonk steeds opgewondener. 'Ik ben met haar in een rijtuig door de stad gereden. De hele familie van mijn vaders kant heeft kennelijk een zeer opwindend leven geleid. Je had de verhalen die mijn tante mij vertelde moeten horen. Hun namen staan allemaal in een...'

Hij hield plotseling zijn mond en bleef staan.

'Wat is er?' Ook Emily bleef staan.

Toen Jesse weer begon te praten, sprak hij langzaam. Hij had een afwezige blik in zijn ogen terwijl hij zich de dingen uit het verleden voor de geest haalde. 'De familienamen staan in een Bijbel... die zij vasthield. Wat deed ze eigenlijk met die Bijbel?'

'Welke Bijbel?'

'Mijn familiebijbel', legde Jesse uit. 'Die is al sinds de zeventiende eeuw in het bezit van mijn familie. Toen ik nog een kind was, herinner ik mij dat ik op mijn vaders knie zat. Hij wees op de namen die vooraan in de Bijbel geschreven waren en hij vertelde verhalen die met die namen samenhingen. Vreemd, ik heb er jarenlang niet meer aan gedacht.'

'Misschien heeft je vader die Bijbel aan je tante gegeven', opperde Emily.

'Mijn vader is overleden. Hij is bij een brand in een fabriek omgekomen toen ik vijf jaar was.'

'Dat spijt mij', zei Emily verontschuldigend. 'Dat wist ik niet.'

'Hoe kwam ze dan aan die Bijbel?', vroeg hij zich hardop af. Hij dacht daar even over na. Toen hij daarvoor niet zo gauw een verklaring kon vinden, vervolgde hij:

'Hoe dan ook, zoals ik al zei, staat er voor in die Bijbel een lijst namen van mijn voorvaders. De eerste naam is Drew Morgan. Hij was een Puritcin die door bisschop Laud in Engeland vervolgd werd. Drew Morgan bracht de hele bevolking van een dorp in Engeland - Edenford heette dat dorp - naar Amerika. Zo is de familie Morgan hier gekomen.

Verder was er Jared Morgan. Toen hij jong was, was hij piraat. En tijdens de Onafhankelijkheidsoorlog assisteerde hij Benjamin Franklin in Frankrijk. Jared had twee zoons die tijdens de oorlog tegenover elkaar kwamen te staan. Eén van hen werd door de Britten opgehangen waardoor hij het leven van zijn broer redde, die als spion gevangen was genomen. En dan heb je mijn vader. Hij kreeg de Bijbel van zijn vader na de burgeroorlog.'

Jesse stopte even om op adem te komen. Hij grinnikte.

‘Wat is er?’ vroeg Emily.

‘Eén van de verhalen die mijn tante Sarah over haar broers vertelde, was nogal interessant. Ze had drie broers. Eén van hen is predikant ergens in Cincinnatti. Hij heeft maar één been. Zijn andere been is hij tijdens de slag bij Fredericksburg kwijtgeraakt. Een andere broer is kunstenaar. Willy. Zijn tekeningen werden in vrijwel alle belangrijke tijdschriften afgedrukt. En verder is er Marshall’, grinnikte Jesse. Emily moest glimlachen en ze was één en al aandacht. ‘Tante Sarah vertelde mij dat haar broer Marshall de zuidelijken al voor de oorlog haatte!’

‘Ja’, zei Emily, ‘maar er waren zoveel noordelijken die een grondige hekel aan de zuidelijken hadden.’

Jesse knikte. ‘Ja, maar niemand haatte hen zo erg als Marshall! En raad eens met wie hij trouwde?’

Emily haalde haar schouders op.

‘Met een zuidelijke schone!’

‘Werkelijk?’

Jesse knikte. ‘Maar pas nadat zij hem gevangen had genomen toen hij haar boerderij overviel!’

Emily lachte met hem mee. ‘Zag een zuidelijk meisje kans om je oom gevangen te nemen?’

‘Volgens tante Sarah verkleedde dat meisje zich als soldaat om zichzelf te kunnen verdedigen tegen overvallers, zowel tegen de Unionisten als tegen de Zuidelijken. En toen mijn oom Marshall op haar boerderij kwam, nam zij hem gevangen en maakte hem met een ketting aan de schuur vast. Mijn oom dacht lange tijd met een zuidelijke soldaat van doen te hebben!’

‘Hoe kwam hij er achter dat ze een vrouw was?’

‘Dat was tijdens de beschieting van Vicksburg. Ze renden naar een of andere grot om daarin te kunnen schuilen en toen viel haar pet af.’

Emily lachte. ‘Dat lijkt mij een vrouw voor wie ik bewondering zou kunnen hebben.’

Tegen die tijd waren Jesse en Emily onder de bogen van de brug doorgelopen en hadden ze aan de Newyorkse kant de Chatham Street bereikt. Nu hun richting niet meer bepaald werd door het wegdek van de brug, gingen ze langzamer lopen en uiteindelijk bleven ze staan. Hoewel het duidelijk was dat de tijd was aangebroken om afscheid van elkaar te nemen, hadden ze geen van beiden veel haast.

‘Bedankt dat je met mij meegelopen bent’, zei Emily. ‘Leuk dat we toevallig net samen op die brug waren.’

‘Ja, ik vond het ook leuk’, antwoordde Jesse. ‘Ik vond het erg prettig om samen met je te wandelen.’

Emily glimlachte. Ze keek naar de grond. Jesse schraapte zijn keel en strekte schuchter zijn armen uit.

'Nou, ik moet nu echt weg', zei Emily.

Jesse knikte. Toen ze geen aanstalten maakte om weg te gaan, zei hij: 'Zou je het leuk vinden als ik je thuis zou brengen?' Voor ze antwoord kon geven, voegde hij eraan toe: 'Dat heb ik je geloof ik al eens eerder gevraagd en toen wilde je dat niet.'

Emily lachte. 'Ja, dat is zo. En het antwoord is nog steeds: "Bedankt, maar ik ga wel alleen naar huis." Ik heb uiteindelijk nog altijd mijn...' Zij wees naar haar riem.

Jesse knikte en maakte haar zin af: '... je politiefluit.' Hij zweeg even en zei toen: 'Misschien zou jij mij dan thuis kunnen brengen.'

Emily lachte. Jesse kwam door het geluid van haar lach en de manier waarop haar ogen schitterden helemaal in haar ban. Ze keken elkaar aan en geen van beiden sloegen ze hun ogen neer. Jesse kreeg het gevoel of hij door die twee glinsterende bruine poelen verzwolgen werd. Hij wist dat hij in die ogen zou kunnen verdrinken.

Ze keek opzij. Jesse betrapte zich erop dat zijn mond openhing. Hij sloot hem gauw en schraapte opnieuw zijn keel.

'Nou, goedenavond dan maar', zei hij.

'Welterusten.'

'En wees maar niet bang. Ik zal je geheim bewaren.'

'Geheim?'

'Dat je net doet of je een typiste bent.'

'O, dat. Ja, ja', mompelde Emily. 'Soms raak ik zo gewend aan mijn vermomming dat ik helemaal vergeet dat het een vermomming is. Bedankt voor het bewaren van mijn geheim.'

'Nou, goedenacht.'

'Ja, goedenacht', zei Emily weer. Ze wuifde bijna onmerkbaar naar hem, draaide zich om en Jesse bleef alleen achter in de Chatham Street.

Hij liet de lichten van de brug achter zich en liep door de donkere straten die naar zijn huis leidden. De nachtelijke schaduwen van de hoge huizenblokken doemden als reusachtige spookverschijningen voor hem op. Bij iedere stap die hij deed vervaagde de vreugde en het fijne moment dat hij kort tevoren ervaren had meer en meer, tot ze tenslotte een vage herinnering bleven. Daarvoor in de plaats kwamen meer dan ooit tevoren de sombere gevoelens die hij dacht van zich afgeschud te hebben – schuld, neerslachtigheid, hopeloosheid.

Hij probeerde wanhopig vast te blijven houden aan tenminste één prettige herinnering – Emily's stralende bruine ogen in het lamplicht. Maar hij slaagde er niet in. Al die elkaar opvolgende flatgebouwen drongen een ander, gruwelijk beeld bij hem op. Lege daklijsten die allemaal tegen een donkere hemel afstaken.

Jesse probeerde die beelden uit te bannen door niet omhoog te kijken. Hij hield zijn blik op de straatklinkers gericht. Allemaal hetzelfde. Netjes gerangschikt. Sommige gescheurd en misvormd. Sommige wat dieper liggend omdat de grond eronder was weggespoeld. Toen hij de Hester Street bereikte, overtuigde hij zich ervan dat niemand hem zag. Hij bleef tot halverwege het huizenblok in de schaduw lopen tot hij uiteindelijk de trappen tegenover zijn eigen huis bereikte.

Hij veegde het vuil van een traptrede en hurkte in de schaduw neer. Met zijn knieën tegen zijn borst getrokken staarde hij naar het raam van zijn kamer. Zijn moeder zat met haar rug naar het raam. Ze hield haar hoofd gebogen en ze knikkebolde een beetje. Ze zat te naaien. Ze zat altijd te naaien.

Toen draaide zij haar hoofd naar het raam alsof ze aanvoelde dat iemand naar haar keek. Ze staarde in het donker. Instinctmatig trok Jesse zich zo diep mogelijk in de hoek terug. Hij zag hoe zijn moeder eerst de ene en toen de andere kant van de straat afspeurde. Ze zag kennelijk niets ongewoons en keerde zich af. Toen keek ze opnieuw. Iets had haar aandacht getrokken. Ze keek strak naar de andere kant van de straat. Naar de trap. Rechtstreeks naar Jesse.

Ze bleef lang kijken. Jesse hield zijn adem in en maakte geen enkele beweging. Hij voelde hoe zij door het donker naar hem keek en probeerde iets te zien. Even later keerde zij zich weer om, ging zitten en begon weer te naaien.

Ze had hem niet gezien. Maar aan haar gezicht had hij gezien dat ze naar hem uitkeek. Hij was veel later dan anders naar huis gegaan. Ze had bezorgd gekeken.

Jesse zuchtte terwijl hij naar het knikkende hoofd van zijn moeder keek. Hij huiverde toen hij eraan dacht hoeveel verdriet hij haar zou doen. Haar hele leven lang had ze geduld met hem gehad. Ze had er genoegen mee genomen dat hij zich in zijn eigen tempo ontwikkelde. Zelfs toen hij volwassen was geworden, had ze geduld met hem gehad. Ze had hem gezegd dat hij op zekere dag zijn bestemming wel zou vinden, maar ze had hem nooit onder druk gezet. Ze nam er genoegen mee dat hij die op zijn eigen manier zou vinden. Haar aandrang dat hij een beroepsopleiding zou gaan volgen was alleen maar bedoeld om hem de mogelijkheid te bieden een nieuw begin te maken.

Diep van binnen wist Jesse dat het geduld van zijn moeder een keer beloond zou worden. Op zekere dag zou ze trots op hem zijn.

Maar dat was nu wel erg onwaarschijnlijk – nu hij een jongen gedood had.

Jesse liet zijn hoofd tussen zijn knieën zakken. Hij zag maaiende armen. Jake's angstige gezicht. Een lege lucht.

In één middag was zijn hele leven veranderd. Hij was volkomen uit het lood geslagen.

Jesse slikte zijn tranen in. Hij gaf zichzelf op zijn kop. *Het is tijd om volwassen te worden, een man te worden. Denk na! Gebruik die hersens van je. Wat zijn je mogelijkheden?*

In zijn gedachten werd hij Truly Noble. Hij ging terug naar de huurkazerne om het ongeluk te onderzoeken. In zijn verbeelding ondervroeg hij Philemon, één van de straatschelmen. Overstelpt door schuldgevoelens bekende Philemon dat het ongeluk niet de schuld van Jesse was! Volgens de schelm was Jesse niet gestruikeld, maar had men hem laten struikelen! Bovendien was de kleine Jake in werkelijkheid niet dood! Hij lag in het ziekenhuis met een gebroken been. Hij zou weer volledig herstellen. In het ziekenhuis zou Jake met zijn rode haar hem met een glimlach begroeten. Hij zou Jesse bedanken omdat hij hem het leven had gered. Dan zou hij tegen Jesse zeggen: 'Op een dag wil ik net zijn als...'

Houd op! HOUD OP!

In doodsnood kneep Jesse zijn ogen stijf dicht en bonsde met zijn hoofd op zijn knieën. Toe tilde hij zijn hoofd op en keek om zich heen. Aanvankelijk kon hij nauwelijks iets zien, maar toen namen de dingen om hem heen weer vertrouwde vormen aan. Donkere vormen. De Hester Street.

Dit is het echte leven! Zie het onder ogen! Jake is dood! Je hebt hem over de rand geduwd! Zie het onder ogen! ZIE HET ONDER OGEN!

Plotseling werd hij door een gevoel van vastberadenheid overvallen, alsof hem een injectie met volwassenheid was toegediend. Met een diepe zucht zette Jesse zijn fantasie van zich af en keek hij de harde werkelijkheid recht in het gezicht.

Het eerste feit: hij kon Jake niet meer tot leven brengen.

Het tweede feit: hij zou niets kunnen doen om wat hij gedaan had, weer goed te maken.

Het derde feit: hij moest wat hij gedaan had onder ogen zien en de verantwoordelijkheid daarvan op zich nemen.

Vooral dat laatste feit kostte Jesse veel moeite. Hij dacht opnieuw aan het verdriet dat hij twee moeders had aangedaan – Jake's moeder en zijn eigen moeder. Hoe zou hij hen onder ogen kunnen komen? En dan was Finn er nog. De kans dat Finn hem ooit zou vergeven, was te verwaarlozen. Zolang hij in de stad bleef, zou Jesse voor de rest van zijn leven door Finn achterna gezeten worden.

Zolang hij in de stad bleef!

De zin glansde als een gouden sleutel voor zijn ogen, de sleutel waarmee hij de deur van zijn geheim zou kunnen openen. Hij moest zichzelf waarmaken – bewijzen dat wat er op het dak was gebeurd, een ongeluk was geweest; zijn ware karakter bewijzen. Maar zolang hij in de stad bleef, zou hij niets meer dan een loopjongen zijn die iedere avond, als hij van zijn werk naar huis ging, voor Finn op de loop zou moeten gaan. Maar ergens anders zou hij opnieuw kunnen beginnen en zouden de dingen anders zijn. Maar waar zou dat 'ergens anders' kunnen zijn?

Het Westen.

In het Westen. Daar worden jongens mannen.

Jesse ging rechtop zitten. Alles werd nu duidelijk. En de geschiedenis van zijn familie bevestigde dat. Drew Morgan werd een man toen hij Engeland verliet om naar de nieuwe wereld te gaan. Jared Morgan werd een man toen hij van huis wegliep en piraat werd. Ezau en Jakob werden volwassen toen ze ten strijde trokken. En er was weer een oorlog voor nodig om zijn vader op het juiste pad te brengen. Naar het Westen. Zelfstandig worden. Bewijzen dat hij een man was. Dan kon hij weer met opgeheven hoofd naar huis gaan. Dan zou iedereen kunnen zien dat dat ene voorval op het dak een ongeluk was geweest in een verder voorbeeldig leven.

Jesse stond op en stapte uit de schaduw. Hij keek op naar zijn moeder. Haar hoofd knikkebolde terwijl ze plichtmatig aan het naaien was. Hij dacht erover om voor haar een briefje achter te laten, maar zag er toen van af. Het zou beter zijn als hij zich eerst gevestigd had. Hij vond het verschrikkelijk dat ze verdrietig zou zijn omdat ze niet zou weten waar haar zoon was en niet zou weten wat er met hem gebeurd was. Maar het was beter zo. Op een dag zou ze het gaan begrijpen.

Hij liep de straat in. Boven hem fonkelden de sterren. Hij keek naar de achterkant van het hoofd van zijn moeder en zei: 'Vaarwel, mama. Ik zal ervoor zorgen dat je trots op mij kunt zijn. Je zult het zien. God is mijn getuige. Ik zal ervoor zorgen dat je trots op mij kunt zijn.'

Jesse Morgan draaide zich om en liep in westelijke richting door de Hester Street.

Emily sloeg hem vanaf de hoek van de Hester Street gade en ze vroeg zich af waarom hij zo lang in een donkere hoek bleef zitten. Ze zag hoe hij uit de hoek tevoorschijn kwam en iets zei tegen één van de ramen van de huurkazerne. Toen hij wegliep, volgde zij hem. Toen ze langs het gebouw liep, keek ze op naar het raam waar Jesse naar gekeken had. Ze zag het achterhoofd van een vrouw. Het ging langzaam op en neer.

Emily volgde Jesse een paar kilometer. Ze staakte haar achtervolging omdat het al zo laat was. Ze grijnsde bij de gedachte dat ze haar vader zou moeten uitleggen waar ze nu weer gezeten had, als hij haar tegen het lijf zou lopen.

Hoofdschuddend keek ze toe hoe Jesse in het donker verdween. Waar ging hij zo laat nog naar toe? Ze haalde haar schouders op en ging naar huis. Op weg daarheen dacht ze voortdurend aan de momenten die ze met Jesse op de brug had doorgebracht.

Tegen middernacht hield Clara Morgan het niet langer uit. Ze gooide een omslagdoek over haar schouders en ging de straat op om naar Jesse uit te kijken. Ze volgde de meest voor de hand liggende route tussen haar huis en de glasfabriek van Ruger. De fabriek was gesloten en er brandde geen enkel licht.

Ze ging naar het flatgebouw waar Sagean woonde en maakte drie gezinnen wakker voordat ze erachter was waar Sagean precies woonde. De slaperige bedrijfsleider vertelde Clara dat Jesse op de normale tijd naar huis gegaan was. Toen trok hij zijn kleren aan en hielp Clara in haar zoektocht.

Na een uur stuurde Sagean Clara naar huis om te gaan zien of Jesse inmiddels thuisgekomen was. Terwijl ze de trappen opliep, nam haar hoop toe, maar die verdween weer onmiddellijk toen ze de deur opende en zag dat de kamer nog net zo leeg was als toen ze weggegaan was.

Ze probeerde zo kalm mogelijk te blijven en zette wat thee voor zichzelf en ging toen op een stoel zitten. Deze keer naaide ze echter niet. Haar koppelbaas zou morgen wel boos zijn, maar dat deerde haar niet. Clara Morgan had wel belangrijker dingen aan haar hoofd. Ze wiegde op haar stoel heen en weer en bad. Ze bad tot de morgen aanbrak.

Halverwege de morgen verscheen Sagean bij haar deur. Hij had geen enkel teken van Jesse gezien. Jesse was ook niet op zijn werk verschenen. Clara bedankte hem en aanvaardde zijn aanbod om haar te helpen, maar ze kon niets bedenken waarmee hij haar verder nog zou kunnen helpen. Met de herhaalde verzekering dat Jesse wel weer zou komen opdagen, ging Sagean weer naar de fabriek.

Clara Morgan ging naar de derde verdieping. Ze klopte op de deur van rabbi Moscowitz, de man die haar de boeken voor Jesse geleend had en de enige geestelijke man die ze in het hele gebouw kende. Hij vroeg haar vriendelijk binnen te komen en luisterde aandachtig naar haar verhaal.

In de kamer van rabbi Moscowitz huilde Clara Morgan voor het eerst om haar vermiste zoon.

HOOFDSTUK 10

Het was nu drie dagen geleden dat zij en Jesse samen over de brug gewandeld hadden. Hoewel Emily in haar gedachten die tijd wel honderd keer beleefd had, was de herinnering eraan steeds weer nieuw.

Iedere keer als op het kantoor van de Austinfabriek de deur openging, keek Emily vol verwachting op in de hoop dat het Jesse zou zijn die iets kwam brengen. Ze had er lang over nagedacht hoe ze bij hun volgende ontmoeting te werk zou gaan. Als hij binnen zou komen, zou ze net doen of ze druk bezig was. Dan zou ze terloops opkijken en zien dat hij het was. Hij zou dan natuurlijk al naar haar kijken. Ze zou discreet naar hem glimlachen - niet al te uitbundig, maar net genoeg om te laten blijken dat ze zich die avond op de brug herinnerde. Ze zou iets geheimzinnigs in haar blik leggen, zodat iedereen die hen zou zien, de indruk zou krijgen dat ze samen een geheim deelden. Dat zou de andere meisjes op kantoor nieuwsgierig maken. Op haar moedigste momenten overwoog Emily er een verleidelijke knipoog aan toe te voegen.

Maar tot nu toe had Emily alleen maar de kans gekregen haar voornemens nog eens te overdenken, maar niet om ze in de praktijk te brengen. Er gingen drie dagen voorbij zonder dat er een brief of een pakje van de Ruger-glasfabriek werd bezorgd. Op de vierde dag was ze zo geconcentreerd bezig met het uittypen van een aantal tabellen dat ze de deur niet hoorde opengaan.

Op de achtergrond hoorde ze wat gemompel en toen: '... van meneer Sagean van de Ruger-glasfabriek.'

Toen de woorden 'Ruger-glasfabriek' tot haar doordrongen, keek Emily met een ruk op van haar tabellen. Ze wilde Jesse zo graag zien dat ze op hetzelfde moment al haar voornemens vergeten was. Haar gezicht vertoonde een brede, verwachtingsvolle glimlach.

Haar glimlach werd ontvangen door een jochie met een vuil gezicht dat tien, hoogstens elf jaar kon zijn. Hij had wijduitstaande oren en zijn pet stond achteloos achterop zijn hoofd. Zijn kleren, armen en handen waren met roet bedekt.

Toen de jongen zag hoe Emily naar hem glimlachte, verscheen er een wolfachtige grijns op zijn gezicht. Hij tikte aan zijn pet en gaf een brutale knipoog. 'Ik heet Jeb', zei hij. 'En hoe heet jij, schoonheid?'

Emily wierp een dreigende blik op hem en keerde weer terug naar haar tabellen en cijfers. Ze bloosde. De twee meisjes die ook op kantoor werkten, zagen haar verlegenheid en giechelden.

'Aan het werk, meisjes!', beval de bebrilde kantoorchef. 'En jij', hij graaide de brieven uit de hand van de jongen, 'waar ben je zo lang gebleven? Schiet op! Eruit! Eruit!'

De chef duwde de jongen door de deur en sloeg die achter hem dicht.

De meisjes giechelden gesmoord verder.

Emily hield haar hoofd gebogen. Ze keek naar de tabellen voor haar, maar ze zag ze niet. Eerst werd ze verblind door een gevoel van vernedering; toen maakte haar verlegenheid plaats voor bezorgdheid en werden de reeksen getallen niets anders dan grijze strepen. In gedachten zag Emily Jesse weer gehurkt in de schaduw zitten, zag ze hem tegen het raam in de huurkazerne praten, zag ze hem weglopen en in het donker verdwijnen. De duisternis had hem verzwolgen.

Ze schoof haar stoel achteruit.

'Juffrouw Barnes, wat ben jij van plan?', vroeg de chef met zijn benige handen op zijn heupen.

'Ik ben zo terug', zei Emily.

Hij ging voor haar staan om haar de weg te versperren. 'Ga zitten en ga onmiddellijk weer aan het werk!' Hij wees met zijn lange, magere vinger naar haar typemachine alsof ze vergeten zou hebben waar haar werk was. De andere typisten zaten stil toe te kijken hoe het drama zich verder zou ontwikkelen.

'Ik ben zo weer terug', zei Emily nog eens.

'Ga zitten', schreeuwde de chef. Hij keek haar met toegeknepen ogen uitdagend aan.

'Meneer Stewart, ik moet even met die jongen praten.'

De typistes giechelden weer.

Stewart zond hen een dreigende blik toe waardoor ze weer verschrikt aan het werk gingen.

'Meneer Stewart...'

'Juffrouw Barnes, je gaat nu onmiddellijk naar je plaats terug of...'

Emily had er genoeg van. Ze schoof haar magere chef opzij alsof hij niet meer dan een vogelverschrikker was. De deur naar het kantoor sloeg achter haar dicht, waardoor het gekrijs van haar chef vervaagde.

Halverwege het huizenblok haalde ze de vuile jongen in. Omdat hij zijn naam genoemd had, gebruikte zij die om zijn aandacht te trekken. De jongen draaide zich om en zag hoe ze naar hem toe holde. Hij bleef staan en grijnsde brutaal tegen haar.

'Waarom heeft Jesse Morgan de brief van de Ruger-glasfabriek vandaag niet gebracht?', vroeg Emily hem.

De jongen keek haar vol verbazing aan.

'Je kent Jesse Morgan toch wel?'

'Ja natuurlijk ken ik die.'

'Hij brengt de brieven altijd rond. Waarom vandaag dan niet?'

Duidelijk teleurgesteld dat Emily belangstelling voor Jesse had en niet voor hem, sneerde de jongen: 'Ben ik soms zijn moeder?' De jongen draaide zich om en liep weg.

Emily greep hem bij de arm.

De jongen schudde haar hand af alsof hij bang was dat zijn toch al vuile overhemd nog vuiler zou worden. 'Blijf van me af, dame!', schreeuwde hij.

'Vertel mij alleen maar waar Jesse is!'

'Hij werkt daar niet meer. Goed? En laat mij nu met rust.'

'Wat bedoel je met hij werkt daar niet meer?'

'Precies wat ik zei. Hij werkt daar niet meer. Hij is al drie dagen niet op komen dagen.'

'Is hij zelf weggegaan of is hij ontslagen?', vroeg Emily.

'Wat? Ben ik soms de bedrijfsleider? Hoe moet ik dat nou weten?'

'Nou, vertel het me eens.'

Er verscheen een begerige grijns op het gezicht van de jongen terwijl hij haar van top tot teen opnam. Ze vond de situatie zo belachelijk dat ze in lachen zou zijn uitgebarsten als ze daarmee de kans op nog meer informatie niet verspeeld zou hebben.

'Wat heb je ervoor over als ik je dat zou vertellen?', vroeg de jongen suggestief.

Emily grinnikte berekenend. 'Wat heb je ervoor over? Hoe oud ben jij eigenlijk? Acht of negen?' Ze schatte hem doelbewust jonger in dan hij was.

De jongen was zwaar beledigd. 'Ik ben elf... over een paar maanden twaalf!'

Emily greep de jongen opnieuw bij de arm, deze keer steviger, op de manier waarop een moeder een kind tot de orde roept. 'Ik zal jou eens vertellen wat ik daarvoor over heb', zei ze met opeengeklemde kaken. 'Ik zal mijn drie oudere broers vertellen dat jij mij al dagen volgt en allerlei schunnige opmerkingen tegen mij maakt!'

De jongen keek haar onderzoekend aan, kennelijk om na te gaan of ze inderdaad drie broers kon hebben. Emily kneep harder in zijn arm.

'Je hebt het zwaar te pakken van hem, hè?'
Emily kneep nog harder in zijn arm.
'Goed dan! Hij kwam op zekere dag gewoon niet opdagen', zei de jongen. En hij voegde er sarcastisch aan toe: 'En nou niks tegen je grote broers zeggen, hè. Ik zal je met rust laten en je nooit meer lastig vallen!'
Emily liet de jongen los.
Hij trok zijn mouw recht en deed een stap achteruit. 'Wat zonde', zei hij. 'Jij en die lange slungel van een Morgan. Wat zonde. Luister schoonheid, als je genoeg van hem hebt kun je altijd bij mij terecht!' Hij gaf haar een knipoog.
Emily lachte spottend, draaide zich om en liep weg.
Toen ze weer op kantoor kwam, vond ze meneer Stewart op haar stoel achter de typemachine. Hij had zijn armen over elkaar geslagen en keek haar, met zijn hoofd enigszins opzij gebogen, hooghartig aan. Zijn magere gezicht vertoonde een grijns.
'Juffrouw Barnes', zei hij op minzame toon, 'je kunt je spullen bij elkaar pakken en vertrekken. Je bent ontslagen.'

Emily was er niet van ondersteboven dat ze ontslagen was, maar ze was er ook niet blij mee. Haar voortijdig ontslag maakte een abrupt eind aan haar onderzoek, juist op het moment dat ze een paar belangwekkende dingen had ontdekt. Het door haar afgeluisterde gesprek in de studeerkamer van haar vader over de brand in de Austinfabriek had haar belangstelling gewekt. Als de brand inderdaad met opzet was ontstaan, dan was dat een dramatischer verhaal dan dat waaraan zij bezig was.
Gisteren nog had ze het oorspronkelijke rapport gelezen. In het rapport werden de namen genoemd van de twee personen die bij de brand waren omgekomen: Molly (achternaam onbekend), een meisje dat in de fabriek werkzaam was. Haar lichaam werd nooit gevonden. En Benjamin Morgan, die verder werd aangeduid als een opruier.
Jesse's vader?
De man in de studeerkamer van haar vader had gezegd dat de brand vijftien jaar geleden was. Jesse had gezegd dat hij vijf was toen zijn vader bij een brand in een fabriek was omgekomen. Dat klopte dus precies. Haar onderzoek naar die brand kreeg nu plotseling een persoonlijke noot en juist nu werd haar verdere onderzoek verhinderd door haar ontslag.
Voorafgaande aan het onderzoek naar de brand, had ze zich beziggehouden met allerlei onregelmatigheden in het financiële imperium van de Austin-ondernemeningen – ontslagen, prijsontduiking en gevaarlijke werkomstandigheden. Hoewel niet één van die dingen op zichzelf genomen

voldoende was om een artikel in een krant of een tijdschrift geplaatst te krijgen, hoopte ze erop dat alles bij elkaar voldoende zou zijn om de aandacht van een hoofdredacteur te trekken. Bovendien gold het een onderzoek naar de onderneming van haar eigen vader.

De vader-dochter verhouding gaf er een ironische draai aan en Emily hoopte dat die in haar voordeel zou werken. Natuurlijk had ze overwogen wat de reactie van haar vader zou zijn als het verhaal gepubliceerd zou worden. Hij zou woedend zijn. Maar als zijn woede enigszins bekoeld zou zijn, verwachtte ze dat hij het wel zou begrijpen. Het was puur zakelijk. Dezelfde agressieve tactiek die hij zelf toepaste om zijn geld te verdienen: je houdt de blik gericht op wat je wilt bereiken en dan ga je ertegen aan. Daar stak niets persoonlijks in.

Emily geloofde dit werkelijk, want op die manier was ze opgevoed. In het gezin van de Austins was geen sprake van persoonlijke verhoudingen. De marmeren villa huisvestte drie individuele personen die toevallig hetzelfde adres hadden. Vader had zijn diverse ondernemingen, moeder had haar kunstenaarswereldje dat ze als rijke dame begunstigde, en Emily had haar eigen leven – gescheiden van en anders dan dat van haar ouders. Niet dat Emily's ouders niet om haar gaven, want dat deden ze wel. En toen Emily eenmaal de aard van hun meeleven begrepen had, had ze die als een redelijke overeenkomst geaccepteerd.

Toen Emily jonger was, had ze bittere tranen geschreid om het feit dat haar ouders kennelijk geen belangstelling voor haar hadden. Ze wilde op allerlei manieren hun aandacht trekken en zo af en toe kreeg ze die ook. Toen ze echter ouder werd, veranderde haar houding tegenover haar ouders. Die verandering vond plaats toen ze de artikelen van Nellie Bly begon te lezen. De levendige beschrijving die de verslaggeefster gaf over de ellende in de huurkazernes en de werkomstandigheden in de bedrijfjes en fabrieken maakte Emily duidelijk hoezeer haar ouders voor haar zorgden. Zeker, ze hadden net zoveel aandacht voor haar als voor het tapijt in de hal en ze zorgden net zo voor haar als ze dat deden voor de paarden in de stal, maar in ieder geval zorgden ze voor haar.

Toen ze er verder over nadacht, kwam ze tot de conclusie dat ze teveel van haar ouders verwacht had. Ze deelden met haar wat ze hadden – een huis, eten, kleding en een goede opvoeding. Anderzijds verwachtten zij van haar dat ze niet teveel beslag op hun tijd zou leggen. Maar ze ging haar ouders pas werkelijk goed begrijpen toen tot haar doordrong dat *zij* het was die onredelijk was. Als het om liefde, tederheid, meeleven of om emotionele warmte ging, hadden haar ouders absoluut niets te bieden. Al die jaren had zij naar iets verlangd wat haar ouders niet bezaten!

Later noemde ze dat moment de Dag van het Inzicht. Ze zag het als het moment waarop ze volwassen was geworden. Vanaf dat moment was ze ermee opgehouden de aandacht van haar ouders te trekken. Ze schudde de kinderachtige dromen die haar jeugd beheerst hadden, van zich af. Ze staarde 's avonds niet meer naar de deur van haar slaapkamer in de hoop dat haar moeder binnen zou komen en op de rand van haar bed zou gaan zitten om zomaar eens even met haar te praten. Ze droomde er niet langer over om zomaar de studeerkamer van haar vader binnen te lopen en een vergadering te onderbreken door zich in de armen van haar vader te nestelen, waarbij hij zou opscheppen over haar schoonheid.

Na haar Dag van Inzicht werd het leven voor Emily veel eenvoudiger. Ze was niet langer teleurgesteld in haar ouders, want ze verwachtte niets meer van hen. Deze ontdekking had zo'n invloed op haar leven dat ze deze filosofie op haar hele leven toepaste: Verwacht niets van wie dan ook. Als ze je laten vallen, zal je niet teleurgesteld zijn, want je verwachtte ook niets van hen. En als ze iets doen wat je fijn vindt, is dat alleen maar een aangename verrassing.

Emily was dan ook niet teleurgesteld toen ze ontslagen werd door de de bebrilde kantoorchef van de Austinfabriek die zoveel op een vogelverschrikker leek. Ze had ook niet verwacht dat die gemene vent redelijk zou zijn. Het onderzoek naar die brand in de fabriek moest gewoon een poosje uitgesteld worden tot ze een andere manier gevonden zou hebben om toegang tot de documentatie van de fabriek te krijgen. Intussen had ze een ander probleem op te lossen. Waar was Jesse Morgan?

De nieuwe uitdaging wond haar op. De verblijfplaats van Jesse was een geheim, een geheim waar ze graag achter wilde komen omdat er een romantisch element in meespeelde. Het idee om die onvindbare meneer Morgan op te sporen, bezorgde Emily een huivering van genoegen.

HOOFDSTUK 11

'Kun je mij zeggen waar ik de bedrijfsleider kan vinden?' Emily stond bij de ingang van de Ruger-glasfabriek, als je tenminste over een ingang wilde spreken. De hele zijkant van de fabriek was open en binnenin het gebouw was overal grote bedrijvigheid te zien. Mannen met opgezwollen wangen stonden op kisten en bliezen in lange pijpen. Aan de andere kant van de pijp vormden zich glasbellen die in de gaten gehouden werden door jongens die gehurkt op de grond zaten. Middenin de fabriek stond een groot stenen fornuis, waarboven een taps toelopende kap de rook door het dak heen afvoerde. Kleine jongens die vrijwel allemaal in versleten broeken rondliepen die door bretels werden opgehouden, stonden aan werkbanken en verrichtten allerlei klusjes. Sommigen maakten gereedschap schoon, terwijl anderen de pas geblazen flessen afwerkten.

Ze had haar woorden tot een tengere jongen gericht die een emmer water droeg. Hij bleef staan en staarde haar aan toen ze haar vraag gesteld had. Hij had grote, droevig kijkende ogen en zijn bovenlip leek te groot voor zijn gezicht.

'De bedrijfsleider', herhaalde Emily. 'De voorman. Hebben jullie een voorman?'

De jongen glimlachte zo breed dat zijn gezicht er bijna door in tweeën werd gedeeld. Hij wees naar een hoek achterin het gebouw.

'Dankjewel', zei Emily en liep de fabriek binnen.

Overal in het gebouw werden hoofden in haar richting gedraaid en werd het werk even vergeten. Jonge ogen volgden haar toen ze van de voorkant van het gebouw naar achteren liep. Sommige glasblazers riepen naar de jongens dat ze op hun werk moesten letten; anderen kregen een draai om hun oren. Maar Emily merkte dat zelfs de glasblazers, die in het algemeen ouder waren en die hun hoofd door hun werk gebogen moesten houden, haar uit hun ooghoeken volgden.

'Hé, schoonheid! Kon je mij niet vergeten?'

Emily trok een verachtelijk gezicht toen ze Jeb zag, de jongen met de wijduitstaande oren, die de brieven naar de Austinfabriek had gebracht in plaats van Jesse. Ze negeerde hem.

'Dat is nu die vrouw waarover ik jullie vertelde', zei Jeb, luid genoeg

zodat ze het kon horen. 'Jullie wilden niet geloven dat ze mij naliep, hè?'
Emily weerstond de verleiding en slikte een vinnige opmerking in die bedoeld was om de jongen op zijn nummer te zetten. Het was duidelijk dat hij haar uitdaagde te reageren. Ze zou hem die voldoening niet geven. Hem volkomen negerend liep ze naar de achterkant van de fabriek.
Het kantoortje was weinig meer dan een wat verhoogd platform met een bureau erop. Achter het bureau zat een grote man met zware bakkebaarden.
'Bent u de voorman?', vroeg Emily.
Van achter het bureau keken een paar roodomrande ogen haar aan. Emily voelde dat ook haar eigen ogen begonnen te tranen door de hitte en de rook.
'Wilt u een order plaatsen, juffrouw?'
Emily schudde haar hoofd. 'Ik zoek iemand die hier gewerkt heeft. Of misschien werkt hij hier nog wel.'
De roodomrande ogen namen haar onderzoekend op.
'Jesse Morgan', zei ze. 'Werkt die hier nog steeds?'
De man stond op. Hij stond bovenop het platform en torende hoog boven haar uit zoals Goliath boven David. Hij wees Emily op het trapje dat naar het platform leidde. Daarna schoof hij een stoel bij en Emily ging tegenover hem zitten.
'Mijn naam is Albert Sagean', zei de man. 'Ik ben een vriend van de familie Morgan, alsook Jesse's baas. Hoe kent u Jesse?'
'Ik ben blij u te ontmoeten, meneer Sagean. Ik heet Emily...'
'Austin', zei Sagean. 'Ik herkende u. Afgelopen jaar heb ik een rapport bij u thuis aan meneer Austin gebracht en ik zag u de trap afkomen.'
Emily was blij dat hij haar in de rede was gevallen. Ze had zich onder haar schuilnaam Barnes willen introduceren.
'Zoals ik wilde zeggen', vervolgde Emily, 'ik ken Jesse van het kantoor van de Austinfabriek waar hij brieven aan ons bracht. En toen hij vandaag weer niet verscheen, werden we ongerust.'
Sageans mondhoeken gingen omhoog, niet omdat hij geamuseerd was, maar omdat haar mededeling hem nogal sceptisch maakte. 'Die persoonlijke aandacht van de zijde van de Austinfabriek voor een loopjongen is bewonderenswaardig', zei hij, 'maar niet zo voor de hand liggend, lijkt mij.'
'Nou ja, op kantoor vinden we Jesse allemaal erg aardig', zei Emily met een nonchalant handgebaar. 'En toen Jeb ons vertelde dat hij al in geen drie dagen op zijn werk verschenen is, werden we natuurlijk ongerust.'
Sagean leunde achterover op zijn stoel en sloeg zijn armen over elkaar. Toen trok hij aan zijn bovenlip alsof hij haar woorden overwoog. Er kwam

plotseling een twinkeling in zijn ogen. Hij hield zijn hand nu stil alsof hij een glimlachje wilde verbergen.

'Nou, ik waardeer het zeer dat *jullie allemaal* Jesse zo aardig vinden...' Hij leunde nu wat naar voren.

Emily voelde dat ze bloosde. Ze besteedde er geen aandacht aan in de hoop dat haar blos gauw zou wegtrekken.

'... en wij maken ons eveneens zorgen.' Zijn glimlach was nu verdwenen. Sagean keek inderdaad bezorgd. 'Hij wordt vermist. Drie dagen geleden kwam zijn moeder op een avond hierheen om hem te zoeken. Hij was nog niet thuisgekomen.' Sagean leunde weer wat naar voren; maar deze keer was hij zeer ernstig. 'Hebt u er enig idee van waar hij zou kunnen zijn?'

De ongerustheid van de man was oprecht gemeend. Dat voelde Emily. Het feit dat zij zich beiden over Jesse's verdwijning ongerust maakten, smeedde onmiddellijk een band tussen hen. 'De laatste keer dat ik hem zag was drie avonden terug op de Brooklynbrug. We zijn samen de brug afgelopen.'

Toen Emily naar de glasfabriek was gegaan, had zij niet de bedoeling gehad iets van persoonlijke aard te vertellen. Ze was er heen gegaan om informatie te krijgen, niet om die te geven. Maar toen ze zag hoe bezorgd Sagean was, was ze hiertoe wel bereid. De dingen die ze vertelde, waren in het belang van Jesse.

'Hoe laat was het toen u hem voor het laatst zag?', vroeg Sagean. Hij boog zich weer wat naar voren, verlangend naar meer informatie.

'Het was ongeveer tien uur toen we in de Chatham Street afscheid namen.'

'Tien uur', herhaalde Sagean, terwijl hij weer aan zijn bovenlip trok. Na even nagedacht te hebben, mompelde hij: 'Zijn moeder maakte mij drie uur later wakker...'

Emily wachtte op het resultaat van zijn gepeins. Maar hij stelde plotseling een vraag.

'En daarna heb je hem niet meer gezien?'

Ze aarzelde slechts kort en zei toen: 'Nee, dat was de laatste keer.'

Sagean knikte en dacht weer na.

Emily vond het vervelend dat ze tegen hem gelogen had, maar de vraag kwam ook zo onverwachts. Hoe kon ze uitleggen dat ze Jesse daarna nog gezien had, terwijl ze stiekem achter hem aangelopen was?

'Hebt u hierover met Jesse's moeder gepraat?', vroeg Sagean.

Emily schudde haar hoofd. 'Ik heb mevrouw Morgan nog nooit ontmoet.'

Sagean slaakte een diepe zucht en schreef toen iets op een stukje papier. 'Juffrouw Austin, wilt u mij een plezier doen?'

'Wat wilt u dat ik doe?'

'Dit is het adres waar Jesse woont. Hij en zijn moeder wonen in de Hester Street. Weet u waar dat is?'

Emily knikte.

'Zou u zo vriendelijk willen zijn daar heen te gaan om aan Clara Morgan te vertellen wat u ook tegen mij verteld hebt? Ik weet wel dat het niet veel is, maar iedere informatie is natuurlijk welkom. Daar ben ik zeker van.' Hij reikte haar het papiertje aan.

Hoewel ze het adres niet nodig had, nam Emily het papiertje aan. 'Ik ga er meteen heen', zei ze.

Ze stonden beiden op.

'En dan nog iets', zei hij. 'Als u Jesse ziet of iets over hem hoort, wilt u mij dat dan laten weten? Ik voel mij voor hem verantwoordelijk. Een oude schuld aan zijn vader.'

Emily knikte.

Toen ze de fabriek uitliep, werd ze nauwelijks nog door iemand aangestaard. Sagean stond hoog op het platform en zag erop toe dat ze ongestoord kon vertrekken. Hij keek haar nadenkend na en trok weer aan zijn bovenlip.

'Stel je voor', grinnikte hij. 'Jesse en de dochter van Franklin Austin!'

Een diepe zucht bracht haar niet tot rust. En ze kon kennelijk ook niets doen om de dwaze glimlach van haar gezicht te krijgen. Ze wist geen raad met zichzelf. Ze moest zich beheersen om niet te gaan huppelen. Ze was er helemaal opgewonden van dat ze zo openlijk over Jesse kon praten. Dat was een nieuwe ervaring voor haar.

Persoonlijk had ze veel over Jesse gedroomd. In het geheim was ze hem gevolgd. En hoewel ze aan beide bezigheden veel plezier beleefd had, waren ze niet te vergelijken met de sensatie die ze gevoeld had toen ze naast hem op de brug gelopen had. Dat was ongetwijfeld het prettigste gevoel geweest. Het nieuwe gevoel dat ze nu had, had haar echter overvallen. Ze kon het op geen andere manier beschrijven. Dat ze nu openlijk met anderen over haar Jesse kon praten, deed haar hart jubelen van blijdschap.

Omdat ze erg op zichzelf was aangewezen, had Emily nooit met anderen over haar gevoelens gepraat. Haar opvoeding en onderwijs had ze uitsluitend van volwassenen gekregen. De omgang die ze met meisjes van haar leeftijd had gehad, was te verwaarlozen geweest en ze had die ook niet bijzonder op prijs gesteld. Ze vond ze onvolwassen, domme schepsels die wereldvreemd in hun eigen, welgestelde kring waren opgevoed. Het gevolg hiervan was dat een aantal dingen in Emily's leven strikt gescheiden waren: algemene dingen besprak je met anderen, maar persoonlijke dingen hield je voor jezelf. Dit was de eerste keer in haar leven dat dit onderscheid begon te vervagen: haar professionele onderzoek en haar persoonlijke gevoelens liepen nu door elkaar heen.

Het feit dat Jesse vermist werd, deed geen afbreuk aan haar opwinding. Ze had geen enkele reden om pessimistisch te zijn. Ze rekende er zonder meer op dat hij wel weer zou komen opdagen en dat er een redelijke verklaring voor zijn verdwijning zou zijn. Wie weet, misschien wilde God het wel zo. Emily wist niet zeker of ze wel in God geloofde, maar als Hij wel bestond, dan was dit zeker iets waarin Hij de hand zou hebben - Hij zou ervoor zorgen dat Jesse en zij elkaar zouden vinden.

Toen ze de winkel van Ridley gepasseerd was, sloeg Emily de Allen Street in. Haar hart sloeg een slag over toen ze eraan dacht dat ze nog maar één huizenblok van een ontmoeting met Jesse's moeder verwijderd was.

Soms verontrustte haar de diepe gevoelens die ze voor Jesse koesterde. Toen hij de eerste keer het kantoor van de Austinfabriek was binnengelopen, was er iets in hem dat haar opgevallen was. Ze had er uren over nagedacht wat dat dan wel kon zijn. Het was niet zijn voorkomen, hoewel zijn jongensachtige optreden haar wel aantrok. Het waren niet zijn ogen, hoewel zijn oogopslag aanduidde dat hij intelligent was. Het was niet zijn glimlach, hoewel ze kippenvel kreeg als zij eraan dacht. Het was niet zijn positie in het leven, want van een positie was nauwelijks sprake. Ze kon op geen enkele manier verklaren waarom zij zich tot hem aangetrokken voelde.

Tenslotte vatte Emily alles in één enkel woord samen. Een vaag woord, maar voor haar vatte het alles samen waarom ze Jesse zo aantrekkelijk vond.

Hartstocht.

Alles aan Jesse was even vurig. Hij straalde het uit. In het kantoor viel die vurigheid op als een baken in een zee van steriele cijfers en kolommen. En de gedachte aan die hartstocht verwarmde 's nachts haar slaapkamer in het witmarmeren huis. Jesse Morgan bezat niet wat haar ouders bezaten, maar hij had alles wat haar ouders niet hadden. Bij hem, zo wist Emily, zou ze de liefde vinden die ze thuis nooit gekregen had. En ze wilde de witmarmeren villa met alles wat daarbij hoorde graag inruilen voor een langdurige omhelzing van Jesse. Toen ze plotseling Finns broertje Jake met zijn rode haardos in het oog kreeg, werden haar bespiegelingen afgebroken en keerde ze weer terug naar de werkelijkheid van haar omgeving. De jongen rende aan de overkant van de straat in haar richting. Hij rende deze keer niet voor iets of iemand weg, maar kennelijk had hij grote haast. Hij verdween in een steeg, dezelfde steeg waarin Jesse door Finn en zijn kornuiten te pakken was genomen.

Emily ging langzamer lopen tot de jongen in de steeg verdwenen was. Ze bleef aan deze kant van de straat, zover mogelijk van de steeg vandaan. Hoewel het klaarlichte dag was en ze van Finn niets te vrezen had, vond ze het toch maar het beste zover mogelijk van hem, of van iemand die bij hem hoorde, vandaan te blijven. Maar toen ze de steeg passeerde, kon ze het niet laten er even een snelle blik in te werpen.

'Waar heb je gezeten?', klonk duidelijk Finns stem uit de steeg.

Hij zat op een houten ton. Op de grond naast de ton lagen nog de as en de geblakerde ijzeren banden van de ton die gebruikt was om Jesse te kwellen. Ook de twee andere straatschelmen waren aanwezig. De ene stond tegen de muur geleund in zijn tanden te peuteren en de andere stond verveeld met zijn handen in zijn zakken. Finn haalde uit naar Jake toen die in zijn buurt kwam, maar de jongen wist hem handig te ontwijken.

Emily keek weer voor zich en liep snel verder.

Uit de steeg klonk een slome stem: 'Zonder die Morgan is er eigenlijk niks meer aan... waar zou hij toch zitten?'

Emily bleef staan. Ze was al zover voorbij de steeg dat ze Finn niet meer kon zien, evenmin als hij haar. Ze luisterde ingespannen.

'Die zal wel in de rivier gesprongen zijn!', hoorde ze Finn zeggen. 'Ik zal nooit vergeten hoe hij keek toen...'

Klop, klop, klop, klop...

Er reed een paard en wagen door de straat tussen Emily en de steeg door. Ze gromde gefrustreerd. Ze trok haar rokken iets op en snelde achter de wagen naar de andere kant van de straat. Ze liep op haar tenen naar de hoek met de steeg, hoewel de passerende wagen nog voldoende lawaai maakte om haar voetstappen te overstemmen.

Uit de steeg klonk gelach.

'Ik heb het goed gedaan, hè Finn?', riep Jake.

'Het scheelde niet veel of je had alles verknoeid', schreeuwde Finn.

'Maar je zei dat ik het goed deed!', protesteerde Jake. 'Hij dacht echt dat ik dood was!'

'Wat jij deed, zou iedereen gekund hebben', zei Finn.

'Ik weet wat', zei één van de straatjongens. 'Mocht hij ooit terugkomen, dan verkleden we Jake als spook en jagen we hem de stuipen op het lijf.'

Dat vond Finn een goed idee. Hij lachte en de anderen vielen hem bij.

'Ja', zuchtte Finn. 'Nu die bonenstaak er niet meer is, is er niets meer aan.'

Een echtpaar dat door de straat liep, naderde Emily. Een kleine man met een snor liep gearmd met een langere vrouw. Toen ze zagen dat Emily stond te luisteren naar wat er in de steeg gezegd werd, keken ze achterdochtig naar haar. Het trok hun aandacht. Ze staarden haar aan en keken toen de steeg in om te zien naar wie zij luisterde.

Emily keek hen gefrustreerd aan. Waarom zouden ze haar aanwezigheid niet aan Finn bekend maken? Ze draaide zich om en liep snel, voor het nieuwsgierige echtpaar uit, de straat in. Maar ze was nog niet klaar met Finn.

Ze liep om het huizenblok heen, zoals ze ook op de avond dat ze Jesse verlost had, gedaan had. Ze gebruikte de houten schutting weer om zich achter te verbergen. Om de een of andere reden greep ze naar haar riem en haalde de fluit tevoorschijn. Misschien zette de herinnering aan die bewuste avond haar daartoe aan. Ze voelde zich veiliger als ze hem bij de hand had.

Ze hoorde Finns stem weer. Ze liep dichter naar de schutting toe, ging op haar hurken zitten en luisterde.

'... naar de spoorbaan. Misschien kunnen we nog wat lol beleven met die ouwe Thad.'

'Nou, ik zie jullie daar straks dan wel', zei één van de straatjongens.

'Waar ga je dan heen? Daar heb je mij nog niets over gezegd.' Finn herinnerde Emily aan de kantoorchef die op een vogelverschrikker leek en die ook altijd wilde weten wat iemand deed.

'Ik moet nog een klusje voor mijn vader doen', zei de jongen.

Finn bouwde de stem van de jongen na en riep op zeurderige toon: 'Ik moet nog een klusje voor mijn vader doen.' Iedereen lachte, inclusief de jongen zelf.

'Ja, daar kan ik nu eenmaal niet onderuit.'

Nou, ga dan!', schreeuwde Finn. Hij was het er kennelijk niet mee eens dat de jongen wegging. 'Kom op, jongens', zei hij tegen de anderen.

Er klonk wat geschuifel van voetstappen toen de jongens de steeg uitliepen.

Emily bleef stil zitten. Ze wilde er zeker van zijn dat de jongens de steeg uit zouden zijn voordat ze een beweging zou maken.

Toen klonk het geknars van de deurklink in de poort.

Emily hield haar adem in.

De houten poortdeur zwaaide open en één van de straatjongens kwam erdoor. Toen hij Emily gehurkt tegen de schutting zag zitten, kreeg zijn gezicht een verbaasde uitdrukking. Hij keek naar haar met de uitdrukking die een onderzoeker zou hebben als hij een nog onbekend insect zou ontdekken.

Emily viel op hem aan en de straatbengel reageerde op dezelfde manier als de onderzoeker zou doen als hij door dat vreemde insect zou worden aangevallen. Hij sprong verschrikt achteruit. Hij verloor zijn evenwicht en tuimelde samen met Emily tegen de muur aan. Zijn hoofd sloeg tegen de stenen. Helemaal versuft keek hij neer op de vrouw die tegen hem aangedrukt stond. Zijn handen zwaaiden doelloos in de lucht.

'Luister naar me!', riep Emily. 'Jij vertelt mij precies wat ik wil weten of ik blaas op die fluit.' Ze bracht de fluit doelbewust naar haar lippen. 'Dan komt de politie erop af en zal ik ze vertellen dat je mij wilde aanranden!'

'Wie... wie ben jij?', sputterde de schelm.

Emily stak de fluit tussen haar lippen.

'Wacht... wacht!', riep de schelm.

Ze liet de fluit weer zakken, maar drukte de jongen nog harder tegen de muur. Maar hoe lang zou ze dat kunnen? Ze moest snel handelen. De jongen begon al wat van zijn verwarring te bekomen. Hij keek haar nu strak aan, en hoe weinig hersens hij dan ook mocht hebben, ze begonnen te werken.

'Vertel mij wat jullie met Jesse Morgan gedaan hebben', zei ze.

De dingen begonnen langzaam tot de jongen door te dringen. Zijn ogen vernauwden zich tot spleetjes en hij staarde haar strak aan. 'Wie ben jij?', vroeg hij.

'Ik ben degene die ervoor zal zorgen dat je op het eiland Blackwell zal terechtkomen!', schreeuwde ze, terwijl ze de fluit weer naar haar lippen bracht. 'Je weet toch wel wat het eiland Blackwell is, hè? Dat is het eiland waar al die krankzinnigen zitten. En als je mij niet gauw vertelt wat jullie met Jesse Morgan gedaan hebben, zal ik ervoor zorgen dat jij daar ook terecht komt!'

Het noemen van het eiland Blackwell had het door haar gewenste resultaat. De jongen raakte in verwarring en keek haar verschrikt aan. Maar slechts even. Zijn grote handen grepen haar bij de schouders. Hij duwde haar met gemak van zich af en ging weer rechtop staan.

Emily hield de fluit tussen haar lippen en haalde diep adem. 'Nee! Niet op die fluit blazen!', riep de jongen.

'Zeg mij dan wat jullie gedaan hebben!' De woorden kwamen er gemompeld uit, want ze had nog steeds de fluit tussen haar lippen.

'Het was een grap.' De schelm vertelde haar hoe ze Jesse ertoe hadden

gebracht te geloven dat hij Finns broertje vermoord had.
'Wanneer is dat gebeurd?'
De schelm keek omhoog. 'Twee, nee, drie dagen terug.'
'En waar is Jesse nu?'
'Ik zou het niet weten.'
Emily dreigde weer op haar fluit te blazen.
'Op die fluit blazen helpt niet om mij iets te binnen te brengen wat ik niet weet!'
Ze keek hem strak aan. Het leek erop dat hij de waarheid sprak. 'Laat me los', zei ze.
De schelm liet haar los. 'Zo zeg', zei hij, zijn hoofd schuddend. 'Kan ik nu gaan?'
Emily deed behoedzaam een stap opzij zodat hij kon vertrekken. Ze knikte, de fluit nog steeds tussen haar lippen.
De schelm stommelde langs haar heen, keek nog eens om en schudde toen weer zijn hoofd. 'Ze hoefde alleen maar een paar vragen te stellen', mompelde hij.
Emily wachtte tot ze er zeker van was dat hij weg was en liep toen langs de schutting terug. Een grap. Op het voetpad op de brug had Jesse haar verteld dat Finn iets met hem uitgehaald had. Geen wonder dat hij er zo uitgezien had. Vreselijk! Hij dacht dat hij Jake gedood had! Gewapend met deze nieuwe informatie vervolgde zij haar weg naar de Hester Street. Ze kon Jesse's moeder nu in ieder geval iets concreets vertellen.

HOOFDSTUK 12

De trap die naar de kamer van de Morgans leidden, was donker. Hij was vies en voelde vettig aan. Er hing een stank van urine in de lucht. Emily had de uitgebreide beschrijving van Nellie Bly over het leven in huurkazernes gelezen en ze was haar hele leven langs huurkazernes heengelopen. Maar lezen en verbeelding kwamen niet overeen met het gevoel van smerigheid dat ze nu ervoer. Ze werd erin opgenomen – het was onder haar schoenen, op de muren, boven haar hoofd; zelfs de lucht waarmee haar huid in aanraking kwam, voelde vuil aan. Ze nam zich voor om, als Jesse eenmaal gevonden zou zijn, een artikel te schrijven over met name deze huurkazerne. De wereld had opnieuw een levendige beschrijving nodig van het leven in een flatgebouw om van de hopeloosheid van de mensen die achter deze muren woonden overtuigd te worden.

Omdat er geen lichten waren, was het moeilijk om de deur van mevrouw Morgans kamer te vinden. Toen ze die eenmaal gevonden had, klopte Emily haar kleding af voor ze op de deur klopte. Ze zou nu Jesse's moeder ontmoeten. Ze wilde een goede eerste indruk maken.

Haar kloppen veroorzaakte een hol geluid dat weerklonk in het trappenhuis van boven naar beneden. Drie kamers verderop de gang ging een deur open en een oude vrouw met grijs haar en een gerimpeld gezicht stak haar hoofd om de deur. De vrouw keek de gang in, nam Emily van het hoofd tot de voeten op, trok haar hoofd weer terug en sloeg de deur dicht. Doordat het geluid van het kloppen door het hele trappenhuis weerklonk, begreep Emily dat de vrouw gedacht had dat er op haar deur geklopt werd. Het was natuurlijk ook mogelijk dat de vrouw alleen maar nieuwsgierig was. Hoe dan ook, Emily aarzelde om nogmaals te kloppen toen niemand reageerde. Maar toen er na een poosje nog niemand opengedaan had, achtte ze het toch raadzaam het nog een keer te proberen. Ze klopte opnieuw en wachtte. Niemand reageerde, zelfs de vrouw van drie deuren verder op de gang niet.

Emily liep teleurgesteld de trappen weer af. Toen ze het gebouw uitliep, werd ze door de frisse lucht en het rumoer van de straatventers begroet. Ze keerde zich om en keek omhoog naar het raam van de Morgans, het raam waar Jesse een paar avonden daarvoor tegen gesproken had. Er hingen geen gordijnen voor het raam. In tegenstelling tot drie avonden ervoor kon ze nu niemand achter het raam zien en ze zag ook geen enkele beweging in de kamer.

Ze keek naar de trap voor haar en ging toen op de onderste trede zitten wachten op de vrouw die, naar ze aannam, wel enigszins op Jesse zou lijken. Ze dacht weer terug aan het moment dat ze eerder in de straat geweest was. Vanaf die straathoek had ze gezien hoe Jesse de hoek, waarin hij was gaan zitten, had schoongemaakt.

Emily ging staan en overzag de straat. Overal karren met appels, wortels en uien. In de hoek waar Jesse gezeten had, lag weer een heleboel vuil. Het zonlicht viel nu zodanig in de hoek dat er geen schaduw was. Dat bracht Emily op een idee.

Nog steeds uitkijkend naar de vrouw die op Jesse zou lijken, stak Emily de straat over naar de hoek waarin Jesse gezeten had. Met haar voet schoof ze de rommel opzij, ging toen in de hoek staan en keek naar het raam van de Morgans. Ze verwachtte niet iets anders te zien, maar ze wilde alleen het raam zien vanuit de hoek die ook Jesse een paar avonden daarvoor had ingenomen.

Wat had Jesse gedacht toen hij hier zat en naar het raam keek?

Toen liep Emily naar het midden van de straat zoals ook Jesse die avond gedaan had. Terwijl ze daar stond en naar het raam keek, besteedde ze geen aandacht aan de verwonderde blikken van de voetgangers. Een met pulp beladen wagen die midden door de straat reed, kwam tot stilstand.

'Hé, juffrouw, ga eens opzij!', riep de voerman, een grote vent met opgerolde mouwen. Hij had een grote zwarte snor die bij de mondhoeken omhoog geborsteld was.

Emily keek hem verstoord aan. Het was net of het antwoord waarnaar ze zocht, maar even achter de horizon lag. Als ze geduld had en even de tijd nam, zou ze het antwoord weten.

'Schiet op juffrouw! Uit de weg! Ik moet hier die vracht afleveren. Ga maar aan de kant van de straat over je minnaar staan denken!' De paarden snoven ongeduldig alsof ook zij geen genoegen namen met het oponthoud.

Emily stak haar hand op om de voerman te beduiden dat hij nog even moest wachten. De voerman snoof ook, evenals zijn paarden. *Nog even. Dan weet ik het, dan weet ik het.*

'Schiet op, dame! Je blokkeert de straat.'

'Maak je niet druk', snauwde Emily naar de man, maar ze ging opzij en liet de wagen passeren.

Toen de wagen langs haar heen reed, merkte de voerman tegen niemand in het bijzonder op: 'Is dat even een luilak!'

Emily liep opnieuw naar het midden van de straat. Ze keek weer naar het raam en stelde haar geest weer open. Er was een antwoord. Het enige wat ze moest doen, was het grijpen en dan zou ze het hebben. Ze stelde zich voor hoe het drie avonden geleden moest zijn geweest. Donker en kil was het geweest. Ze stelde zich voor dat ze Jesse Morgan was. *Ik ben net door Finn te grazen genomen en ik denk dat ik Jake gedood heb. Hoe zou ik mij voelen?* Er bekroop haar een gevoel van volkomen verlorenheid. Van schuld. Van pijn.

Ze vervloekte Finn voor zijn harteloosheid. Hij was niet meer dan een wreed dier. Iemand als Finn had er geen idee van hoezeer Jake's zogenaamde dood een gevoelig persoon als Jesse zou aangrijpen. Emily tuitte verontwaardigd haar lippen. Toen vermaande ze zichzelf. *Je moet Finn later maar haten. Denk er nu aan hoe Jesse zich gevoeld moet hebben. Denk na. Dan zal je het antwoord vinden. Het zal je te binnen schieten. Wat dacht Jesse toen hij hier stond?*

Emily dacht terug aan de gebeurtenissen van die avond. Na dat voorval op het dak was Jesse naar de brug gegaan waar zij hem gevonden had. Ze glimlachte bij de herinnering. Ze dacht eraan hoe dicht ze naast hem gelopen had op de brug en ze zag weer de jongensachtige grijns op zijn gezicht.

Emily Austin, je moet je door je eigen gedachten niet zo laten afleiden! Ze kneep haar ogen even stijf dicht en dwong zichzelf ertoe Jesse's standpunt in te nemen. Toen hij haar bij de brug achtergelaten had, was hij hier naartoe gelopen. Hij was in die hoek gaan zitten en had naar het raam naar zijn moeder gekeken. Toen was hij opgestaan en was naar deze plaats gelopen. Hij zei iets tegen zijn moeder – tegen haar achterhoofd – en toen liep hij weg – hij liep weg het donker in.

Wat zei hij tegen haar? Wat zou een jongeman die dacht dat hij zojuist een jongen vermoord had, tegen zijn moeder zeggen wat hij haar niet rechtstreeks in haar gezicht kon zeggen? Dat antwoord moet hier te vinden zijn!

'Hé dame, je staat in de weg!', riep weer een andere voerman. Deze was jonger, zag er norser uit en had een litteken op zijn kin. Zijn wagen was leeg. 'Uit de weg', schreeuwde hij.

Emily kneep haar ogen nog stijver dicht. Ze had het bijna! Nog maar even...

'Schiet op, of ik rij je omver!'

Denk na! Jesse zat helemaal in de put. Wat zou een jongeman die zo gedeprimeerd was tegen zijn moeder zeggen wat hij haar niet rechtstreeks kon zeggen?

'Ik tel tot drie!'

Als je zover kunt tellen, dacht Emily. *Nee, nee! Denk na! Weiger je te laten afleiden! Wat kon Jesse zijn moeder niet rechtstreeks zeggen? Denk na! Hij zat in de put... was zwaar gedeprimeerd... wat zou... natuurlijk! Als zij het eens niet begrijpen zou? Als hij het haar zou vertellen, zou hij haar teleurstellen, misschien zou zij zelfs haar liefde voor hem verliezen.*

'Dame, ik ga tellen! Eén! Twee...'

Jesse kon niet het risico lopen haar kwijt te raken. Twee verliezen op één avond zou teveel voor hem zijn. Dus wat zei hij tegen haar?

'Drie! Uit de weg, zeg ik je!'

Wat zou hij tegen zijn moeder gezegd hebben?

'Je hebt erom gevraagd, dame.'

'Dat is het!', riep Emily uit.

Haar uitroep deed de paarden schrikken. De voerman had de grootste moeite om ze in bedwang te houden.

'Dat is het natuurlijk! Hij zei haar vaarwel!', riep Emily opgewonden uit. En tegen de voerman riep ze: 'Als je dacht je moeder teleurgesteld te hebben en je zou haar dat niet kunnen vertellen, wat zou je dan anders kunnen doen dan weggaan?'

'Wat heeft mijn moeder hier nu mee te maken?', gilde de voerman.

'En als je vertrek haar eveneens zou teleurstellen', riep Emily, 'zou je dat haar evenmin vertellen! In ieder geval niet rechtstreeks. En daarom zeg je het haar vanaf deze plaats!'

'Zal ik jou eens wat zeggen, dame? Jij bent helemaal gek, gek ben je!', schreeuwde de voerman.

'Het klopt allemaal!' Emily maakte een paar danspasjes van blijdschap en sprong toen opzij om de wagen door te laten.

'Iemand moet jou opsluiten, dame', riep de voerman terwijl hij zijn paarden aanspoorde verder te lopen. Toen hij haar gepasseerd was, draaide hij zich nog eens naar haar om. 'Hé, dame! Wat heeft mijn moeder hier eigenlijk mee te maken? Heeft ze met jou over mij gepraat?'

Emily hoorde hem niet. Opgewonden rende ze naar het trappenhuis van de huurkazerne. Ze moest Jesse's moeder vertellen wat ze ontdekt had. Wel wist ze nog niet *waar* Jesse heengegaan was, alleen maar dat hij in de richting van de Hudsonrivier was vertrokken, maar ze wist wel *waarom* hij was weggegaan. Dat was de halve oplossing van het probleem. Hij was alleen weggegaan en wel om een bepaalde reden. In ieder geval was hij niet ontvoerd of gedood of het slachtoffer van een of ander verschrikkelijk ongeluk geworden.

Ze rende de treden op. Emily dacht dat Jesse's moeder wel langs haar heengeglipt zou kunnen zijn toen ze zo opgewonden was, of misschien bezocht ze wel een buurvrouw ergens in het gebouw en was ze inmiddels weer thuisgekomen. Daar had ze nog niet eerder aan gedacht.

Toen ze bij de verdieping kwam waar Jesse woonde, hoorde ze kinderen in de gang spelen. Toen ze de verdieping bereikt had, zag ze vier jongens en een meisje. Geen van hen was ouder dan tien jaar. Het meisje was hoogstens vijf. De jongens stonden voorover gebogen. Om de beurt gooiden zij iets naar de muur. De oudste jongen grijnsde, terwijl de andere jongens hun gezicht vertrokken en kreunden. Hij liep naar de plint van de muur en raapte de dingen op die ze hadden gegooid. Het waren muntjes.

'Ga eens even opzij', zei Emily, terwijl ze tussen hen doorliep.

Toen ze hen passeerde, keken ze haar allemaal aan. Ze waren mager en droegen gescheurde kleren. Het meisje stonk alsof ze een schone broek nodig had. Toen Emily op de deur van de Morgans klopte, bleven ze naar haar kijken.

Emily wachtte. Ze keek naar de kinderen. Die staarden haar nog steeds aan.

'Ze is niet thuis', zei de oudste jongen.

'Ken je de vrouw die hier woont?', vroeg Emily.

De jongen schudde zijn hoofd. 'Ik weet alleen maar dat ze niet thuis is.'

'Weet je waar ze heengegaan is of hoe laat ze weer thuis zal zijn?'

Hij schudde opnieuw zijn hoofd. 'Ik zei toch al dat ik alleen maar weet dat ze niet thuis is.'

'Ja, dat is zo', zei Emily. Ze haalde een stuk papier en een potlood tevoorschijn en schreef:

Mevrouw Morgan.
U kent mij niet. Ik ben een vriendin van Jesse. Toen ik hoorde dat hij vermist werd, maakte ik mij ongerust en ben ik op onderzoek uitgegaan. En hoewel ik hier op papier niet alles kan uitleggen, wil ik u laten weten dat alles met uw zoon in orde is. Hij verkeert niet in gevaar. Ik ga hem zoeken en als ik hem vind, zal ik u dat laten weten.

Emily stopte. Hoe moest ze het briefje ondertekenen? Hoogachtend? Een vriendin van de familie? En welke naam moest ze gebruiken? Austin, of haar schuilnaam Barnes? Ze grinnikte. Ze had zo vaak *Emily Morgan* geschreven dat ze de neiging had dat weer te doen. Nou, dat kwam nog wel. Tenslotte besloot ze om helemaal geen achternaam te noemen. Ze ondertekende:

Een vriendin,
Emily

Toen ze het briefje overlas, stelde zij zich voor dat Jesse's moeder het las. Natuurlijk zou het briefje veel vragen bij haar oproepen. Maar ze zou in ieder geval gerustgesteld worden. Emily glimlachte bij de gedachte aan het moment dat ze Jesse's moeder uiteindelijk zou ontmoeten. *O, jij bent dus degene die dat briefje achtergelaten heeft.*

Het gegiechel achter haar bracht Emily tot de werkelijkheid terug. De kinderen lachten haar uit en de nostalgische glimlach verdween van haar gezicht. Ze vouwde het briefje haastig op en keek toen naar een plaats waar ze het achter kon laten. Niet tussen de post en de deur; daar zou het uit kunnen vallen. Ze kon het maar het beste onder de deur doorschuiven. Toen ze dat gedaan had, knikte Emily naar de kinderen en verliet het gebouw.

'Ik kan er niet bij!'

'Nee, ik zie het. Laat Sonia het eens proberen!'

'Ja... ja... nog een klein eindje...'

'Vooruit! Sonia kan het makkelijk!'

Met zijn gezicht tegen de vloer gedrukt, probeerde één van de jochies die zijn centen met het spelletje was kwijtgeraakt, Emily's briefje te pakken te krijgen. De anderen stonden over hem heengebogen.

'Jij kunt het niet! Je vingers zijn te dik!', zei de oudste jongen.

De jongen op de grond trok zijn hand terug. Die zat nu vol rode striemen en schaafplekken. Met zijn wang nog steeds tegen de vloer gedrukt kneep hij één oog dicht. 'Ik zie het!'

'Je hebt het alleen maar verder weggeduwd! Laat Sonia het eens proberen!'

De jongen duwde zijn vingers opnieuw onder de deur door.

'Heb je het nu?', vroeg de oudste.

'Bijna.'

'Het lukt je niet.'

'Ik voel het met mijn vingertoppen.' Hij trok zijn hand weer terug en wreef erover. 'Ik krijg het niet te pakken', zei hij.

'Dat zei ik toch al', zei de oudste jongen. Hij keerde zich tot het meisje en zei: 'Sonia, steek jij je hand eens onder de deur en pak dat briefje.'

De kleine Sonia vouwde haar armen over elkaar en schreeuwde: 'Nee!'

'Waarom niet?'

'Ik wil het niet!'

'Toe nou, Sonia, alsjeblieft.'

'Nee!'

'Doe niet zo flauw, joh.' De andere kinderen stonden om haar heen en probeerden haar over te halen.
'Nee!' Sonia keek vastbesloten.
De oudste jongen kreeg een idee. 'Dan mag je mee doen met muntje gooien.'
Daar had de kleuter wel oren naar. Eén van de andere jongens greep de oudste jongen bij de arm en fluisterde: 'Moe slaat ons bont en blauw als ze er achter komt dat we Sonia mee laten doen met muntje gooien.'
'Hou je bek', fluisterde de oudste jongen terug. 'Je denkt toch niet dat ik haar echt mee zal laten doen!' Hij haalde een cent uit zijn zak. 'Zie je die cent, Sonia? Die krijg je als je dat papiertje voor ons onder de deur door trekt.'
Sonia staarde begerig naar de cent.
'Onder de deur.' De oudste jongen ging op zijn knieën zitten en wees op de spleet onder de deur. Hij legde zijn hoofd op de vloer en keek onder de deur door. 'Zie je het? Daar ligt het.'
De kleine Sonia legde nu ook haar wang tegen de vloer.
'Zie je het Sonia?'
'Mmmm.'
'Pak dat briefje, dan krijg jij die cent.'
Sonia stak haar handje onder de deur. De oudste jongen lag met zijn gezicht vlak naast haar en zag hoe haar vingers het papiertje aanraakten, het toen vastpakten en het onder de deur door trokken. Zodra het onder de deur tevoorschijn kwam, graaide de jongen het van haar af. Hij sprong overeind. De andere jongens gingen om hem heen staan en keken begerig naar het briefje.
'James, jij kunt het beste lezen. Wat staat erop?'
De jongens gingen nog wat dichter bij elkaar staan om maar niets te missen. De oudste jongen hield het briefje nu voor James' gezicht. Die las het zonder iets te zeggen.
'Het is helemaal geen liefdesbrief!', schreeuwde James. 'Het is een gewoon briefje!'
De jongens lieten een zucht van teleurstelling.
'Waar is die cent? Ik wil die cent hebben!', gilde Sonia.
De oudste jongen duwde het papiertje dichter naar James toe. 'Je liegt! Dit is wel een liefdesbrief! Dat kon je duidelijk zien aan het gezicht van dat meisje!'
'Ik wil die cent!'
Hoe meer de oudste jongen volhield dat het een liefdesbrief was, hoe meer de andere jongens de spot met hem staken omdat hij zich vergist had.

Eerst verdedigde hij zichzelf nog en toen nam hij wraak door de brief te verfrommelen en die James in zijn gezicht te gooien.

'Hé!' James raapte de prop papier weer op en gooide die toen naar de oudste jongen. Hij miste.

'Ik zal het tegen mama zeggen! Ik wil die cent hebben!', gilde de kleine Sonia boven alles uit.

Een andere jongen raapte de prop papier weer op en gooide die naar een ander. De jongens bleven de prop papier naar elkaar toegooien tot een man op de derde verdieping tegen hen te keer ging omdat ze zo'n herrie maakten. Toen liepen de jongens de trappen af en gingen de steeg in, gevolgd door Sonia die om haar cent gilde.

Emily's briefje aan Jesse's moeder belandde op de derde verdieping onderaan de trap in een hoop vuil.

HOOFDSTUK 13

'Wat heeft dit te betekenen?'

De woorden klonken als kanonschoten in Jesse's oren. Hij vertrok zijn gezicht, maar zijn zintuigen reageerden slechts langzaam.

Eén, twee keer werden een paar houten tanden in zijn zij gedrukt.

Wat de woorden niet gelukt was, kregen de prikken wel voor elkaar. Jesse was meteen wakker. Klaar wakker. Al zijn zintuigen, die even daarvoor nog gesluimerd hadden, waren nu helemaal gespannen. Door de zenuwen leken de tanden van de mestvork die boven zijn gezicht gehouden werd, nog scherper en de man die de vork vasthield nog groter.

Om aan de dreiging van de puntige tanden te ontsnappen, rolde Jesse opzij, maar hij werd tegengehouden door de stam van een grote eik. De nacht daarvoor had hij de wortels die boven de grond uitstaken als hoofdsteun gebruikt. Zelfs als hij achter de boom zou kunnen komen, werd zijn vlucht verhinderd door de houten wand van een gebouw dat aan deze kant geen ramen en deuren had.

'Wat doe jij hier op mijn erf?'

'Ik heb niets kwaads in de zin, meneer', riep Jesse met een benepen stem.

De man die over hem heengebogen stond, was inderdaad erg groot; zijn borst had de omvang van de eik waar hij tegenaan lag. Hij had dikke hangwangen en een kaal hoofd, en zijn borstelige wenkbrauwen leken wel op zijn gezicht geplakt. De man droeg een vuilwitte voorschoot met vlekken erop, waarvan sommige nieuw waren en andere ouder leken dan Jesse was. Hij had dikke armen, bedekt met blond haar en zijn worstachtige vingers omklemden de steel van de mestvork waarmee Jesse tegen de grond gehouden werd.

'Als je niets kwaads van plan bent, wat doe je hier dan?', vroeg de man.

'Ik ben alleen maar op reis, meneer. Meer niet', stamelde Jesse. 'Ik kwam hier toevallig langs.'

De man keek hem achterdochtig aan. 'Op reis, hè? Zonder tas of kleren? Geen eten? Alleen een dwaas gaat zonder bagage op reis. Je bent vast een dief!' De man hield zijn hoofd een beetje schuin en toen kwam er een blik van herkenning in zijn ogen. 'Ben jij niet die jongen van Akins? Die kippendief?'

'Ik ben geen dief', riep Jesse. 'En ik heb nog nooit van Akins gehoord. Ik ben Jesse Morgan.'

'Kun je dat bewijzen?'

Jesse fronste zijn voorhoofd. Nog nooit tevoren was hem gevraagd zijn identiteit te bewijzen. Dat was een heel probleem. *Hoe bewijs ik dat ik ben wie ik ben?* Zijn hele leven was zijn identiteit bepaald door de mensen of de plaatsen waar hij bij hoorde. Hij was Jesse - de zoon van Ben en Clara Morgan; de Jesse Morgan die in de Hester Street woonde; de Jesse Morgan die bij de Ruger-glasfabriek werkte. Hoe kon hij zijn identiteit bewijzen aan een man die niemand van die mensen of plaatsen kende? Het enige wat hij bij zich had, waren de kleren die hij aan had en een Truly Noble...

'Ja, ik kan het bewijzen!', riep Jesse opgelucht uit. Hij trok *Gevaar in Deadwood* uit zijn broeksband. Hij gaf het aan de man die over hem heengebogen stond en hij wees naar de tekst die de schrijfster erin geschreven had en naar de ondertekening.

De man nam het boek aan, maar hield hem met de andere hand die de hooivork vasthield, op de grond. Hij probeerde te lezen wat er geschreven stond. Hij knipperde met zijn ogen en hield het boek toen verder van zich af en tuurde opnieuw. Hij kon het nu blijkbaar lezen, want hij las hardop voor: *Voor Jesse. Mag je de kracht vinden die met goedheid gepaard gaat. Je tante Sarah Morgan Cooper.* De man trok verbaasd zijn wenkbrauwen op toen hij zag dat de ondertekening overeen kwam met de naam van de schrijfster.

'Ken je de schrijfster van dit boek?', vroeg de man.

'Da's mijn tante. Kijk maar. Haar meisjesnaam is dezelfde als die van mij.'

'Je kunt het boek wel gestolen hebben', zei de man, niet overtuigd.

'Ja meneer. Dat zou kunnen, maar dat heb ik niet gedaan.'

De man liet zijn hooivork zakken en gooide het boek naar Jesse. 'Nee, daar lijk je mij het type niet naar', zei hij, wat toeschietelijker.

Het boek viel op Jesse's buik. Hij draaide zich half om en stak het weer in zijn broeksband, waarbij hij geen poging deed om op te staan want de man stond nog steeds over hem heengebogen.

'Maar je bent ook geen reiziger', zei de man. 'Je hebt geen kleren of eten bij je. Geen wapen. Ik denk eerder dat je iemand bent die op de vlucht is.'

Dat viel moeilijk tegen te spreken, want het was waar. Het was nogal verontrustend dat dat zo gemakkelijk aan hem te zien was. Jesse had daar geen rekening mee gehouden.

'Wanneer heb je voor het laatst gegeten?', vroeg de man.

Jesse keek naar de grond en probeerde zich te herinneren wanneer hij zijn laatste maal genoten had. Was dat gisteravond geweest? Nee, het moest...

'Zo lang geleden? Kom mee!'

Hij keerde Jesse de rug toe en liep weg. Jesse had de neiging om weg te hollen nu hij niet langer door de mestvork tegen de boom aangedrukt werd. Maar door het vooruitzicht dat hij eten zou krijgen, deed hij dat niet. Bovendien was de man niet onaardig geweest. Hij had alleen zijn eigendommen maar willen beschermen.

Jesse kwam overeind. Het vocht van de grond was in zijn gewrichten en spieren gedrongen. Hij rekte zich uit, kreunde en liep toen achter de man met de mestvork aan. Toen hij een paar stappen gedaan had, werd hij plotseling duizelig. Hij probeerde ergens tegenaan te leunen, maar er was niets in de buurt. Even later verdween het draaierige gevoel.

Wat was dat?

Zijn maag rommelde als antwoord op die vraag. Het bevestigde dat Jesse er goed aan deed om maar te blijven. Hij moest eten. Hij liep achter de grote man de hoek van het gebouw om dat een stal bleek te zijn. Toen snoof hij de geur op van eieren met spek en vers gebakken brood. Zijn maag rommelde opnieuw en maande hem tot spoed.

'Als je voor mij werkt kun je eten.'

Hij stak de mestvork naar Jesse toe, deze keer met de steel naar voren.

'Gebruik die schop om de stal uit te mesten. Daarna gooi je er nieuw stro in. Haver in de ene trog en water in de andere. Als je klaar bent, kom je naar het huis. Gebruik de achterdeur.'

Met deze korte taakomschrijving liet de man Jesse alleen temidden van de geuren die heel wat minder aanlokkelijk roken dan de geur die hij even daarvoor had opgevangen. Maar de geuren verminderden zijn eetlust geen moment. Hij ging meteen aan het werk. Terwijl hij aan het scheppen en spitten was, ging zijn maag steeds meer rommelen. Tegen de tijd dat hij de stal uitgemest en de paarden van voer had voorzien, was hij uitgehongerd.

Jesse liep de stal uit het daglicht in en strekte zich uit. Hij voelde zich prima. Door het werk had hij het warm gekregen en de honger scheen zijn zintuigen te prikkelen. Alles was helder, scherp en duidelijk. Het was de eerste dag dat hij helemaal op zichzelf was en hij vond het een heel avontuur. Nadat hij de hele nacht in bedrukte stemming had doorgelopen, kreeg hij nu een goed gevoel.

Om de een of andere reden leken onplezierige herinneringen 's nachts erger dan overdag. En de herinnering aan de dood van de kleine Jake schrijnde in Jesse's ziel. Toen hij moe geworden was, begon de schuld steeds zwaarder op hem te wegen tot hij bijna onder de last ervan dreigde te bezwijken. Door zijn tranen zag hij de stenen en gaten niet zodat hij dikwijls struikelde. Op zeker moment werd zijn last zo ondraaglijk dat hij op de grond gezonken was en zich afgevraagd had hoe hij de rest van zijn leven met die schuld zou kunnen leven. Toen had hij het donkere silhouet van de stal en de boom gezien. Zodra hij onder de boom was neergevallen, had de slaap zich over hem ontfermd en was hij aan zijn schuldgevoelens ontsnapt.

Vanmorgen zagen de dingen er heel anders uit. De herinnering en het schuldgevoel waren er nog steeds. Jesse verwachtte ook niet anders. Ze werden door de frisse lucht en de voorjaarskleuren echter wat verzacht. En daar was Jesse dankbaar voor.

Toen hij de achterkant van het huis naderde, ging hij op de geur van het ontbijt af die over een gesloten onderdeur naar hem toe dreef. Hij klopte aan.

Binnen zat de man aan een houten tafel achter een tinnen bord dat tot de rand met voedsel gevuld was. 'De deur is open!', zei de man.

Jesse liep een ruime keuken binnen. Een vrouw die bijna net zo groot was als de man, stond voor een fornuis. Ze stond met haar rug naar Jesse toe. Ze draaide zich niet om om hem te begroeten.

'Ga zitten.' De man wees op een stoel tegenover hem. Tegen de vrouw zei hij: 'Hedda, nog een bord eten.'

Niets wees erop dat de vrouw bij het fornuis hem gehoord had. Achter de man ging een deur open. Er verscheen een gezette jonge vrouw die dezelfde trekken vertoonde als de man aan de tafel. Terwijl ze liep zwaaiden korte blonde vlechtjes heen en weer. Ze droeg twee grote, lege schalen.

'Meer brood en aardappelen', zei ze tegen de vrouw achter het fornuis. Toen ze uit haar ooghoek een glimp van Jesse opving, ging ze langzamer lopen om hem beter te kunnen bekijken. Toen keek ze weer gauw voor zich. Ze glimlachte tegen niemand in het bijzonder. Haar toch al rode wangen werden nog roder. Terwijl de vrouw bij het fornuis de lege schalen vulde met gebakken aardappelen uit een pan en gebakken brood uit de oven, wierp het meisje met de staartjes steelse blikken op Jesse.

'Hedda, ik zei dat we nog een bord eten nodig hebben!'

'Ja, ja. Ik heb maar twee handen!'

Met een laatste blik op Jesse verdween de jonge vrouw weer door de deur. Bij het fornuis weerklonk het gekletter van metalen bestek tegen een tinnen bord. Daarna draaide de vrouw zich om. Haar gezicht glinsterde van het zweet. Ze zette een bord voor Jesse neer zonder hem verder een blik waardig te keuren.

'Dat is mijn vrouw Hedda', zei de man tussen twee happen door.

Even later kwam de vrouw weer terug en gooide een vork en een mes naast Jesse's bord. Zonder verder iets te zeggen of ook maar even op te kijken, keerde ze weer terug naar haar dampende pannen.

De deur achter de man zwaaide opnieuw open. Deze keer verscheen er alleen maar een hoofd met twee staartjes door het gat van de deur. 'Papa, meneer Elroy wil u dringend spreken.' Toen haar vader niet reageerde en niet onmiddellijk opstond, bleef ze in de deuropening staan wachten, waarbij ze haar hoofd als een metronoom heen en weer bewoog.

De man tegenover hem stak een lepel roerei in zijn mond. Hij schepte weer een lepel vol en stopte toen. Zijn onderlip bewoog zich op en neer. Aan zijn gezicht te zien wilde hij een paar boze opmerkingen maken, maar probeerde zijn woorden binnen te houden.

Uit de deuropening: 'Ik heb geprobeerd hem te vertellen...'

De tafel schudde toen de man zijn lepel op tafel smeet. 'Ik zal het hem zelf wel eens vertellen!', bulderde hij. Hij duwde zich af van de tafel, maar aangezien de tafel minder woog dan hijzelf, verschoof deze, waardoor de rand van de tafel tegen Jesse's maag werd aangeduwd. De man volgde zijn dochter en stormde de deur uit.

Het enige geluid in de keuken was het gerinkel van pannendeksels die opgelicht werden en het schrapende geluid van een lepel tegen een ketel als er iets geroerd werd. Jesse probeerde zo onopvallend mogelijk de tafel weer op zijn plaats te schuiven. Zijn poging veroorzaakte een hoog piepend geluid. Hij stopte. De tafel was nog maar halverwege de oorspronkelijke plaats. De vrouw scheen zich nergens iets van aan te trekken. Niets wees erop dat ze het schurende geluid ook maar gehoord had. Jesse schoof zijn stoel weer aan en concentreerde zich op het bord met eten dat hem was voorgezet.

Op zijn bord lagen roereieren, gebakken aardappelen en plakken ham. Boven op de aardappelen lag een stuk brood. Hij besloot maar niet te wachten op de terugkeer van zijn gastheer. Hij begon met de eieren en at met grote smaak snel door.

Pas toen het bord half leeg was, begon Jesse in een normaal tempo te eten. Hij leunde achterover en kauwde waarderend. Toen bedacht hij dat het wel beleefd zou zijn iets tegen de kokkin te zeggen. Hij slikte zijn eten dus door en zei tegen de rug van de vrouw: 'Dankuwel. Het smaakt werkelijk heerlijk.'

'Mooi.' De vrouw knikte, maar keerde zich niet om.

De deur vloog open en de man was weer terug. Hij leek nu wat rustiger, de stilte na de storm.

Toen hij Jesse's halflege bord zag, zei hij zonder een spoor van een glimlach: 'Vind je het lekker wat mijn vrouw heeft klaargemaakt?'

Met zijn mond vol aardappelen knikte Jesse. Toen hij geslikt had zei hij: 'Net voor u weer binnenkwam, heb ik haar gezegd hoe heerlijk ik het vind.'

De man ging op zijn stoel zitten en in plaats van zijn stoel aan tafel te schuiven, trok hij de tafel naar zich toe. Jesse zag met leedwezen hoe de afstand tot zijn bord groter werd. De man scheen het niet op te merken. Hij werkte zijn koud geworden roereieren naar binnen. Zonder op te staan en zo onopvallend mogelijk greep Jesse zijn stoel beet en schoof een eindje naar voren.

Na een paar minuten keek de man op en staarde Jesse vanonder zijn zware wenkbrauwen aan. Hij kauwde en sprak tegelijkertijd. Op zijn kin en op zijn tong waren resten roerei en broodkruimels te zien. 'Dit is de herberg "Het Rode Paard"', zei hij. 'Ik heet Hans. Ik ben de eigenaar.' Hij wachtte even en voegde er toen spottend aan toe: '... en de bediende, de onderhoudsman, de staljongen en de boekhouder.' Hij lachte om zijn eigen grapje. Toen hij weer twee happen verorberd had, verdween de glimlach pas van zijn gezicht. 'Zeg mij eens, meneer Morgan, waarvoor ben je op de vlucht? Ben je een crimineel?'

'Nee, zeker niet, meneer', zei Jesse nadrukkelijk. Misschien wat al te nadrukkelijk, want het enthousiasme waarmee hij de vraag ontkende, deed de herbergier zijn borstelige wenkbrauwen optrekken. 'Ik heb niets onwettigs gedaan. Er is iets gebeurd - een soort ongeluk - wat ik liever vergeet. Ik wilde gewoon de stad uit. Ik ga naar het Westen om een nieuw leven te beginnen.'

De onderzoekende ogen van de man die allerlei soorten mensen hadden gezien, staarden Jesse aan alsof hij hem wilde doorgronden. De daaropvolgende woorden zouden aantonen of hij Jesse al of niet geloofde. 'Het Westen?', zei de herbergier. 'Waar in het Westen? Texas? Oklahoma? San Francisco?'

De vraag overviel Jesse. Hij wist het niet. Hij ging alleen maar naar het Westen. 'Misschien Oklahoma', zei hij. En na even nagedacht te hebben: 'Misschien San Francisco, want dan ben ik toch al een eind op weg naar de Stille Oceaan.'

'En wat zou je daar dan willen gaan doen?'

Weer zo'n vraag waar hij geen antwoord op had! 'Ik weet het nog niet', stamelde hij. 'Boer worden. Vee hoeden. Cowboy worden. Ik zie wel als ik daar eenmaal ben.'

'Juist ja.' Er trok een geamuseerde grijns over het gezicht van de man. 'Ga je daar lopend heen?'

Jesse kreeg het gevoel dat hij verhoord werd, een verhoor waarop hij niet was voorbereid. Als hij vroeger aan het Westen had gedacht, had hij zichzelf altijd op een paard zien rijden, hoewel hij er geen idee van had hoe hij aan een paard moest komen. En hoewel hij wel eens in een rijtuig gereden had, had hij voornamelijk te voet gereisd, een enkele keer met de paardetram of met de bovengrondse stadstrein. Hij wist niet eens of hij wel kon paardrijden. Hij was er altijd maar vanuit gegaan dat hij dat wel zou leren.

Om onder de vragen uit te komen, besloot Jesse nu zelf maar een vraag te stellen. 'Als u naar het Westen zou trekken en kon kiezen op welke manier', vroeg Jesse, 'wat zou u dan kiezen?'

Zonder ook maar een moment te aarzelen zei de herbergier: 'Ik zou over het water gaan. Wagens zijn te langzaam en de trein is te duur. Ik zou naar het Westen varen over de blauwe hoofdweg.'

'De blauwe hoofdweg?'

'De stoomboot, jongen.' De ogen van de herbergier glinsterden toen hij dat zei. 'Als ik jou was, zou ik door Pennsylvania trekken naar de Ohio-rivier en aan boord gaan aan één van die tweedeks raderboten. Dan kun je op je gemak over de Ohio en de Mississippi varen. Ik zou dan naar de Missouri varen tot in het Dakota Territorium. Dat zou heel gemakkelijk zijn.'

'Maar ik wil helemaal niet naar het Dakota Territorium.'

'Neem dan een stoomboot tot St. Louis. Vandaar kun je per wagen verder reizen of de trein pakken.' Uit de manier waarop de herbergier praatte – zijn ogen gericht op een visioen dat alleen hij zag – was duidelijk dat dit niet de eerste keer was dat hij erover dacht om naar het Westen te trekken. 'Jongen, als ik nog zo jong was als jij...'

Nog voordat hij zijn zin had kunnen afmaken, reageerde de vrouw van de herbergier. Ze draaide zich vliegensvlug om. Ze zei niets, maar ze keek haar man doordringend aan. Uit haar boosheid bleek wel dat dit tussen man en vrouw al geruime tijd een twistpunt was. Tot nu toe had Jesse gedacht dat de vrouw helemaal geen aandacht aan hen besteedde. Maar nu was wel duidelijk dat ze al die tijd naar hen geluisterd had.

De herbergier bond onmiddellijk in. Hij veranderde van onderwerp en de vrouw keerde zich weer om naar haar werk. Tegen Jesse zei hij: 'Heb je geld?'

Jesse had wat geld in zijn zak, maar hij vond het maar beter dat niet tegen de herbergier te zeggen. Hij zocht even naar een passend antwoord.

De herbergier schreeuwde woedend: 'Wat! Zie ik er soms uit als een dief?' De vijandigheid die de man voelde tegenover zijn vrouw reageerde hij af op Jesse. De man scheen er zich van bewust te zijn dat hij wat al te heftig gereageerd had. Hij staarde voor zich uit en stak verontschuldigend zijn hand op.

'Ik heb wat geld', zei Jesse kalm.

'Genoeg om tot Oklahoma te komen?'

'Ik weet het niet.'

De herbergier deed Jesse's opmerking met een handgebaar af. Hij wekte nu ook niet meer de indruk dat hij Jesse een soort verhoor afnam. Zijn stem klonk weer vriendelijk en zelf behulpzaam. 'Dat doet er ook niet toe', zei hij. 'Je bent jong en sterk en je wilt werken. Je kunt altijd wel een baantje vinden om wat geld voor eten en de reis te verdienen.'

De gedachten van de herbergier leken weer af te dwalen naar het visioen dat alleen hij maar kon zien. Hij zag eruit als een oude man die aan zijn jeugd terugdacht. Deze keer hield hij zijn gedachten echter voor zich.

Met haar rug naar hem toe was zijn vrouw voor het fornuis bezig met haar pannen. Ze zweette hevig.

De herbergier trok Jesse met zich mee en toen zijn vrouw hen niet meer kon horen, fluisterde hij tegen Jesse: 'Ik wou dat ik jou was. Toen ik jong was, heb ik ook mijn kans gehad. Nu heb ik er spijt van dat ik er geen gebruik van gemaakt heb.'

Jesse begreep niet waarom de man fluisterde. Ze stonden midden op het veld achter de paardenstal.

'Je moet naar Brownsville in Pennsylvania gaan', fluisterde hij. 'Dat ligt aan de Monongahela-rivier. Daar bouwen ze stoomboten met machines uit Pittsburg. Dan worden de stoomboten naar diverse steden langs de Mississippi- en de Missouri-rivier gebracht. Er worden dan bemanningen geronseld. Dat is je kans. Stel je voor, een hele boot voor jezelf! En je wordt er nog voor betaald ook!'

Jesse moest toegeven dat het een goed plan leek.

'Hier, neem dit mee.' Hij duwde Jesse een canvas tas in zijn handen.

'Wat is dit?', vroeg Jesse.

De herbergier haalde gelaten zijn schouders op alsof zijn hele jeugddroom in de tas zat die hij aan Jesse gaf. 'Een paar broeken en hemden – ik heb geprobeerd jouw maat te vinden – en wat eten.'

Jesse maakte de tas open om te zien wat erin zat. Het was zoals de herbergier gezegd had: een paar flanellen overhemden, een paar broeken en een paar pakjes waarin wel voedsel zou zitten. Er was ook een beurs. Toen Jesse die aanraakte, rinkelde die.

'Zomaar een paar dollar', zei Hans.

Jesse glimlachte. 'Ik weet niet wat ik zeggen moet. Heel hartelijk bedankt.'

'Je maakt een goede indruk op mij. Hoewel ik niet weet waar je voor op de vlucht bent - en dat wil ik ook niet weten - wens ik je het allerbeste. Ik kon zelf niet naar het Westen. Maar door jou een beetje op weg te helpen is het net of ik zelf ook een beetje ga.'

Jesse bedankte hem opnieuw en ging op weg. Na een eindje gelopen te hebben, draaide hij zich om om te wuiven, maar hij zag alleen de rug van de herbergier. De man had zich al omgedraaid van wat geweest had kunnen zijn en keerde terug naar wat de realiteit was - zijn herberg, zijn vrouw en dochter en meneer Elroy.

HOOFDSTUK 14

Door de Delaware-rivier over te steken kwam Jesse in Pennsylvania. Nadat hij twee dagen lang op voeten die vol blaren zaten, had voortgestrompeld en stijve spieren had gemasseerd, klonk de 'blauwe hoofdweg' van de herbergier steeds aanlokkelijker. Maar ondanks het ongemak had hij het goed naar zijn zin. Hij voelde zich meer een trekker dan een voortvluchtige. Tevoren had hij zich alleen maar kunnen voorstellen hoe Truly Noble zich gevoeld moest hebben toen hij in *Noble Cowboy* naar het Westen trok, maar nu kon hij die ervaringen delen. Het enige verschil tussen hem en zijn held was dat Truly Charity Increase als reisgenoot had en dat Jesse helemaal alleen was.

Toen hij aan Charity dacht, moest hij denken aan Emily Barnes en die laatste avond in New York. Hij herinnerde zich de zwarte eenzaamheid toen hij over de rivier staarde en hoe Emily plotseling uit het licht tevoorschijn gekomen was en hem van die duisternis bevrijd had. Hij herinnerde zich hoe haar gezicht in het lamplicht geglansd had. Haar glimlachende ogen; de warmte van haar nabijheid.

Jesse was er verbaasd over hoezeer de emoties van die avond in zijn geheugen gegrift waren. Alleen al de gedachte aan Emily daar op de brug in de stadslichten deed zijn hart sneller kloppen.

Voor het eerst in zijn leven begreep Jesse hoezeer Truly Noble door Charity Increase werd aangetrokken. Hij begreep de gedeelten waarin Truly haar bevrijdde uit een groot gevaar - het gevaar dat Charity naar zich toetrok zoals stroop de vliegen. Het was het werk van een held om hulpeloze vrouwen te redden. De gedeelten die zijn tante geschreven had over hoezeer zij zich tot elkaar aangetrokken voelden en hoe blij Truly was als Charity in zijn omgeving was, had hij echter niet begrepen. Dat waren geen eigenschappen van een held en Jesse zag die gedeelten dan ook als de onrealistische verbeeldingskracht van een vrouw.

Nu was hij daarvan niet zo zeker meer. Ten aanzien van Emily had hij diezelfde gevoelens. En ze waren bepaald niet denkbeeldig.

Vreemd hoe dingen toch verlopen kunnen, dacht hij. *Ik heb nog nooit iets voor meisjes gevoeld en net nu ik mij wel tot een meisje aangetrokken voel, moet ik haar in de steek laten. Maar misschien is het ook wel niet zo vreemd. Emily is nu eenmaal anders dan alle andere meisjes. Ze loopt niet achter jongens aan. Ze is een verslaggeefster die allerlei zaakjes uitzoekt, wat erop wijst dat ze van geheimen houdt en ze is niet bang voor gevaren. Zoals ik.*

Jesse grinnikte hardop.

En nu ik dan eindelijk iemand ontmoet heb die mijn Charity Increase zou kunnen zijn, zie ik mij genoodzaakt uit het oosten weg te gaan. Nu zal ik het nooit zeker weten.

Hij lachte weer, nu harder.

Zou moeder even verbaasd zijn als ze zou weten wat ik voor Emily voel? Hoe noemde zij mij ook al weer? O ja, een laatbloeier. Net of ik een bloem was of zoiets. En dan noemde ze Frank, Christopher en Gregory – allemaal jongens van mijn leeftijd die een vrouw en een baan hadden. En dan zei ze dat Christopher al vader was. Maar ze zei mij ook dat ik mij daarvan niets moest aantrekken, dat mijn tijd nog wel komen zou omdat ik een laatbloeier was. Als ik mij niets van die dingen moest aantrekken, waarom had ze het er dan steeds weer over?

Vóór hem ging de zon prachtig onder. De oranje schijf strekte zich van de ene tot de andere kant van de weg uit, waardoor het net leek of Jesse een tunnel door moest om in het Westen te komen. Terwijl hij naar de zon toeliep, dacht Jesse aan twee dingen: of hij ooit een plaats zou vinden waar hij zich zou kunnen vestigen en of hij Emily Barnes ooit terug zou zien.

Jesse's tocht door Pennsylvania bevestigde wat Hans, de herbergier, hem al verteld had. Zolang hij bereid was te werken, zou hij iets te eten hebben en een plaats vinden waar hij de nacht zou kunnen doorbrengen. Op zijn weg door de staat Pennsylvania hielp hij boeren op het land met het hooi, mestte paardenstallen uit, timmerde mee aan stallen, hakte hout, haalde water, veegde veranda's, ploegde akkers, zaagde bomen om, molk de koeien, wiedde onkruid en repareerde afrasteringen.

Hij kwam erachter dat hij het heerlijk vond om in de buitenlucht te werken. Het was goed om je in het zweet te werken, om te hijgen van inspanning en om je aan het einde van de dag echt moe te voelen. Het gaf voldoening om dingen te repareren of een moeilijke taak tot tevredenheid te hebben uitgevoerd. In de stad had hij dit soort voldoening nooit ervaren.

's Nachts kon hij zich ontspannen. Hij hield ervan om met zijn handen onder zijn hoofd gevouwen op zijn rug te liggen en naar de lucht te kijken. Hij hield van de ruimte en van het feit dat er hier heel wat meer sterren te zien waren dan in de stad. Voordat hij in slaap viel, dacht hij nog eens terug aan de dingen die hij die dag gedaan had. Iedere dag werd hij sterker en groeide zijn zelfvertrouwen. En tegen de tijd dat hij Brownsville bereikte, was hij ervan overtuigd dat hij niet alleen zou overleven, maar dat hij ook succes zou hebben in wat hij zou ondernemen. Hij dacht eraan hoe gelukkig zijn moeder zou zijn als hij haar zou laten halen. En dan sliep hij de slaap van een vermoeid, maar tevreden mens.

'De economie is ingestort en dat is ook het geval met de scheepsbouw. Er is een tijd geweest dat we ze sneller konden verkopen dan dat we ze konden bouwen. Maar dat is over. Het spoor heeft dat allemaal veranderd. Schepen kunnen niet concurreren met die vervloekte treinen.'

Jesse zat op een krakende stoel in een klein schuurtje bij de Monongahela-rivier. De man die tegen hem praatte zat achter een zwaar beschadigd, houten bureau dat bezaaid lag met rekeningen, brieven, bouwtekeningen en financiële overzichten. Hij leunde met zijn stoel tegen de achterwand, en met zijn schoenen op het bureaublad hield hij zich in evenwicht. Iedere keer als hij wat ging verzitten, verfrommelde hij met zijn schoenen wat papieren op het bureaublad, maar het scheen hem niet te deren.

Hij heette Edwards. Hoe zijn voornaam luidde was Jesse niet verteld en hij vroeg er ook niet naar. Toen hij Brownsville bereikt had, was hij naar de rivier gegaan. Toen was het niet moeilijk geweest om de stoomschepen te vinden. Er werden er drie gebouwd, twee met het rad aan de achterkant van het schip en één met de raderen aan de zijkant. Ze lagen als gestrande walvissen op de rivieroever. Op de houten geraamten waren overal mannen bezig die zich aan de spanten vasthielden en hamerden, zaagden en schaafden. Pas de vierde man die Jesse aansprak, gaf antwoord. En zelfs die hield net lang genoeg op met zijn werk om naar het schuurtje te wijzen en te zeggen: 'Praat eens met Edwards.'

De man die zo nonchalant tegenover Jesse zat, was korter dan hij. Hij had een ruige, zwarte krulbaard. Zijn eveneens donkere ogen namen Jesse achterdochtig op alsof hij eraan twijfelde of Jesse wel naar hem luisterde. Uit de overal die hij droeg, was op te maken dat hij een meewerkende voorman was. Overal op zijn kleren en op zijn armen met opgerolde hemdsmouwen zat zaagsel.

'Bedoelt u dat u geen werk voor mij heeft?', vroeg Jesse.

Edwards keek hem nadenkend aan. 'Heb je wel eens een hamer vastgehouden?'

'Ik heb een schuur mee helpen bouwen in Harrisburg.'

'Schuren zijn geen stoomboten.'

Dat was natuurlijk waar en Jesse voegde eraan toe: 'U vroeg mij of ik een hamer kon vasthouden. Laat mij maar zien wat ik moet timmeren en ik zal het maken.'

De man schudde zijn hoofd. 'Ik heb al te veel timmerlui.'

Jesse slikte zijn opmerking: *Waarom vroeg je dan of ik kon timmeren* in. In plaats daarvan vroeg hij: 'Wat hebt u nog meer te doen?'

'Kun je met een zaag omgaan?'

'Zoals ik al zei heb ik een schuur mee helpen bouwen in Harrisburg. Daar heb ik zowel een hamer als een zaag gebruikt.'

'Ik heb geen timmerlui nodig', zei Edwards, terwijl hij met zijn nagel een stukje vlees uit zijn kiezen probeerde te peuteren.

'Ja, dat weet ik, maar kunt u wel houtzagers gebruiken?'

'Nee.'

Jesse beet op zijn lip. Hij boog zich voorover met zijn ellebogen op zijn knieën en spreidde smekend zijn handen uit. 'Kijk eens, meneer Edwards...'

'Edwards. Laat dat meneer maar zitten', zei de man kortaf. Hij peuterde nog steeds in zijn kiezen.

'Oké... luister Edwards. Vertel mij nu eens wat voor werk je wel voor mij hebt.'

'Kun je met een bijl omgaan?'

Jesse vond het maar beter om eerst te vragen: 'Heb je dan iemand nodig die met een bijl kan omgaan?'

'Misschien.' Hij had het stukje vlees nu losgepeuterd. Hij bestudeerde het aandachtig en schoot het toen weg.

'Meneer Edwards, laat ik u vertellen waar ik eigenlijk op uit ben. Het is mijn bedoeling om aan boord van één van die stoomboten te komen. Ik wil naar het Westen en ik wil voor mijn transport werken. Er is mij verteld dat, als de boten eenmaal zijn afgebouwd, er een bemanning aan boord wordt geplaatst om ze over de Ohio-rivier naar hun plaats van bestemming te brengen.'

'Wie heeft je dat verteld?'

'Hans. Een herbergier.'

'Heeft een herbergier je dat verteld?'

Jesse's hoop vervaagde. Misschien was Hans niet goed op de hoogte geweest. 'Is dat dan niet zo?', vroeg hij.

'Zeker wel.'

Hij voelde zich opgelucht en tegelijkertijd geërgerd. Waarom deed die Edwards zo moeilijk. Jesse probeerde een direct antwoord los te krijgen. 'Wat moet ik doen om aan boord van zo'n boot te komen?'

'Kun je met een bijl omgaan?'

Jesse had moeite zich te beheersen. 'Ja, ik kan met een bijl omgaan.'
Edwards boog zich dreigend naar voren. De stoelpoten kwamen met een klap op de grond. 'Waarom zei je dat dan niet meteen? Stoomboten hebben brandhout nodig. Veel brandhout. En dat moet gehakt worden.'
'Kan ik dat baantje dus krijgen?'
Er verscheen een geërgerde uitdrukking op Edwards gezicht. 'Op school was jij zeker niet het slimste jongetje van de klas?'
'Meneer Edwards, zeg mij nu maar gewoon of ik dat baantje als houthakker kan krijgen.'
Edwards boog zich naar voren, knikte nadrukkelijk en zei: 'Jazeker!'
Jesse sloeg geen acht op zijn spottende manier van doen. 'En als één van die boten klaar is, kan ik dan als bemanningslid mee om die boot af te leveren?'
Weer knikte Edwards. 'Jazeker!'
'Welke boot?'
Edwards leunde weer achterover en liet zijn sarcasme varen. 'De *Little Hawk* komt als eerste klaar. Die heeft al een voltallige bemanning. Daarna komt de *Annabelle* klaar. Daarmee kun je wel mee. Maar dan moet je alle werk doen dat de kapitein je opdraagt. Begrepen?'
'Ik ben bereid om alles aan te pakken', zei Jesse gretig. 'Waar gaat de *Annabelle* naar toe?'
'St. Louis.'
'Geweldig!', riep Jesse uit.
'Je kunt nu met houthakken beginnen', zei Edwards. 'Over twee uur eten we. Bij die sparren daar is een tent met veldbedden. Daar kun je slapen. De stapel hout ligt daar vlakbij en de bijl ligt ernaast.'
Jesse sprong overeind om aan het werk te gaan. Hij stak zijn hand uit. 'Dankuwel meneer, eh... dankjewel Edwards. Je zult er geen spijt van krijgen.'
Edwards reageerde met een smakkend geluid. Hij had weer een ander stukje vlees tussen zijn kiezen gevonden.
Na zonsondergang toen het te donker geworden was om nog hout te hakken, liep Jesse naar de oever en bekeek de grote rivierboten die daar lagen. De *Little Hawk* en de *Annabelle* waren de twee stoomboten met het rad aan de achtersteven van het schip. Zoals Edwards al gezegd had, was de *Little Hawk* verder gereed dan de *Annabelle*. De railing moest nog geplaatst worden en de bovenbouw moest nog afgetimmerd worden, maar het dek was klaar en sommige gedeelten waren al wit geschilderd. Van de *Annabelle* waren de spanten nog te zien en een groot gedeelte van het dek moest nog voltooid worden. Maar dat weerhield Jesse er niet van om

zichzelf in zijn verbeelding daar over het dek te zien lopen op een maanverlichte nacht als het schip zijn eerste tocht over de Ohio zou maken.

Deze boot gaat mij dus op de drempel van het Westen brengen, dacht hij. Later op die avond, terwijl hij naar de stoomboot de *Annabelle* zat te kijken, viel Jesse in slaap tegen een boom die bij de tent stond.

Meestal was Jesse alleen als hij aan het houthakken was. Hij was de enige bewoner van de tent; hij kreeg nooit te horen wie er eerst gewoond had of waarom de tent daar was opgezet. Hij vond er bescherming in tegen de nachten die af en toe nog koud waren, hoewel de winter zijn greep steeds meer ging verliezen. 's Nachts had hij de rivieroever voor zich alleen. De meeste arbeiders woonden in het dorp en degenen die daar niet woonden, zaten 's avonds in de taveerne en vonden 's nachts ergens anders onderdak. Ook overdag had Jesse nauwelijks contact met hen. Zij deden hun werk en hij het zijne.

Drieëntwintig dagen nadat Jesse in Brownsville was aangekomen, klonk er aan de rivieroever gejuich toen de *Little Hawk* via ronde balken te water werd gelaten. De boot plonsde in de stroom van de Monongahela-rivier. Ze werd met touwen vastgelegd aan de oever terwijl de kapitein een laatste inspectie verrichtte.

Nadat een aantal lekkages waren verholpen, werd de boot de volgende morgen vroeg geschikt verklaard om te varen. De boot werd officieel van haar naam voorzien. Onder gejuich en geroep werden de meertouwen losgegooid. Jesse zag met stijgende opwinding hoe de boot werd gekeerd en de rivier de Ohio afvoer.

Als de volgende boot te water wordt gelaten, zal ik daar aan boord zijn, zei hij bij zichzelf. Tegen de avond was de stapel hout die hij gehakt had bijna anderhalf keer zo groot.

'Hé maat, wat heb jij uitgespookt dat ze je hout laten hakken?'

Jesse keek niet op en zwaaide zijn bijl. *Klap! Bong!* De bijl kliefde door het hout. Twee gelijke stukken hout vielen aan weerszijden van de boomstronk die Jesse als hakblok gebruikte op de grond. Hij bukte zich, raapte de twee stukken op en gooide ze op de steeds groter wordende stapel hout. Hij legde weer een nieuw stuk op het hakblok.

'Hij zal wel een bank overvallen hebben!'

'Of iemand vermoord!'

De twee mannen die zich ten koste van Jesse vermaakten, zaten op een meter of tien afstand op de grond. Ze zaten met hun rug tegen een omgevallen boom en aten sinaasappelen. Eerst hadden ze geprobeerd de sinaasappelpitten uit te spuwen om er Jesse mee te raken, maar toen bleek dat de afstand daarvoor te groot was, begonnen ze hem te sarren.

'Ik denk niet dat hij in staat is iemand te doden!'

'Je hebt gelijk. Maar je gaat vanzelf dood van verveling bij hem!'

Beide mannen lachten schaterend. De grootste van de twee was de ruwste. Tijdens zijn gesar sloeg en stompte hij zijn maat voortdurend. Die deed niets terug, maar lachte om iedere klap die hij kreeg. De ruwste had zwart haar. Niet allen had hij een volle baard en snor, maar zijn haar hing tot op zijn schouders en vanonder zijn hemd kwam zijn zwarte borsthaar tevoorschijn. Zelfs de rug en de knokkels van zijn handen waren zwaar behaard.

De andere man was veel lichter gebouwd, en omdat zijn haar licht en dun was, leek het net of hij in vergelijking met zijn maat helemaal geen haar had. Hij had wijduitstaande oren en hij grijnsde voortdurend van oor tot oor. Voor zover Jesse kon zien, had hij geen tand meer in zijn mond. Hij had een hoge stem, terwijl het gelach van de behaarde man meer op het geroffel op een grote trom leek. Door naar hun gesprek te luisteren, was Jesse erachter gekomen dat de grote man Bulfinch en de kleine man Fritz heette. De broekspijpen van beide mannen reikten slechts tot halverwege hun kuiten en ze droegen geen schoenen.

Een paar dagen daarvoor had Jesse hen voor het eerst gezien. Er hoorde nog een derde man bij hen. Jesse had ze nog nooit aan het werk gezien. Hij had gehoord hoe één van de arbeiders hen verachtelijk praatjesmakers noemde.

'Ik weet het! Ik weet het!', riep Fritz. 'Hij is brutaal geweest tegen zijn moeder en nu moet hij houtjes hakken!' Hij keek afwachtend naar de grote man en pas toen die in lachen uitbarstte, lachte hij zelf ook.

'Hebben jullie niets beters te doen?', vroeg Jesse.

Bulfinch keek verbaasd naar Fritz. 'Hij kan praten!'

Fritz giechelde.

Jesse schuddde zijn hoofd en kloofde weer een houtblok.

'Spreek nog eens, schone prins!', riep Bulfinch terwijl hij zijn gevouwen handen op zijn borst legde en met zijn ogen knipperde.

Jesse besteedde geen aandacht aan hem en raapte de twee stukken hout op. Terwijl hij zich bukte kaatste er een steen van de boomstronk omhoog tegen zijn neus aan.

'Hebbes!', schreeuwde Fritz.

Het deed pijn en Jesse kon met zijn linkeroog even niets zien. Terwijl hij woedend werd, wreef Jesse over zijn neus en knipperde even met zijn ogen tot hij weer kon zien. Toen keerde hij zich tot zijn belagers.

Weer had hij met Finn en zijn kornuiten te maken. Maar deze keer was Jesse door al het houthakken en andere werkzaamheden heel wat sterker geworden. En deze Jesse had heel wat meer zelfvertrouwen. Hij wilde niet vechten, maar hij zou zich ook niet door die twee nietsnutten laten misbruiken terwijl hij aan het werk was.

Jesse richtte zich naast de boomstronk hoog op. Hij keek ze doordringend aan en balde zijn vuisten.

'O, kijk nu toch eens', zei Fritz op kinderachtige toon. 'Het lijkt wel of hij vechten wil!'

Bulfinch zei niets. Hij ging staan en balde eveneens zijn vuisten.

'Ik wil helemaal niet vechten', zei Jesse vastberaden. 'Maar ik laat mij ook niet met stenen bekogelen.'

'En hoe dacht je dat dan te voorkomen?', riep Fritz.

'Ga gewoon weg en laat mij met rust', zei Jesse.

Bulfinch begon zijn mouwen op te stropen. 'We gaan weg', zei hij, 'zodra ik mijn werk hier afgemaakt heb – jou in elkaar slaan.'

Nu hij recht tegenover de stevige man stond, keek Jesse de man voor het eerst in de ogen. Ze waren net zo lichtblauw als de lucht en hij loensde. Hij had bovendien een neus die eruit zag of iets of iemand eraan geknabbeld had. De combinatie van de ogen, de gehavende neus en zijn lange haar gaven hem meer het uiterlijk van een dier dan van een mens. Hij liep op Jesse toe.

Jesse overwoog de bijl te grijpen, maar zag er toen van af. Hij betwijfelde of hij ooit met een bijl op een mens zou kunnen inslaan. Hij keek dus uit naar zwakke plekken in de man. De man was langer en zwaarder en naar zijn uiterlijk te oordelen had hij ook meer ervaring in vechten.

Wat zou Truly Noble doen?

Geef de vrede een kans. Hij spreidde zijn ontspannen handen uit. 'Ik zei dat ik niet wilde vechten. Ik wil alleen mijn werk maar doen.'

'FINCH! Laat die jongen met rust!'

Het bevel klonk als dat van een man die zijn hond beveelt te gaan zitten. Het kwam achter Bulfinch vandaan. Jesse keek op en zag het derde lid van het trio naar hen toe lopen. De man was van gemiddelde lengte, had zandkleurig haar en een aantal moedervlekken op zijn gezicht. Hij straalde gezag uit.

'FINCH! KOM TERUG!'

Bulfinch bleef staan, maar hij ging niet terug.

'Die jongen is het niet waard', zei de man met het blonde haar. 'Als je met die jongen een gevecht begint, krijg je al die scheepsbouwers op je nek. Hij zal hun mascotte wel zijn of zoiets.' De man ging tussen hen in staan met zijn rug naar Jesse toe. Bulfinch keek over hem heen naar Jesse. 'We hebben nog meer te doen', zei de man, waarbij hij Bulfinch vastgreep en hem achteruit duwde.

Het duurde heel even, maar toen zag de man met het zandkleurige haar kans Bulfinch van gedachten te laten veranderen. Tegen Fritz zei hij: 'We zien elkaar wel bij de winkel.'

Fritz knikte. 'Zeker, Phyfe.'

Toen ze wegliepen, keerde de man die Phyfe genoemd werd, zich tot Jesse. Hij scheen de situatie nogal amusant te vinden. 'Wat heb je gedaan om hem zo kwaad te maken?'

Jesse haalde zijn schouders op. 'Ik doe gewoon mijn werk', zei hij. 'Ze verveelden zich en besloten zich toen maar ten koste van mij te vermaken. Toen ik daar een einde aan wilde maken, werd die grote kwaad.'

Phyfe keek over zijn schouder naar de zich verwijderende Bulfinch. 'Als ik jou was, jongen, zou ik er maar voor zorgen hem niet weer kwaad te maken.' Zonder verder nog iets te zeggen, draaide hij zich om en volgde zijn maats.

Het daaropvolgende half uur waren de bijlslagen van Jesse harder dan normaal het geval was. Hij had tijd nodig om zijn woede af te reageren. Hij wist dat het voorval niet in verhouding stond met de woede die hij voelde, maar hij kon het niet helpen. De Finns en Bulfinches van de wereld hadden nu eenmaal die invloed op hem.

Om weer tot rust te komen, dacht hij aan meer aangename dingen. Nog een week. Nog zeven dagen en hij zou aan boord van de *Annabelle* naar St. Louis varen.

HOOFDSTUK 15

Toen de *Annabelle* van Brownsville wegvoer, was Jesse niet aan boord.

'Je zei dat ik bemanningslid op de *Annabelle* kon worden!'

'Ik heb gelogen', zei Edwards. De man stond wijdbeens bij een balk die op schouderhoogte aan de nog naamloze boot met de zijraderen bevestigd moest worden. Hij was de balk aan het vastspijkeren. Het zweet stroomde van zijn gezicht in zijn krullerige baard.

Jesse stond beneden hem op een plank die tussen de spanten van het schip liep. 'Waarom? Waarom heb je tegen mij gelogen?'

'Ja, da's een slechte gewoonte van me', grinnikte Edwards. 'Ik doe het steeds weer.'

Met een wanhopig gebaar zette Jesse zijn handen op zijn heupen. Hij keek om zich heen alsof hij de juiste woorden zocht om een direct antwoord te krijgen. Overal om hem heen - boven, beneden en aan alle kanten - waren arbeiders aan het timmeren, zagen en schaven aan de boot. Terwijl ze aan het werk waren, probeerden ze te horen wat er gezegd werd en hielden ze in de gaten wat er gebeurde. Sommigen keken met een zekere sympathie naar hem, maar de meesten grijnsden evenals Edwards, alsof de grijns vermenigvuldigd en uitgedeeld was.

Jesse formuleerde zijn vraag. 'Welke bedoeling had je toen je mij vertelde dat ik met de *Annabelle* kon meevaren, terwijl je wist dat je daar niets over te zeggen had?'

Jesse was er even tevoren achter gekomen dat Edwards tegen hem gelogen had. Toen de *Annabelle* klaar was, was de kapitein gekomen voor een eerste inspectie. Jesse had verwacht dat Edwards hem bij de kapitein zou introduceren. Maar dat deed hij niet. Aanvankelijk had Jesse gedacht dat de kapitein op dat moment meer aan zijn hoofd had. Hij nam zich voor geduld te oefenen en hij verwachtte nog wel aan de kapitein voorgesteld te worden. Maar toen er een paar dagen verlopen waren, was Jesse naar Edwards gegaan om hem te vragen hoe het nu precies met zijn transport stond. Edwards verzekerde hem ervan dat hij een plaatsje op de boot zou krijgen en dat de niet-ervaren bemanningsleden allemaal tegelijk aan boord zouden gaan, net voordat de boot zou vertrekken. Dat leek redelijk, dus Jesse wachtte en wachtte.

Toen de dag aanbrak dat de *Annabelle* zou vertrekken, kon Jesse Edwards nergens vinden. Toen hij de kapitein zag, besloot hij de zaak in eigen hand te nemen. Hij stelde zich aan de kapitein voor maar die reageerde nauwelijks. Toen begreep Jesse dat hij door Edwards bedrogen was. Al maanden voor het vertrek had de kapitein zelf zijn bemanning gekozen en opgeleid. Daarover had Edwards niets gezegd. En hoewel Jesse smeekte om hem mee te nemen, was de kapitein hiertoe niet bereid.

Edwards keek op Jesse neer. 'Je wilt weten waarom ik tegen je gelogen heb, hè?'

'Ja, dat zou ik graag horen.'

'Zou je zo lang gebleven zijn als je geweten had dat je niet met die boot mee kon?'

'Nee, natuurlijk niet!', riep Jesse.

'Nou, daarom!'

Jesse was zo boos dat hij wilde slaan. 'Ik heb nog nooit zo'n gemene...'

'Je hebt mij zelf op dat idee gebracht', lachte Edwards.

'Wat bedoel je?'

'Nou, dat verhaal dat je mij vertelde. Dat verhaal dat je voor je transport werken kon... dat verhaal dat die kroegbaas je vertelde.'

'Herbergier.'

'Wat?'

'Hij was geen kroegbaas, maar een herbergier.'

'Dat doet er niet toe. Maar daardoor werd ik op een idee gebracht. Voordat jij langskwam, kon ik nergens een jongen vinden die langer dan één week hout wilde hakken!'

Jesse werd steeds bozer. Hij wilde iets doen. Hij wilde iets zeggen. Maar hij was zo woedend dat hij alleen maar aan zijn boosheid kon denken.

'Waar beklaag je je eigenlijk over?', riep Edwards. 'Je hebt hout gehakt voor eten en onderdak! En wat de rest betreft kun je dit als een lesje beschouwen! Je krijgt niets meer!'

Overal om Jesse heen werd gelachen, gefloten en werden laatdunkende opmerkingen gemaakt. Edwards liet de mannen even begaan en schreeuwde toen: 'Nou, de voorstelling is afgelopen. Aan het werk!' Onmiddellijk klonken er weer hamerslagen en het geluid van zagen. Tegen Jesse zei hij: 'Ik neem aan dat je geen hout meer wilt hakken.'

'Ik zou nog geen hout voor je willen hakken als je...'

'Dan van die boot af!' Edwards keerde zich om en begon weer te timmeren.

De weg die uit Brownsville voerde, kruiste de rivier voordat hij in noordelijke richting naar Pittsburg draaide. Daarna liep hij evenwijdig met de rivier. Toen Jesse met de canvastas op zijn rug een paar kilometer gelopen had, bleef hij staan en mompelde voor zich uit: *Lesje. Ja, ik heb een lesje geleerd. Nooit een harige scheepsbouwer geloven.*

'Hé, houthakker!'

De stem kwam vanuit het rivierdal. Even over de rand kon Jesse een hoofd zien met zandkleurig haar. Het was het hoofd van de man die het gevecht met die nietsnut Bulfinch had voorkomen.

'Waar ga je heen?', schreeuwde de man.

Jesse ging langzamer lopen, maar bleef niet staan. 'Pittsburg!', riep hij terug.

'Woon je daar dan?'

'Ik hoop dat ik daar transport kan krijgen.'

'Waar wil je dan heen?'

Jesse keek voor zich. Die man stelde wel veel vragen. Jesse realiseerde zich dat hij in ieder geval dan toch iets van Edwards geleerd had. *Geef niet al te veel informatie. Dat kan in je nadeel zijn.*

Het was alsof de man begreep wat Jesse dacht. Hij zei: 'Ik vraag het je alleen maar omdat wij helemaal naar Cincinnatti moeten en we nog wel wat extra hulp kunnen gebruiken. Waarom sluit je je niet bij ons aan?'

Ons? Vanaf de weg kon Jesse alleen die ene man maar zien. En wat voor vervoermiddel hadden ze eigenlijk? Hij kon nergens zeilen of een mast of iets wat op een boot leek ontdekken.

Jesse liep naar de kant van de weg. Zijn vragen werden beantwoord. Met 'ons' werden ook Bulfinch en Fritz bedoeld, die lui op het dek van een praam lagen. Het vaartuig was niet veel meer dan een drijvend vlot met een roer. Daarom had Jesse eerder niets kunnen zien.

Toen hij een blik op Bulfinch geworpen had, zei Jesse: 'Bedankt, maar ik denk dat ik maar ga lopen.'

'Ik hoop dat dat niet is om wat er eerder tussen jou en Bulfinch is voorgevallen', zei de man. 'Zo reageert hij normaal gesproken niet. Alleen maar als hij gedronken heeft.'

Jesse had op die bewuste dag nergens drankflessen zien rondslingeren. Maar Bulfinch zou natuurlijk eerder gedronken kunnen hebben.

'Je zou ons goed kunnen helpen', zei de man. 'We hebben eigenlijk een vierde man nodig om dit vaartuig goed te kunnen besturen. En jij zou er ook mee geholpen zijn. Je kunt in Cincinnatti heel wat makkelijker een stoomboot vinden dan in Pittsburg. Er is daar veel meer verkeer.'

De man had gelijk, maar Jesse voelde zich niet op zijn gemak. Hij wist niet of hij wel samen met mensen als Bulfinch en Fritz in een boot zou willen zitten. Die man met dat zandkleurige haar - hoe heette hij ook al weer? O ja, Phyfe - leek echter wel aardig. En kennelijk kon hij Bulfinch wel aan. Dat was in Brownsville duidelijk gebleken.

Jesse stapte over de rand en liep naar beneden op de praam af. Bulfinch en Fritz volgden hem met hun ogen. De praam schommelde toen hij instapte. Haastig trok hij ook zijn andere voet bij en probeerde overeind te blijven. Het duurde even voor hij zijn evenwicht weer gevonden had.

'Leg je bagage daar maar voorin bij die hoop rommel', zei Phyfe.

Jesse liep tussen beide andere mannen door, midden door de boot die nu nauwelijks schommelde.

'Heb je al eens eerder met een praam gevaren?', vroeg Phyfe.

'Nee, nog nooit', zei Jesse.

'Nou, dat is niet moeilijk. We zullen je alles leren wat nodig is.' Tegen Bulfinch en Fritz zei hij: 'Het lijkt erop dat de riviergoden ons gunstig gezind zijn, heren. Laten we nu we een volledige bemanning hebben, op weg gaan.'

Jesse kon niet anders dan verbaasd kijken toen Phyfe Bulfinch en Fritz met 'heren' aansprak. Dat zou hij toch wel ironisch bedoeld hebben? De beide 'heren' kwamen echter overeind en grepen ieder een vaarboom die minstens vier meter lang moest zijn. Phyfe ging aan het roer zitten.

'Blijf daar voorlopig maar in het midden zitten', zei hij tegen Jesse. 'Kijk maar hoe ze het doen. Je krijgt nog volop de gelegenheid om het ook te proberen.'

De boot werd door de stroom gegrepen en slingerde met de golfbeweging mee. Het waren korte bewegingen, maar het water zorgde ervoor dat de boot toch min of meer gelijkmatig voortgleed. Jesse was blij dat hij zat, anders zou hij vast gevallen zijn. Hij had gehoord over mannen met zeebenen, maar dit was zijn eerste ervaring op het water en de kleine boot scheen alles nog erger te maken.

Het vaartuig paste zich aan de stroom aan. De zon scheen helder en de straling werd nog versterkt door de weerspiegeling op het water. Jesse kneep zijn ogen half dicht tegen de glinstering. Op straat was de klep van zijn pet altijd afdoende geweest, maar hij begreep nu waarom veel mensen op het water breedgerande hoeden droegen.

Lange tijd zei niemand iets. Nadat ze zich van de oever hadden afgezet, werkten Bulfinch en Fritz gelijk op ieder aan een kant van de boot met de vaarboom. Ze plonsden hun vaarboom in het water tot ze grond hadden. Dan grepen ze de boom stevig vast en liepen naar de achterkant van de boot. Vervolgens trokken ze de boom uit het water, liepen ermee naar de voorkant en plonsden hem opnieuw in het water. Phyfe trok het roer naar zich toe tot ze midden op de rivier waren en zette het roer toen weer in de middenstand. Zijn ogen speurden de rivier voor hem af naar eventuele obstakels, zoals rotsblokken, omgevallen bomen of grote stukken drijfhout.

Hoewel Jesse zijn twijfels had over het gezelschap waarin hij zich bevond, wond het idee dat hij nu eindelijk op de rivier was, hem toch wel op. Het verwonderde hem hoe heel anders de dingen eruit zagen vanaf het midden van de rivier bekeken. Het was een heel ander gezichtspunt dan toen hij over de weg gelopen had, hoewel de weg nog geen honderd meter links van hem van de rivier af lag. Misschien had het andere perspectief ook wel zijn invloed op de mannen met wie hij de boot deelde. Dat hoopte hij in ieder geval.

De praam voer traag naar de Ohio-rivier. Jesse had inmiddels vijf dagen ervaring met het varen op de rivier. Hij had zowel met Bulfinch als met Fritz de vaarbomen bediend. En Phyfe had hem zelfs een tijdje het roer gegeven. Tenslotte kwamen ze in Pittsburg.

Daar bleven ze slechts kort liggen, juist voldoende om wat voorraden te kopen. Toen werd de boot de Monongahela-rivier weer opgeduwd en de vier mannen dreven naar de samenvloeiing van de Monongahela en de Allegheny-rivier waar ze samen de Ohio-rivier vormden.

Voor Jesse was het een plechtig moment toen ze de Ohio-rivier opvoeren. Dit was een rivier met geschiedenis. Samen met de Mississippi en de Missouri betekenden zij het Westen. Vroege verkenners waren deze rivier opgevaren voordat de kolonies hun onafhankelijkheidsverklaring hadden gekregen. De rivier was tijdens de burgeroorlog de scheidslijn geweest tussen het Noorden en het Zuiden. Aan boord van de stoomboten die deze wateren bevoeren en waarmee katoen en suiker naar het Westen vervoerd werden, waren kapitalen gewonnen of verloren. En nu voer Jesse Morgan over de grote rivier de Ohio. Het was net of dit zijn eerste stap in het Westen was en of al het voorafgaande slechts een inleiding was geweest.

De rivier stroomde in het noord-westen Pennsilvania uit. De loop zou geleidelijk aan naar het zuid-westen afbuigen om zich tenslotte met de machtige Mississippi-rivier te verenigen. Jesse genoot van zijn eerste nacht op de Ohio. De rivier was veel breder dan de Monongahela-rivier, ruim een halve kilometer breed. Phyfe vertelde hem dat de rivier meer dan een kilometer breed zou zijn tegen de tijd dat ze in Cincinnatti zouden aankomen. Terwijl het water zacht tegen de ondiepe boorden van de boot klotste, voeren ze onder een heldere sterrenhemel vredig verder. De bomen op de oever waren nu helemaal zwart geworden, terwijl de lucht boven diep donkerblauw was.

Bulfinch en Fritz zaten voorin op houten kisten. Een derde kist tussen hen in diende als tafel. Zoals iedere avond waren ze aan het kaarten. Op een hoek van de tafel stond een lantaarn. Het schijnsel verlichtte de voorzijde van de kaartspelers terwijl hun rug in het duister gehuld bleef.

Tot Jesse's verrassing hadden de twee tijdens de tocht nauwelijks aandacht aan hem besteed. Ze spraken slechts zelden tegen hem en Jesse vond dat wel goed zo. De enige wanklank die aan boord vernomen werd, was als zij beiden ruzie maakten over de kaarten. Als Bulfinch gedronken had, was dit onvermijdelijk. Phyfe zag echter altijd kans om tussenbeide te komen en ze weer tot kalmte te brengen. Hij ging met hen om of het kinderen waren en de twee mannen gehoorzaamden hem of hij hun vader was.

Jesse begreep niet veel van de onderlinge verhoudingen tussen de drie mannen, maar zolang zij hem met rust lieten tot ze Cincinnatti bereikt hadden, kon hij wel met hen leven. Phyfe leunde op zijn roer en rookte tevreden een pijp. Om zijn hoofd kringelden rookslierten die in de nacht verdwenen.

'Wat willen jullie in Cincinnatti gaan doen?', vroeg Jesse. Het viel hem plotseling in dat zij wel wisten waarom hij naar Cincinnatti wilde, maar dat hij hun nooit had gevraagd wat hun bedoeling was.

Phyfe antwoordde niet onmiddellijk. Hij trok lang aan zijn pijp en blies toen een grote rookwolk uit die omhoogkringelde en dan oploste. Hij schraapte zijn keel, draaide zijn hoofd om en spoog toen in het kielzog van de boot. Jesse wachtte. Hij had geleerd te wachten. Phyfe had hem wel gehoord. In de stilte van de nacht zou iedereen die langs de rivieroever gestaan zou hebben, hem hebben kunnen horen, zelfs al sprak hij maar zacht. Dit was nu eenmaal Phyfe's manier van doen. Evenals de kronkelende rivier had hij geen haast.

'Lees je wel eens in de Bijbel, jongen?', vroeg hij tenslotte.

'Soms', antwoordde Jesse voorzichtig. Hij had nooit gedacht dat Phyfe godsdienstig zou zijn.

'Ken je het verhaal van de barmhartige Samaritaan?'

Jesse knikte aarzelend. Het was lang geleden dat hij de bijbelse verhalen gehoord had. 'Een man werd op reis overvallen door rovers die al zijn geld stalen. Toen kwam er een goed mens – de barmhartige Samaritaan – voorbij die hem hielp.'

Phyfe knikte instemmend. 'Bulfinch, Fritz en ik... wij zijn barmhartige Samaritanen.'

Jesse vond het maar moeilijk om Bulfinch en Fritz in die categorie te plaatsen. Kennelijk was hij niet de enige. Zelfs de twee kaartspelers staakten hun spel en keken verbaasd naar de man aan het roer.

'Het gaat niet om Cincinnatti', legde Phyfe uit. 'Het gaat erom wat we tussen hier en Cincinnatti zullen tegenkomen.'

De twee kaartspelers begrepen kennelijk wat Phyfe bedoelde, want ze keerden weer naar hun spel terug. Jesse begreep er echter nog steeds niets van.

'Af en toe komt een stoomboot vast te zitten op een zandbank of wordt hij door een of ander obstakel in de rivier vastgehouden. Om weer los te komen, moeten ze dan de lading en de passagiers lossen. Daardoor wordt de boot lichter en komt die weer gemakkelijker los. En dan komen wij in het vizier. Zo'n praam als deze is ideaal om de lading van de boot naar de oever te brengen en dan weer terug. We helpen schepen die problemen hebben. We zijn barmhartige Samaritanen.'

Jesse knikte. Hij begreep het nu.

'De kapiteins betalen ons voor onze diensten. Ze betalen ons er heel goed voor.'

Bulfinch grinnikte. Jesse kon niet uitmaken of hij grinnikte omdat hij zulke goede kaarten had of om iets wat Phyfe gezegd had.

'Nu je je bij ons aangesloten hebt', zei Phyfe, 'ben jij dus ook een barmhartige Samaritaan.'

'Ik wil graag meehelpen.'

'Daar twijfel ik niet aan', zei Phyfe. 'Daar twijfel ik geen moment aan.'

Het duurde nog dagen voordat ze hun eerste stoomboot tegenkwamen. Jesse zag met ontzag hoe de boot in tegenovergestelde richting naar Pittsburg moeiteloos door het water ploegde. In vergelijking met de imposante opbouw, de goed geklede passagiers die aan de railing stonden en de twee grote zwarte schoorstenen die grote rookwolken uitbliezen, was de praam niet meer dan een drijvend luciferdoosje. Je kon je maar moeilijk voorstellen dat zo'n prachtige boot op een zandbank vast kon lopen en dat ze dan door een praam geholpen moest worden.

Meestal kwamen ze kleinere vaartuigen tegen die de rivier op- of afvoeren. De lange uren die ze op het water doorbrachten, bekorten ze door elkaar verhalen te vertellen. Jesse vertelde Phyfe en zijn bemanning over zijn leven in New York, over de dood van zijn vader tijdens een brand in een fabriek en over het werk van zijn moeder voor een koppelbaas. Jesse kreeg te horen dat Phyfe's vader kapitein op een rivierboot was geweest en dat Phyfe een hutjongen op een stoomboot op de Mississippi was geweest. Ook zijn vader was een gewelddadige dood gestorven – hij was neergeschoten door een dronken gokker.

Het enige wat Bulfinch vertelde was dat zijn vader boer in Pennsylvania was en dat hij, toen hij jong was, vaak door hem geslagen werd. Hij beweerde dat zijn vader hem eens met een stuk hout op zijn gezicht geslagen had en dat dat de reden was dat hij loensde met een oog. Hij zei dat, als hij zijn ouwe heer nog eens zou tegenkomen, hij hem zou vermoorden.

Fritz bleek de zoon van een winkelier te zijn. Het was de bedoeling geweest dat hij de zaak op zekere dag zou overnemen en toen hij trouwde kregen hij en zijn vrouw de winkel als huwelijkscadeau. Drie dagen later zag zijn vrouw kans om de zaak zonder dat hij het wist te verkopen. Ze ging er met al het geld vandoor. Fritz' vader wond zich zo op dat hij een beroerte kreeg en nog diezelfde dag stierf. De moeder van Fritz gaf hem de schuld van de dood van zijn vader.

Jesse kreeg van Phyfe te horen dat de drie mannen elkaar in een taveerne in Brownsville ontmoet hadden. Op die bewuste avond hadden ze de kapitein van een stoomboot de lof horen bezingen van mensen die met een platboomvaartuig vastgelopen raderboten te hulp kwamen. Hij beweerde dat ze hun gewicht in goud waard waren. Op dat moment hadden ze besloten om samen een groep te vormen en te proberen iets van dat goud te bemachtigen.

Van de drie mannen was in het bijzonder Bulfinch gek op de rivier, wat gezien het feit dat hij op een boerderij was opgegroeid, verwonderlijk was. Hij was geboeid door alles wat met de rivier in verband stond en hij wist er alles van af. Hij was gek op verhalen over de rivier.

Aanvankelijk was Jesse nogal onder de indruk geweest van de literaire belangstelling van de man. Hij had gedacht dat de man alleen maar vijanden kon maken. Maar toen hij een paar verhalen van Bulfinch gehoord had, begon hij te begrijpen waarom hij zo van die verhalen hield.

'Ze noemden hem de Bijtende Schildpad', mompelde Bulfinch.

Jesse moest goed luisteren om de man te kunnen verstaan. Hij sprak erg binnensmonds, bewoog nauwelijks zijn lippen en zijn stem werd nog gesmoord door al dat haar op zijn gezicht.

'Maar de meesten kenden hem als Mike Fink', zei Bulfinch. 'Er wordt van hem verteld dat hij vier liter whisky kon drinken en dan op vijftig meter afstand nog de staart van een duif af kon schieten!' Bulfinch' ronddraaiende ogen werden groot van bewondering. 'Hij beweerde dat hij iedereen in het land aan kon en dat was nog waar ook!'

Phyfe voegde eraan toe: 'Toen ik nog een jochie was, heb ik eens een man ontmoet die beweerde Mike Fink persoonlijk te kennen. Hij zei dat hij hem eens had zien vechten. Fink rukte de ander zijn oog uit en beet zijn oor af.'

Jesse vertrok zijn gezicht toen hij zich de man met het uitgerukte oog en afgebeten oor voorstelde. Bulfinch betastte met zijn ene hand zijn geschonden neus.

Phyfe lachte toen hij zich een ander verhaal over Mike Fink herinnerde. 'Die oude man vertelde mij ook dat Finks vrouw eens zo stom was om naar een andere man te lonken. Weet je wat Fink deed?'

'Nou, wat dan?', riep Bulfinch met het enthousiasme van een kleine jongen.

'Hij stak haar kleren in brand!'

Bulfinch brulde van het lachen.

'Ze redde zichzelf door in de rivier te springen!'

Phyfe en Bulfinch schaterden van plezier. Fritz lachte wel mee, maar niet van harte.

'Wat is er met jou aan de hand, jongen?', vroeg Phyfe aan Jesse. 'Vind je dat niet grappig?'

Jesse schudde zijn hoofd. 'Nee... ik vind iemand die in brand staat niet grappig.'

Bulfinch en Phyfe keken hem aan of hij niet goed bij zijn hoofd was.

'Weet je hoe Fink aan zijn eind kwam?', vroeg Bulfinch.

'Daar heb ik allerlei verhalen over gehoord', zei Phyfe.

'Het verhaal dat ik gehoord heb is dat Fink en zijn maat... zijn maat...'

'Carpenter', zei Phyfe.

'O ja, Carpenter. Hij en zijn maat Carpenter hadden samen een Indiaanse vrouw. En op zeker moment kregen ze ruzie over haar.'

'Het gaat altijd over een vrouw', viel Fritz in.

Phyfe vond Fritz' onverwachte opmerking nogal amusant. Zijn gelach onderbrak het verhaal. Phyfe verontschuldigde zich en zei hem zijn verhaal te vervolgen.

'Hoe dan ook... ze waren alletwee dronken en Fink stelde voor om de zaak op te lossen door om de beurt een glas whisky van elkaars hoofd af te schieten – dat deden ze wel vaker als ze iets moesten uitvechten.

Hè ja, dat is echt voor de hand liggend, dacht Jesse vol walging.

'Carpenter gaat daarmee akkoord en ze gooien een muntje op om te zien wie het eerst schieten mag. Fink wint. Carpenter zet dus een glas whisky bovenop zijn hoofd. En Fink schiet hem voor zijn kop.' Bulfinch begon te grinniken en even later bulderde hij van het lachen zodat hij bijna niet meer uit zijn woorden kon komen. 'En toen Fink over zijn dode maat gebogen stond, zei hij: "Carpenter, wat zonde van de whisky!"'

Bulfinch en Phyfe rolden bijna ondersteboven van het lachen. Fritz lachte hinnikend en zijn schouders schokten. Jesse kon niet begrijpen dat ze dat een grappig verhaal vonden.

'En wat gebeurde er met Fink?', vroeg hij. 'Je zei toch dat hij dood ging.'

'Zeker', zei Bulfinch, toen hij weer een beetje op adem kwam. 'Een zekere Talbot vond het niet goed wat Fink met Carpenter had uitgehaald. Hij trok zijn revolver en schoot hem door zijn hart.'

'Die man had geen gevoel voor humor!', riep Phyfe.

Ze begonnen opnieuw te lachen tot de tranen hun over de wangen liepen. De overmaatse verhalenverteller ergerde zich aan het feit dat Jesse niet meelachte.

'Ik neem aan dat jij betere verhalen kent', zei hij. Met zijn lichtblauwe ogen keek hij Jesse uitdagend aan.

Hij probeerde onder de uitdaging uit te komen en zei: 'Ik wil je niet beledigen, maar...' Hij hield zijn mond. Dit was de oude Jesse, de Jesse die op de loop ging.

Geef de vrede een kans.

Dat was een stelregel waaraan hij zich wilde houden. Maar de vrede een kans geven, betekende niet dat hij er geen eigen mening op na mocht houden. Het betekende niet dat hij maar moest buigen en terugdeinzen voor iedereen die hem uitdaagde.

'Ja, ik heb een beter verhaal', zei hij, Bulfinch strak aankijkend. Hij haalde uit zijn broeksband het boek over Truly Noble tevoorschijn. Hij ging naast de lantaarn zitten en begon te lezen:

Deadwood was een slechte, gemene stad. Normaal gesproken zou Truly Noble de veel langere weg er omheen genomen hebben om alle moeilijkheden te voorkomen. Maar vandaag kon dat niet. Zijn geliefde Charity had haar broer, die predikant was, aangeboden in het enige kerkje van de stad tijdens de diensten piano te spelen.

De gemeente bestond nog maar twee maanden. Maar dat was twee keer zo lang als alle voorafgaande gemeenten. De enige reden dat de gemeente het zolang uitgehouden was, was dat Virgil Increase, Charity's broer, een vasthoudend mens was die weigerde toe te geven aan het getreiter en de bedreigingen van de corrupte sheriff en zijn agenten. Truly kende die vasthoudendheid van maar al te goed. Het zou wel een familietrek wezen.

Toen Charity er dan ook op gestaan had die zomer te blijven, was Truly niet verbaasd geweest. Maar hij was niet van plan om Charity aan de genade van die verdorven stad uit te leveren. Daarom reed hij naar Deadwood om Charity, haar broer en de onervaren gemeente te beschermen.

Tot Jesse's blijdschap werd het gegiechel van de inzittenden minder en kregen ze steeds meer belangstelling voor de gebeurtenissen in het verhaal van Sarah Morgan Cooper. Jesse las hun drie avonden achter elkaar voor. En op de vierde avond was het heel stil en Bulfinch vroeg Jesse het verhaal nog een keer voor te lezen.

HOOFDSTUK 16

De *Liberty Belle* lag onbeweeglijk in de rivier. Er kwamen dikke rookwolken uit de twee schoorstenen. De twee grote houten schepraderen draaiden machteloos door het water. Eerst vooruit en toen achteruit. Aan de railing stonden angstig kijkende passagiers in het water te staren. Ze praatten opgewonden met elkaar en schudden hun hoofd. De stuurhut gonsde van activiteit. De kapitein - zelfs op deze afstand was te zien dat hij rood aangelopen was - schreeuwde bevelen naar zijn bemanningsleden. Maar ook zij waren niet in staat om de boot vlot te krijgen.

De boot helde niet naar één kant over; er waren ook geen boomwortels of andere obstakels in het water te zien. De boot was op een zandbank gelopen en zat nu muurvast.

Phyfe en zijn bemanning bevonden zich in de praam die aan de rivieroever lag afgemeerd. Ze keken toe en wachtten. 'Ze zit goed vast', zei Phyfe. 'Ze zullen haar moeten lossen. Fritz, ren naar Mills toe en zeg dat er werk aan de winkel is.'

Frank Mills behoorde ook tot de barmhartige Samaritanen. Toen Jesse hem drie dagen geleden voor het eerst ontmoet had, had hij aanvankelijk gedacht dat ze door Indianen werden aangevallen. Ze voeren vredig de rivier af toen Jesse plotseling in het bos iets had zien glinsteren. Hij had het het eerst gezien en was van plan het tegen Phyfe te zeggen toen de glinstering weer verdween. Jesse bleef het bos even in de gaten houden. Juist toen hij zich weer ontspande, zag hij weer een lichtflits. Het was een spiegeling. Jesse fluisterde tegen Phyfe dat hij dacht dat ze door Indianen in de gaten werden gehouden. Phyfe barstte in lachen uit. Deze keer zag Phyfe de spiegeling ook. Hij stuurde het vaartuig er recht op af. Toen had Jesse Mills ontmoet die met een spiegel signalen gaf.

Phyfe vertelde dat Mills hun contact op het land was. Hij hield hen vanaf de oever in het oog en als zij een schip zouden tegenkomen, zou Mills onmiddellijk naar het dichtstbijzijnde dorp rijden en daar wat extra mannen, paarden en wagens ronselen - en wat er ook maar nodig zou zijn om hun taak te kunnen uitvoeren.

Terwijl de andere drie toekeken hoe de *Liberty Belle* tevergeefs probeerde los te komen van de zandbank, rende Fritz de rivieroever op naar de weg om Phyfe's boodschap aan Mills over te brengen.

'Moeten we de kapitein onze diensten niet aanbieden?', vroeg Jesse.

'Hij weet dat we hier zijn. We moeten niet al te gretig lijken, dan zou hij boos kunnen worden. Op zeker moment roept hij ons zelf wel te hulp.'

Dat gebeurde inderdaad. Eén van de bemanningsleden riep hen aan. De man stond op de boeg van het schip met zijn handen om zijn mond en riep: 'Jullie daar in die praam. Help ons eens even!'

'Kijk, daar wachten we nou op', zei Phyfe. 'Oké, afduwen die boot.'

'En Fritz dan?'

'Maak je over hem maar geen zorgen. Die pikken we daarginds wel weer op.'

Aan boord van de *Liberty Belle* bleek Phyfe een gladde prater te zijn. 'Ooit de opmerking van kapitein Joseph LaBarge gehoord dat hij nooit wakker lag over zandbanken. "De rivier verandert voortdurend en iedere kapitein komt een keer op een zandbank vast te zitten."'

Zijn woorden hadden kennelijk weinig uitwerking op de woedende kapitein. Phyfe besloot daarom maar onmiddellijk ter zake te komen.

'Ik begrijp dat u haast hebt en ik zal u vertellen wat ik voor u kan doen. Een paar mijl verderop ligt een dorp. Een paar van mijn maats regelen op dit moment het transport voor de passagiers. We zullen eerst de passagiers aan land brengen en ze dan naar een taveerne vervoeren waar ze zich wat kunnen verfrissen en iets kunnen drinken.' En fluisterend voegde hij eraan toe: 'Bovendien hebben we dan ook geen last van hen.'

De kapitein leverde geen commentaar, maar aan zijn gezicht was te zien dat hij duidelijk onder de indruk van Phyfe's organisatie was.

'Vervolgens lossen we de boot', zei Phyfe. 'Wat vervoert u?'

'Suiker', antwoordde de kapitein.

'Suiker! We weten alles van suiker af', zei Phyfe. 'Tegen de tijd dat we die suiker gelost hebben, glijdt uw boot van die zandbank af alsof die helemaal niet bestaat.'

De kapitein en Phyfe onderhandelden over de prijs. De kapitein bood aan Phyfe op voorhand de helft van de verwachte verkoopprijs te betalen als dekking voor zijn kosten. Maar Phyfe sloeg het aanbod grootmoedig af en zei dat hij alles onder controle had. Toen begonnen ze met hun werk.

Meegesleept door Phyfe's grootmoedigheid, stak Jesse glimlachend zijn hand uit naar de dames als ze van de raderboot in de praam stapten om naar de dichtsbijzijnde oever gevaren te worden. Hij verzekerde hen dat ze hun reis spoedig zouden kunnen voortzetten en wuifde hen na toen ze met paard en wagens naar de taveerne werden gebracht.

Toen er voor de passagiers gezorgd was, begonnen ze de suiker te lossen. Jesse spande zich weer tot het uiterste in en werkte zich in het zweet. Het gaf hem een goed gevoel. En terwijl hij heen en weer van het ruim naar de praam liep, realiseerde hij zich hoeveel sterker hij geworden was sinds hij New York verlaten had. Hij voelde zich in alle opzichten goed. Hij hielp een stoomboot die in nood was, hij werkte in een team en hij trok naar het Westen. Achteraf gezien had het ongelukkige oponthoud in Brownsville toch nog een goede wending genomen.

'We zijn er bijna', zei Phyfe tegen Jesse, terwijl hij hem wat terzijde trok. De praam was weer geladen en stond op het punt naar de oever te varen. 'Weet je wat jij nu moet doen?', vroeg hij. 'Terwijl wij deze vracht wegbrengen, moet jij alle bemanningsleden die je vinden kunt, naar het ruim brengen. De vracht die nog aan boord is, bevindt zich recht boven de zandbank. Als we die naar de lege kant van het ruim kunnen verplaatsen, kunnen we ons heel wat heen- en weergeloop besparen. Begrepen?'

Jesse knikte.

Phyfe boog zich dichter naar Jesse toe en fluisterde: 'Zie je, we krijgen hiervoor een afgesproken prijs, dus hoe eerder we klaar zijn, hoe beter. Begrijp je?'

Weer knikte Jesse.

'Net zoveel bemanningsleden als je kunt vinden', zei Phyfe nog eens nadrukkelijk.

'Je kunt op mij rekenen', zei Jesse.

'Dat wist ik wel.'

Al zijn overtuigingskracht aanwendend verzamelde Jesse de bemanningsleden. De meesten gingen meteen bereidwillig naar het ruim. Ze wilden niets liever dan de stoomboot zo snel mogelijk vlot krijgen en weer op koers komen zodat ze zich weer aan hun schema en normale taken konden wijden.

Jesse kweet zich van zijn taak als een legercommandant die het bevel van een meerdere opvolgt. Hij maakte de bemanning duidelijk wat de bedoeling was en stelde hen als brandweermannen in rijen op; maar deze keer gaven ze elkaar geen emmers door, maar balen suiker. Hierdoor werd de taak sneller uitgevoerd daar ze dan niet met lege handen hoefden terug te lopen om weer een zak op te halen. Jesse zelf stond aan het hoofd van één van de rijen en hij moedigde zijn medewerkers tot spoed aan.

Na ongeveer een half uur waren vrijwel alle balen van het midden van het ruim naar het achterschip gebracht. Plotseling kwam er beweging in de boot. Hij gleed van de zandbank af. In het ruim ging gejuich op.

Maar het gejuich was nog niet weerklonken toen er vanaf het dek een bemanningslid in het ruim sprong. Hij wreef zijn polsen en schreeuwde: 'We zijn beroofd! We zijn beroofd!'

De bemanning van de *Liberty Belle* wilde allemaal tegelijk de ladder naar het dek opklimmen. Tegen de tijd dat Jesse aan dek kwam, leunden alle bemanningsleden over de railing en keken naar de oever. Phyfe, Bulfinch, Fritz, Mills en nog een paar andere mannen, laadden net de laatste balen suiker op een wagen. Toen de wagen in beweging kwam, sprong Phyfe op de wagen. De verlaten praam schommelde aan de oever in het water.

Jesse ving Phyfe's blik op. De schipper van de praam sloeg Bulfinch op de schouder en wees toen naar Jesse. Ze lachten en wuifden. Phyfe zette zijn handen aan zijn mond en schreeuwde: 'Ik wist wel dat ik op je kon rekenen!' Even later voegde hij er nog aan toe: 'Edwards zei dat je een goede werker was en daarom heeft hij jou aan mij overgedaan. Als ik hem weer zie, zal ik hem de groeten doen!'

De met zakken suiker beladen wagen verdween achter een groepje bomen uit het zicht.

'Grijp hem! Hij is één van hen', schreeuwde de kapitein van de stoomboot.

Meer handen dan Jesse kon tellen grepen hem vast. De kapitein was woedend. 'Waar waren jullie allemaal?', bulderde hij. Eén van de bemanningsleden vertelde hem dat ze allemaal in het ruim bezig waren geweest.

'Nou, toen jullie daar benedendeks bezig waren, hebben die aasgieren ons van alles beroofd. Ze besprongen de bemanning in de stuurhut en ze hielden een pistool tegen mijn hoofd. Toen stalen ze alles wat niet vast zat.'

'Zijn ze in de kluis geweest, kapitein?'

'Ze hielden een pistool tegen mijn hoofd', bulderde de kapitein.

Geen wonder dat Phyfe van tevoren geen geld wilde aannemen, dacht Jesse. *Hij wist dat hij toch alles zou krijgen!*

'De boot kan onmiddellijk varen, kapitein', merkte één van de bemanningsleden op. 'Hij is van de zandbank af. Waarom gaan we niet meteen achter hen aan. De weg en de rivieroever komen bij elkaar tussen hier en...'

'Ze hebben de stoomketel uitgeschakeld', zei de kapitein.

'Volledig uitgeschakeld?'

'Volledig.'

De bemanning was met stomheid geslagen. De zandbank die hen eerst had vastgehouden en een obstakel was geweest, deed nu dienst als een anker. Dat wil zeggen voor zolang het duurde. Ze voelden al hoe de boot steeds verder van de bank afgleed. Zonder stoom zouden ze aan de genade van de rivier overgeleverd zijn.

Zonder dat de kapitein hiertoe opdracht gegeven had, ging een aantal bemanningsleden op weg naar de stoomketel. *Zorg dat die stoomketel weer gaat functioneren. We hebben stoom nodig als we willen overleven.* Tot de rest van de bemanning schreeuwde hij: 'Iedereen weer op zijn post!' Hij wierp een blik op Jesse en zei: 'Breng die jongen naar mijn hut!'

Alle woede van de man concentreerde zich nu op Jesse. Hij was al boos geweest omdat zijn schip op een zandbank gelopen was. Daarbij kwam nog dat hij zich had laten beetnemen door een oplichter en bovendien de vernedering die hij moest ondergaan ten aanzien van zijn bemanning en straks ook ongetwijfeld tegenover de passagiers als ze uit de taveerne zouden terugkomen. En Jesse was nu de enige uitlaatklep voor zijn woede.

'Maar kapitein', schreeuwde Jesse, 'ik ben evenzeer slachtoffer als u!'

'Breng hem naar mijn hut!'

De kapitein zag eruit als een ketel die ieder moment zou kunnen exploderen. Jesse begreep dat er met de man niet redelijk te praten viel. Hij zou de volle straf moeten dragen voor Phyfe's zorgvuldig geplande en uitgevoerde roofoverval.

Hij werd met zoveel geweld weggesleept dat hij iets voelde knappen in zijn nek. De pijn trok door zijn hele rug heen. Aan weerszijden werd hij door een man bij zijn armen vastgehouden en een derde man liep achter hem aan, terwijl ze hem over het gangboord van de boot sleepten.

Jesse was half versuft door de zo snel veranderde omstandigheden. De barmhartige Samaritanen bleken in werkelijkheid aasgieren te zijn. En hij was een dwaas geweest om al die praatjes van Phyfe te geloven. Dit was de tweede keer dat hij er ingelopen was.

En ik heb nog wel zo mijn best gedaan!

Maar het was nu niet de tijd om medelijden met zichzelf te krijgen. Als hij aan boord zou blijven, stond zijn lot vast. Niemand zou geloven dat hij niets van de roofoverval had afgeweten. Zijn enige kans was proberen te ontsnappen. Maar hoe? Het was drie tegen één.

Hij zou plotseling iets totaal onverwachts moeten doen. Maar hoe kun je plotseling iets onverwachts doen als iedereen dat verwacht? En wat zou hij kunnen doen? Aan de linkerkant waren deuren die naar de hutten leidden. Aan de rivierzijde waren de railing en de posten die de bovenbouw droegen. Ze verwachten dat ik mij los zal rukken. Maar als ik eens...? Het was zijn enige kans. Een plotselinge omkering.

Hij telde het aantal stappen tussen de palen die de bovenbouw steunden. Een. Twee. Drie. Vier. Vijf. Een paal. Hij telde opnieuw. Een. Twee. Drie. Vier. Vijf. Een paal.

Het was nu of nooit.

Een. Twee. Drie. Vier...

Jesse leunde achterover tegen zijn bewakers in. Ze grepen hem nog steviger vast, net wat hij wilde. Toen lichtte hij zijn linkerbeen op en zette zich met al zijn kracht tegen de paal af. Als kegels die door de bal geraakt worden, sloegen ze alle vier tegen het dek. De man die achter hem gelopen had, kreeg het volle gewicht van de drie mannen die voor hem liepen bovenop zich. Hij kreunde toen de lucht uit zijn borst geperst werd.

Onverwachts. Het had gewerkt. Maar het onverwachte werkte nooit lang. Jesse probeerde overeind te komen. Eén van de bewakers herstelde zich snel genoeg om zijn enkel te grijpen. Jesse probeerde hem af te schudden. De andere man schudde zijn hoofd om weer bij zijn positieven te komen. Ook hij zou Jesse weer spoedig grijpen.

Zich aan de paal vastgrijpend, trapte Jesse met zijn vrije voet op de pols van de man. De man gilde en zijn greep verslapte. De andere man probeerde nu eveneens zijn enkel te grijpen, maar Jesse zag kans om zijn voet buiten zijn bereik te trekken.

Hij trok zichzelf aan de railing omhoog en keek neer op de rivier.

Hij aarzelde.

Achter hem greep een hand zijn riem. Jesse draaide zich om en probeerde de hand weg te slaan, maar de hand liet niet los. De tweede bewaker greep nu zijn arm. Er waren teveel tegenstanders. Ze probeerden hem weer terug te trekken op het gangboord.

Terwijl hij zich met één hand aan de paal vasthield en aan zijn andere arm werd teruggetrokken, zag Jesse kans zijn voet op de railing te zetten. Hij zette zich met alle macht tegen de railing af.

De handen konden hem niet houden. Hij was vrij!

Vrij van de bemanningsleden. Vrij van de railing. Vrij van de boot. Bevrijd van alles, behalve van de zwaartekracht. Het was een vreemde gewaarwording voor hem. Terwijl hij viel draaide hij om en hij zag hoe de twee bemanningsleden tevergeefs naar hem grepen. Terwijl hij viel werden ze kleiner. Naast hem viel de door zijn tante geschreven en gesigneerde roman *Gevaar in Deadwood* naar beneden.

Plons!

Zijn hoofd en nek vingen de klap op waarmee hij op het water belandde. Er was een lichtflits en toen werd alles donker. Donker en vloeibaar. Hij herinnerde zich een gevoel van zweven. En hij herinnerde zich dat hij probeerde adem te krijgen, om de donkere lucht in te ademen. Zijn longen vulden zich. Nu was alles zwart.

Er drongen stemmen door de duisternis tot hem door. Hij zweefde niet meer. Maar zijn armen gingen omhoog zonder dat hij daartoe zelf een poging deed. Eerst de ene en toen de andere.

'Ik denk dat hij dood is.'

'Ik denk het niet. Ik zag zijn ooglid bewegen.'

'Je kunt hem niet alleen optillen, liefje. Ik zal je helpen.'

Jesse kreeg weer het gevoel gewicht te hebben. Hij probeerde zich te bewegen en iets te zeggen. Maar hij wist niet wat hij zeggen moest. Zijn hoofd bungelde heen en weer en hij kon niets doen om dat te verhinderen. Hij werd op een nogal onhandige manier omgedraaid.

'Voorzichtig, liefje. Pak die pet ook maar. Die zou wel eens van hem kunnen zijn.'

Hij werd als een baal suiker opgetild en weggedragen. Toen werd hij op een houten vloer gelegd. En vervolgens begon de vloer te hotsen en te stoten.

Toen hoorde hij de stem weer.

'O, J.D., wat ziet hij er nog jong uit.'

Het duister werd minder, was niet langer vloeibaar en verstikkend. Hij kon nu ademen zonder dat zijn longen verschroeiden. Maar slechts heel moeizaam. Als hij te diep inademde, begon hij te hoesten, krampachtig te hoesten, waardoor hij dubbel sloeg en met zijn neus zijn knieën raakte. Als dat gebeurde waren er die handen weer. Op zijn rug en schouders. Ze trokken aan hem. Ze hielden hem neergedrukt.

Je moet je verzetten. Ze wegduwen. Je moet je niet laten vangen. Ze zullen je nooit geloven. Nooit geloven.

Tussen de hoestbuien door waren die stemmen er soms ook. Geen handen, alleen maar stemmen. Maar hij begreep niets van wat er gezegd werd.

'Dat is nu de tweede keer op dat stuk drijfzand. Ik heb er destijds bijna een broer verloren.'

'Ja, dat herinner ik mij. Ik heb je nog nooit zo hard zien rennen. Je holde de rivieroever af alsof je broek in brand stond.'

'Het enige waaraan ik kon denken was hoe boos vader geweest zou zijn als hij zou verdrinken.'

'Hij lijkt wel een beetje op je broer, vind je ook niet?'

'Zijn haar is lichter.'

'Kijk eens naar zijn mond en naar zijn kin.'

'Ja, die lijken er wel wat op.'

'Het schijnt dat hij nu wat rustiger wordt.'

'Laten we hem een poosje met rust laten.'

'Zijn de vrouwen aan het bidden?'

'In de kerk. Ik ga er nu heen.'

'Wil je thee voordat je gaat?'

'Wie zou ooit hebben kunnen denken dat je nog eens zo'n toegewijde echtgenote zou worden?'

'Ik in ieder geval niet.'

IJzige zwarte vingers raakten zijn ruggengraat aan. Als ijspegels staken ze in zijn armen, benen en voeten en ze verkilden hem tot op zijn botten. Hij huiverde zozeer dat het hem pijn deed. Als hij zich tot een bal oprolde, hielp hem dat nauwelijks. Ook trappelen hielp niet. Zijn hoofd deed vreselijk zeer, alsof er spijkers ingeslagen werden. Het rillen hielp niet. Hij klapperde met zijn tanden en zijn kaken spanden zich, waardoor de pijn in zijn hoofd nog erger werd. Als hij zich maar even bewoog, leek het wel of de spijkers in zijn hoofd een gloeiende lichtstraal werden die explodeerden.

'Arme jongen! Hij heeft meer dekens nodig.'

'Ik zal kijken of ik er nog een paar kan vinden.'

De stemmen waren teruggekeerd; en ook de handen waren er weer. Ze grepen zijn schouders en ze draaiden hem om. Ze drukten hem neer.

'Dit is alles wat ik in de kast kon vinden.'

'Help mij even hem onder te dekken.'

Jesse deed moeite zijn ogen te openen. Hij wilde zijn bewakers zien.

Je kunt je niet gevangen laten nemen. Ze zullen je nooit geloven. Maak dat je weg komt! Maak dat je weg komt!

'Ik denk dat hij aan het bijkomen is.'

'Hé, jongen, kun je mij horen?'

Iedere poging om zijn ogen open te doen veroorzaakte hem veel pijn. Maar hij bleef het proberen. Hij moest weten wie hem neergedrukt hield.

'Hij rilt niet zo erg meer.'

'God zij gedankt.'

Het licht priemde in zijn ogen. Vaag zag hij twee personen. Hoofden. Dicht bij elkaar. Ze waren over hem heengebogen. Ze waren donker. Hij kon hun gelaatstrekken nauwelijks zien. Het deed te zeer. Hij moest zijn ogen weer sluiten.

Hij rustte even en probeerde het toen opnieuw. Deze keer kon hij hun gezichten onderscheiden. Twee mensen. Een man en een vrouw. Ze glimlachten. Hij had een snor en was kalend. Zij had blond haar en grote ogen.

'Kun je mij horen, jongen?', vroeg hij.

Jongen. Dat woord bracht Jesse in de war. Jongen. Was hij dood? Was hij in het hiernamaals? Hij probeerde te spreken. Maar het leek wel of hij zijn mond niet open kon krijgen.

'Jongen, kun je mij horen?'

Jesse slaagde erin zijn tong te bewegen en zijn lippen van elkaar te krijgen. Hij dwong zich diep te ademen en hij lispelde: 'Vader?'

'Nee, nee, ik ben je vader niet. We hebben je aan de oever van de rivier gevonden. Je hebt veel water binnengekregen. Maar de dok... dat het wel... zal duren voor je weer...'

De duisternis probeerde hem weer terug te trekken en spoelde als golven over hem heen. Iedere golf bracht hem weer buiten bewustzijn en hij moest zijn uiterste best doen om te horen wat er gezegd werd.

'... heet je, jongen? Wat... je naam?'

Blijf volhouden, dacht Jesse. *Vecht tegen die duisternis*. Hij probeerde zijn naam te zeggen. De J bleek uiterst moeilijk te zijn. 'ess.., esse.'

'Begint je naam met de letter S?'

'...ess... esseee.'

'Ik denk dat hij een woord probeert te spellen.'

'Ja, misschien wel. Het klinkt als S... E...'

Jesse probeerde zijn hoofd te schudden, maar bij de geringste beweging flitste de pijnscheuten door zijn hoofd. Hij bewoog zijn tong en lippen weer en lispelde opnieuw: 'Zhh... Zhh...'

'Begrijp jij het?'

'Nee, jij?'

'Zhh... zhh... Je... Jess...Jess... ee.'

'Ik denk dat hij Jesse zegt.'

'Je hebt gelijk. Heet je Jesse, jongen?'

Jesse slaagde erin flauwtjes te glimlachen. Toen overviel de duisternis hem weer.

Hij werd wakker door het zingen van vogels. Buiten het raam tjilpten en kwetterden een paar vogels. Zijn tong leek wel schuurpapier. Hij slaagde erin zijn ogen op een kiertje open te doen. Zijn mond en lippen waren kurkdroog. Zijn hoofdpijn was nu bijna verdwenen, maar hij voelde zich nog helemaal verdoofd. Hij lichtte zijn hoofd een eindje op. De kamer danste en zwaaide heen en weer. Was hij aan boord van de stoomboot?

Hij ging zitten. De muren waren met gestreept behang bedekt. Aan het voeteneind van zijn bed stond een kaptafel met een spiegel erop. Rechts van hem bevond zich een raam. Een groot raam met een houten omlijsting. Daar kwam het gekwetter van de vogels vandaan. Boomtakken, en achter de takken een grasveld en een weg.

Ik ben niet op de stoomboot.

Hij sloeg de deken weg en zwaaide zijn voeten uit het bed. Ze kwamen op een koele, houten vloer terecht. Heel langzaam ging hij staan en hield zich met moeite overeind. Een golf van misselijkheid sloeg over hem heen en hij viel weer terug op het bed.

Zijn hart bonsde en hij hijgde of hij net een paar kilometer gerend had. Hij was er verbaasd over dat het hem zoveel moeite kostte om alleen maar te gaan staan. Hij probeerde het opnieuw. Deze keer bleef hij zich met één hand aan het bed vasthouden. Hij stond en toen de misselijkmakende golf over hem heengespoeld was, stond hij nog.

Een volle minuut bleef hij alleen maar staan. Dat was alles wat hij kon. Toen hij weer wat op adem gekomen was, schuifelde hij langzaam vooruit tot hij bij het raam stond. Hij hield zich vast aan de vensterbank en probeerde erachter te komen waar hij was.

Hij bevond zich op de benedenverdieping van een huis. Buiten werd alles vaag verlicht door het eerste morgenlicht. Aan de overzijde van de weg kon hij de Ohio-rivier zien. Wat had Phyfe ook al weer tegen de kapitein van de stoomboot gezegd? Dat er een dorp vlakbij was. De passagiers waren daar met wagens heengebracht om geen last van hen te hebben.

Zodat Phyfe geen last van hen zou hebben als hij de boot zou beroven.

De dorpsbewoners zouden nu wel op de hoogte zijn van de roofoverval. Ze zouden ongetwijfeld ook gehoord hebben over die ene rover die gevangen was, en die kans gezien had weer te ontsnappen. Er zou wel een beschrijving van hem gegeven zijn. Het hele dorp zou naar hem uitkijken.

Ik moet hier weg.

Jesse zag zijn kleren over een stoel naast het bed hangen. Zelfs zijn pet lag op de stoel. Hij was erg zwak en beefde van de inspanning. Ook zijn hoofd begon weer te bonzen. Maar hij slaagde erin zich aan te kleden en het leek erop dat zijn lichaam weer normaal functioneerde.

Tot zijn opluchting schoof het raam omhoog zonder geluid te maken. De kilte van de morgen kwam hem tegemoet. Hij ging op de vensterbank zitten en zwaaide zijn benen naar buiten. Even later liep hij met onzekere passen over het grasveld naar de weg.

Sarah geeuwde en rekte zich uit. Dit was voor haar de beste tijd van de dag. De frisheid van een nieuwe dag. De lucht vertoonde nog een roze gloed. Hoezeer ze haar leven op de plantage in Virginia met Daniel ook waardeerde, een deel van haar leefde nog steeds hier in Ohio. In deze kamer. Aan dit bureau.

Ze stond over de kleine schrijftafel gebogen die naast het raam stond. Hier had ze als jong meisje gezeten en uit het raam gekeken en erover gedroomd een beroemde schrijfster te worden. Aan dit bureautje had ze haar eerste manuscript geschreven. Ook had ze hier heel wat liefdesbrieven aan Daniel geschreven.

Er trok een glimlach over haar gezicht. Vreemd dat ze nu om die dag kon glimlachen. Op die dag zelf had ze gedacht dat haar leven voorbij was.

De dag waaraan zij terugdacht was om een aantal redenen onvergetelijk. De Coopers waren op bezoek. Dat betekende dat ze Daniel na lange tijd weer terugzag. De spanningen die aan de burgeroorlog voorafgingen, waren er de oorzaak van geweest dat beide families lange tijd niet bij elkaar waren geweest. Maar die week waren de Coopers uit het zuiden en de Morgans uit het noorden over verschillende opvattingen heengestapt.

Alles was goed gegaan totdat Seth Cooper, Daniels vader, er achter was gekomen dat de zoons van zijn vriend tijdens zijn verblijf een aantal slaven hielpen ontsnappen. Eén van de boten waarmee Marshall en Willy Morgan de slaven over de Ohio-rivier vervoerd hadden, was uit elkaar gevallen. Marshall was bijna verdronken. J.D. zag het ongeluk vanaf het dijkje bij het huis gebeuren en hij, Daniel en Willy hadden kans gezien Marshall te redden.

Toen Daniels vader erachter kwam dat zijn zoon op die manier bij de ontsnapping van slaven betrokken was geraakt - ook al was het in eerste instantie om de redding van Marshall gegaan - was hij woedend geworden. Binnen een uur waren de Coopers op weg naar huis. Terwijl ze aan dit bureautje had gezeten, had Sarah haar geliefde Daniel zien vertrekken. Ze had gedacht dat haar hart zou breken toen ze een brief aan hem geschreven had, zonder te weten of ze hem nog ooit zou terugzien.

Sarah glimlachte opnieuw. Wie had kunnen voorzien dat alle dingen zo wonderlijk voor haar waren verlopen? Nu, jaren later, waren haar twee hartewensen vervuld - ze had haar geliefde Daniel gekregen en ze was een gevierd schrijfster geworden. Dit kon niet anders uitgelegd worden dan een duidelijk bewijs van Gods genade.

Terwijl ze bij het schrijftafeltje stond, kwam er een vreemde gedachte bij haar op. Haar ouders waren overleden en J.D en Jenny woonden nu in het huis. Stond dat tafeltje altijd bij het raam, of zetten ze het hier weer neer als zij op bezoek kwam?

Plotseling zag ze buiten iets bewegen. Op het grasveld beneden zag ze een slungelachtige jongen lopen met een pet op. Hij liep wat onzeker, maar had kennelijk veel haast. Eerst dacht ze dat hij misschien iets kwaads in de zin had. Maar hij had niets bij zich. En afgezien van het feit dat hij zo'n haast had, was er niets verdachts aan hem. Hij keek niet voortdurend over zijn schouder achterom. Waarschijnlijk gewoon een jongen die een kortere weg wilde nemen.

Maar er was iets aan hem dat haar verontrustte. De manier waarop hij liep. Zijn lange benen en slungelige armen. Zijn kleren. Die pet.

Jesse.

De jongen herinnerde haar aan Jesse. Ze zag hem de weg oversteken, over het dijkje klimmen, even aarzelen en toen langs de helling verdwijnen.

Ze schudde haar hoofd en dacht eraan hoe vreemd het was dat je iemand, door alleen maar zijn achterkant te zien, voor een ander kon houden. Als ze plotseling het gezicht van de jongen gezien zou hebben, zou ze waarschijnlijk gelachen hebben om de absurditeit hem voor Jesse te hebben aangezien.

Ze trok de gordijnen dicht en kleedde zich aan.

'Goede morgen. Welkom thuis.'

Jenny draaide zich om van het hete fornuis dat de geur van versgezette koffie, gebraden worstjes en eieren verspreidde. Ze veegde haar handen aan haar schort af en spreidde haar armen. Sarah glimlachte breed en omhelsde haar. Naar haar inschatting was het feit dat J.D. met Jenny Parsons was getrouwd het verstandigste wat hij ooit gedaan had.

'Je kwam gisterenavond zo laat aan', zei Jenny, 'dat ik niet de kans kreeg je op gepaste manier te begroeten.'

'Het is goed om weer thuis te zijn', zei Sarah met haar armen om Jenny heengeslagen.

Toen ze elkaar eens goed opgenomen hadden, keerde Jenny zich weer naar het fornuis. Ze draaide de worstjes en de eieren om. 'Heb je goed geslapen in je oude slaapkamer?', vroeg Jenny. 'Of heb je je eigen bed gemist?'

Sarah lachte. 'Het is verbazend hoe klein het bed nu lijkt. Het is net of het gekrompen is.'

Jenny lachte met haar mee. Toen zag ze het boek dat Sarah op de tafel gelegd had en ze zei: 'Dat heb ik sinds onze trouwdag niet meer gezien.'

Sarah legde haar hand op het boek – de familiebijbel van de Morgans. 'Dat gaf mij het excuus om naar Port Providence te komen.'

'Sarah Cooper, je mag dan wel een beroemde schrijfster zijn, maar je hebt nooit een excuus nodig om naar huis terug te keren.'

Sarah giechelde om Jenny's vermanende woorden. 'Slecht gekozen woorden', zei de schrijfster.

Op de trap klonk een onregelmatig gestommel.

'Het lijkt erop dat de meester van het huis ook wakker geworden is', zei Jenny.

Even later kwam J.D. Morgan de keuken binnen. Hij liep met behulp van een wandelstok. Een houten been verving het been dat hij bij de slag van Fredericksburg was kwijtgeraakt. Het was een povere vervanging en daarom moest hij met een wandelstok lopen.

'De jongen is niet meer op zijn kamer', zei J.D. 'Is hij ergens hier?'

'Jongen?', vroeg Sarah.

J.D. en Sarah hadden geen kinderen. Door zijn oorlogsverwonding konden zij geen kinderen krijgen. Omdat hij niet in staat was een erfgenaam te verwekken, had zijn vader de familiebijbel aan Benjamin Morgan gegeven. Eén van de verantwoordelijkheden van degene die de Bijbel in bezit had, was die door te geven aan de volgende generatie van de Morgans.

'We hebben hem half-verdronken daar bij die zandbank gevonden', zei J.D. 'Je weet wel, die plaats waar Marshall bijna verdronken is.'

'Daar moest ik vanmorgen juist aan denken', zei Sarah. 'Ik stond toevallig bij het raam...'

'Heb je gekeken of hij buiten is?', vroeg Jenny. 'Misschien is hij...'

'Is het een jongen van hier uit de buurt?', vroeg Sarah. Ik zag vanmorgen een jongen op het grasveld lopen. Hij ging naar de rivier. Als ik geweten had...'

Jenny liep naar Sarah toe en legde een hand op haar schouder. 'Dat zou je onmogelijk hebben kunnen weten, Sarah', zei ze.

'Als hij hier in de buurt woont, is hij misschien gewoon weer naar huis gegaan', opperde Sarah.

'Dat zou kunnen', zei J.D. 'Maar het kan geen kwaad om even buiten te kijken.'

Terwijl Jenny voor het fornuis bezig was, zei Sarah tegen J.D.: 'Ik zal mee helpen zoeken.'

'Dat is echt niet nodig', antwoordde J.D. 'Als hij in staat is om er vandoor te gaan, gaat het kennelijk goed met hem. Blijven jullie maar hier en ga maar vast ontbijten. Ik kijk even rond.'

'Onzin. Ik ga met je mee', zei Sarah.

'We gaan alle drie', zei Jenny terwijl ze haar schort afdeed.

'Nou ja', lachte J.D., 'tegen twee kan ik natuurlijk niet op.'

Ze haalden een paar truien om aan te trekken en gingen toen de deur uit, de frisse morgenlucht in. 'Je zei toch dat hij naar de rivier liep, hè?', vroeg J.D.

Sarah wees naar de plaats waar ze hem had zien verdwijnen.

'Laten we dan daar beginnen', zei J.D. 'Zonodig splitsen we daar.'

'Hoe heette die jongen ook alweer?', vroeg Sarah terwijl ze naar het dijkje liep.

'Jesse', antwoordde Jenny.

Toen ze de naam hoorde, bleef Sarah abrupt staan. Het was net of ze tegen een onzichtbare muur opgelopen was. En die muur zou haar niet zo verbaasd hebben als die naam.

'Wat is er, Sarah?', riep Jenny.

J.D. liep naar zijn zus toe en greep haar bij de arm om te voorkomen dat ze zou vallen.

'Nee', zei Sarah, 'dat kan alleen maar toeval zijn.'

'Wat bedoel je? Toeval?'

'Toen ik die jongen over het grasveld zag lopen...'
'Ja?'
'... toen dacht ik even... ja, zie je, ik zag overeenkomsten en ik dacht...'
'Dacht wat? Sarah, je maakt mij aan het schrikken!', riep Jenny uit.
'Het spijt mij', zei Sarah. 'Ik heb waarschijnlijk een te grote verbeelding, maar ik dacht dat die jongen precies op onze Jesse leek.'
'Je bedoelt Jesse van Ben? Uit New York?', riep J.D.
'Raar hè?', zei Sarah schaapachtig. Ze kwam weer wat tot zichzelf. 'Er lopen natuurlijk nog veel meer Jesses rond.'
'Wat toevallig', gaf J.D. toe. Hij liet Sarah los en liep weer verder naar de rivier.
'Misschien toch niet', zei Jenny. 'Weet je nog dat ik gisterenavond zei dat hij wel iets van Ben weg had?'
'Nee, dat kan niet', riep J.D. uit. 'Ik weet wel dat Clara sinds Bens dood nog nauwelijks contact met ons heeft gehouden, maar ze zou het ons toch in ieder geval hebben laten weten als Jesse naar Ohio zou komen.'
'*Als* ze wist dat hij zou komen', merkte Jenny op.
'Wat bedoel je?', vroeg J.D. verwonderd.
'Ik weet het niet', zei Jenny. 'Het is zomaar een gevoel. Laten we eens zien of we hem kunnen vinden.'
Ze zochten het hele dijkje langs de rivier af tot helemaal bij de zandbank waar ze hem gevonden hadden. Daarna doorzochten ze het huis en de omgeving. Toen ze geen spoor van hem konden ontdekken, reed J.D. naar het dorp om te zien of hij hem daar zou kunnen vinden. Hij vroeg verschillende mensen of zij hem misschien hadden gezien. Kort voor het middageten kwam hij weer terug.
J.D., Jenny en Sarah stonden op het dijkje en keken de rivier af.
'Hij zal het wel niet geweest zijn', zei Sarah. 'Maar om het zekere voor het onzekere te nemen zal ik een telegram naar Clara sturen.'
'Wat ga je dan zeggen?', vroeg J.D.
'Dat weet ik nog niet, maar ik bedenk wel iets.'
Jenny zei: 'Ik heb er geen verklaring voor, maar op de een of andere manier denk ik dat het onze Jesse was. Toen ik hem daar zo op dat bed zag liggen, moest ik voortdurend aan Ben denken.'
J.D. gaf Jenny en Sarah een hand. 'Of het Jesse nu wel of niet was, ik denk dat het goed is als we voor hem bidden.'
Terwijl de Ohio-rivier in zijn eeuwenoude loop langs hen heen stroomde, bad J.D. Morgan tot de God van alle eeuwen om deze Jesse te beschermen en te hoeden en of Hij hun Jesse met kracht en wijsheid wilde versterken, waar hij ook zou zijn.

HOOFDSTUK 18

Twee dagen lang boden de heuvels van Cincinnatti Jesse een schuilplaats en een plaats om weer op verhaal te komen, terwijl hij wachtte tot de *Liberty Belle* haar reis zou voortzetten. Daar hij niet het risico wilde lopen door de kapitein of de bemanningsleden herkend te worden, voerde Jesse geen klusjes uit in de haven maar op boerderijen in de omgeving, in ruil voor voedsel en een slaapplaats. Onder dekking van het donker waagde hij het om aan het eind van de dag naar de haven te gaan om te zien of de *Liberty Belle* er nog steeds lag. Op de tweede avond zag hij tot zijn opluchting dat ze vertrokken was.

Op de derde dag was hij 's morgens vroeg weer in de haven om te zien of hij een baantje kon vinden op een stoomboot die naar St. Louis zou varen. Hij informeerde hier en daar en kreeg te horen dat er twee stoomboten waren die St. Louis als bestemming hadden - de *Tippecanoe* en de *Eagle*. Op die bewuste morgen werd de lading van de *Tippecanoe* aan boord gebracht.

Jesse behoefde niet te vragen wie de kapitein was. Iedereen in de haven wist precies waar hij was. Iedereen wist ook precies wat hij zei. Hoewel hij slechts een paar meter van de havenmeester afstond, was zijn stem tot ver in het dorp te horen.

'Precies om acht uur!', bulderde de kapitein.

'Onmogelijk!', schreeuwde de havenmeester terug. 'Ik heb niet voldoende mensen om de lading dan al aan boord te hebben.'

'Waarom niet?'

'Omdat u mij gisteren zei dat u om tien uur zou vertrekken. Tegen die tijd is de lading aan boord.'

'En nu zeg ik je dat ik om acht uur wil vertrekken!'

'En ik zeg je dat dat onmogelijk is!', schreeuwde de havenmeester terug.

'Dan moet je meer mensen aan het werk zetten!', bulderde de kapitein.

'Die krijg ik nooit zo gauw bij elkaar!'

Jesse zag zijn kans. Hij greep hem. 'Ik kan wel helpen laden. Ik ben op zoek naar werk.'

'Zie je wel! Hier heb je al een arbeider! Je probeert het gewoon niet, Jonathan!', riep de kapitein. Hij boog zich wat dichter naar hem toe en zei wat zachter: 'Als ik je niet beter kende, zou ik denken dat je geld van Marsh aanneemt om mij dit te flikken.'

De havenmeester was zo verbijsterd dat hij stamelde: 'Kapitein Lakanal, die opmerking betreur ik zeer!'

'Zorg er dan voor dat mijn boot om acht uur geladen is.' De kapitein achtte de zaak daarmee geregeld en liep op de loopplank toe. Jesse volgde hem.

'Kapitein!', riep hij.

De kapitein draaide zich om. Het was een knappe man van midden vijftig met een kortgeknipte, witte baard en snor. Zijn ogen stonden diep in zijn hoofd en zijn bruine, gelooide huid wees erop dat hij zijn leven lang aan de zon blootgesteld was geweest.

De kapitein kwam terug. 'Ja, wat is er?'

'Ik wil naar St. Louis.'

'Wil je een kaartje kopen?'

'Nee, u begrijpt mij verkeerd. Ik heb geen geld. Ik wil mijn reis daarheen verdienen door te werken. Ik zou graag een lid van uw bemanning worden.'

De kapitein keek hem doordringend aan. De ogen die gewend waren de rivier af te speuren naar mogelijke gevaren, waren nu op Jesse gericht. 'Wat kun je?', vroeg de kapitein.

'Ik ben bereid alles te doen. Ik ben een harde werker.'

'Ik bedoel: wat voor bekwaamheden heb je die op een stoomboot van nut zijn?'

Bekwaamheden voor een stoomboot. Hij wilde Brownsville en zijn ervaringen met een praam niet noemen. 'Ik heb heel wat hout gehakt', stamelde hij.

'Man, je verknoeit mijn tijd!'

'Wacht alstublieft, kapitein. Ik geef toe dat ik geen ervaring met een stoomboot heb. In New York werkte ik op een kantoor en sinds die tijd...'

'Op een kantoor gewerkt?'

Jesse vatte weer moed. 'Ja meneer. Op het kantoor van de Ruger-glasfabriek.'

'Ik ben mijn hutjongen kwijtgeraakt', zei de kapitein.

'Ik zou graag uw hutjongen willen zijn!', riep Jesse uit.

De kapitein keek hem aan of hij gek geworden was. 'Jij bent veel te oud voor hutjongen!'

'Noem mij dan uw assistent of persoonlijke bediende of slaaf. Ik verwacht geen betaling. Ik heb alleen maar eten en een plaats om te slapen nodig.'

De kapitein keek hem strak aan, stak zijn wijsvinger op en zei nadrukkelijk: 'Ik zeg de dingen slechts één keer en ik verwacht dat iedere opdracht wordt uitgevoerd zonder verder vragen te stellen.'

'Ja meneer', zei Jesse.

'Ik heb iemand nodig die zelfstandig kan werken. Ik heb niet de tijd om steeds te kijken of je je werk wel goed doet.'

'Nee meneer. Dat is ook helemaal niet nodig.'

'Nou, luister', zei de kapitein. 'Jij helpt mee laden en als de boot om acht uur kan vertrekken, mag je mee naar St. Louis.'

'Ja meneer!', riep Jesse verheugd uit. Zonder een seconde te verliezen draaide hij zich om en rende naar de steiger waar ze zakken en houten kratten aan boord van de *Tippecanoe* brachten.

Jesse wilde zo graag aan boord van de *Tippecanoe* komen dat hij zich bijna over de kop werkte. Omdat zijn passage op het schip afhankelijk was van de snelheid waarmee de lading aan boord gebracht zou worden, werkte hij zo hard dat hij er geen rekening mee hield dat hij nog verzwakt was door alles wat hij nog maar pas had doorstaan. Het duurde niet lang of hij droop van het zweet en hij kon nog maar nauwelijks zijn armen optillen. Maar hij bleef doorgaan en spoorde iedereen in zijn omgeving aan er nog een schepje bovenop te doen. Hij was vastbesloten de tijdslimiet van acht uur te halen.

Toen de laatste vracht door de kraan op het voordek aan boord werd gehesen, vroeg Jesse hoe laat het was. Vijf over negen. Jesse voelde de moed in zijn schoenen zakken. Hij was al bang geweest dat ze om acht uur niet klaar zouden zijn, maar hij had erop gehoopt dat ze maar tien of vijftien minuten over tijd zouden zijn. Maar meer dan een uur!

Jesse stond op de steiger en keek naar de stoomboot. Hij had zo zijn best gedaan, maar het was niet genoeg geweest. Er waren gewoon te weinig arbeiders geweest. De kapitein had het onmogelijke van hun gevraagd. Toen hij zo op de steiger stond, voelde Jesse zich als één van de zakken graan waarmee hij de hele morgen rondgesjouwd had. Het verbaasde hem dat hij zich nog niet meer teleurgesteld voelde. Maar hij had gewoon geen energie meer over om nog iets te voelen.

Rust wat uit en probeer het op de Eagle, hield hij zichzelf voor. *We zijn nog maar halverwege de morgen. Misschien dat je bij die andere kapitein meer geluk hebt.* Hij hoopte maar dat de kapitein van de *Eagle* geen volledige vracht aan boord moest laden.

Maar hij bleef op de steiger staan. Zijn lichaam weigerde om te reageren op wat hij dacht te gaan doen. Hij wilde nog een laatste poging doen om aan boord van de *Tippecanoe* te komen. Op de een of andere manier vond hij de kracht om naar de loopplank te lopen.

Jesse vertelde het zelfingenomen bemanningslid dat bovenaan de loopplank stond, dat hij de opdracht had om rapport bij de kapitein uit te brengen. Het bemanningslid keek naar de zweetplekken onder zijn oksels.

'De kapitein heeft je zeker uitgenodigd om in de statiezaal thee met hem te komen drinken voor we vertrekken?', merkte hij schamper op. Het kostte Jesse een paar minuten om de man zover te krijgen dat hij hem naar de kapitein bracht. Langzaam en uiterst vormelijk begeleidde hij Jesse persoonlijk naar de stuurhut. Jesse moest er niet aan denken dat hij ook weer door hem teruggebracht zou worden als de kapitein geen aandacht aan hem zou besteden.

Toen ze bij de stuurhut kwamen, zag Jesse door het raam de kapitein en de stuurman staan. Ze stonden over een kaart gebogen. De kapitein was aan het woord. Door de geopende deur heen was te horen dat hij het over de waterval in de Ohio-rivier bij Louisville had. Toen hij de beide mannen zag staan, hield hij midden in een zin zijn mond.

Het bemanningslid dat Jesse begeleid had, zei: 'Kapitein, deze man zei dat...'

Jesse viel hem in de rede. 'Kapitein, ik weet dat u mij gezegd hebt dat...'

'Waar heb je zo lang gezeten?', onderbrak de kapitein. 'Hier! Pak aan! Breng deze boodschap naar de machinist en wacht op zijn antwoord!' Hij tilde een hoek van de kaart op, verschoof wat papieren en toen hij het papier dat hij zocht gevonden had, overhandigde hij dat aan Jesse. 'Nou, wat treuzel je nu nog. Je had al halverwege moeten zijn!'

'Zeker, meneer!', zei Jesse breed grijnzend tegen de kapitein die al niet meer naar hem keek. Zijn grijns werd nog breder toen hij naar zijn begeleider keek. Het was een kleine, maar duidelijke overwinning.

'Wacht even!', riep de kapitein.

Het bemanningslid dat waarschijnlijk dacht dat de kapitein op zijn besluit zou terugkomen, greep hem bij de arm om te voorkomen dat hij weg zou rennen.

'Hoe heet je eigenlijk?', vroeg de kapitein.

'Jesse Morgan, meneer.'

'Aan het werk, Morgan!'

Om precies tien uur loeide de scheepsfluit van de *Tippecanoe* ten teken van vertrek en werden de trossen losgegooid. Precies op schema, zoals altijd. Kapitein Lakanal was dat ook aan zijn reputatie verplicht. Zijn bijnaam 'Kapitein Punctueel' wees erop dat zijn aankomst en vertrek altijd volgens schema waren. Kapitein Lakanal, de zoon van Frans-Canadese ouders, was een typisch voorbeeld uit de gloriedagen van de raderboten toen de kapiteins als koningen behandeld werden en de rivieren hun koninkrijk waren.

Jesse kwam er spoedig achter wat het geheim van de stiptheid van de kapitein was. Als het om tijd ging verlangde hij altijd het onmogelijke. Hij had geweten dat het onmogelijk was zijn boot om acht uur geladen te hebben; maar door te eisen dat de boot om acht uur geladen zou zijn, was hij ervan verzekerd dat hij voldoende tijd zou hebben om zich stipt te houden aan zijn tijd van vertrek om tien uur. Toen de boot geladen was, had hij nog bijna een uur voor hij zou vertrekken. Als hij daarentegen aan de havenmeester gezegd zou hebben dat zijn boot om tien uur geladen moest zijn, zou deze die tijd als doel gesteld hebben, waarbij het vertrek waarschijnlijk vertraagd zou zijn geweest.

En bij die zeldzame gelegenheden dat het onmogelijke op de een of andere manier mogelijk gemaakt werd, wachtte kapitein Lakanal op zijn gemak tot het geplande tijdstip was aangebroken. Hij vertrok nooit te vroeg en hij kwam nooit te laat. Hij was kapitein Punctueel.

De kapitein herinnerde Jesse aan iemand, vooral als hij riep: 'Waar bleef je zolang?' Gedachten aan de magere, bebrilde bureauchef met zijn witte overhemd en rode bretels schoten hem te binnen. Daardoor dacht hij ook terug aan zijn baan bij de Ruger-glasfabriek, aan thuis, aan zijn moeder en aan Emily. Het verbaasde hem hoe sterk die herinneringen waren. Destijds hadden al die dingen nogal gewoon en zelfs saai geleken. Maar nu, maanden later en op mijlen afstand, bracht de herinnering aan zijn leven in de Hester Street in oostelijk New York een brok in zijn keel.

Op die eerste dag liep Jesse aan boord van de *Tippecanoe* heel wat kilometers. Tegen het einde van de dag had hij tijdens het rondbrengen van boodschappen van de kapitein vrijwel alle hoeken en gaten van de boot gezien. Zijn slaapplaats - even terloops door een hofmeester aangewezen - bleek niet veel meer te zijn dan een kast met een hangmat. Maar dat was niet zo belangrijk. Hij betwijfelde of hij er veel tijd in zou doorbrengen.

Toen de kapitein erachter kwam dat hij geen andere kleren had dan die hij droeg, kreeg hij de opdracht om eens te kijken bij de spullen die door vorige passagiers aan boord waren achtergelaten. Hij vond een paar goede overhemden en broeken die hem pasten alsook een goed paar schoenen.

Jesse had eens een verhaal uit de Bijbel gehoord over een dag waarop de zon bleef stilstaan. Dit leek ook zo'n dag. Het was een buitengewoon lange dag, wat natuurlijk niet te verwonderen was daar hij al uitgeput aan boord was gekomen. Tegen de avond kon Jesse nauwelijks nog een stap verzetten. En net toen hij dacht dat hij zijn laatste klusje erop had zitten en hij versuft naar zijn hangmat op weg was, riep één van de bemanningsleden hem. De kapitein wilde dat hij onmiddellijk naar zijn hut zou komen.

Terwijl hij over het gangpad schuifelde, was Jesse zo moe dat hij geen oog had voor het zilveren maanlicht dat op de rivier en over de boomtoppen langs de oever viel. Hij was te uitgeput om te kunnen genieten van zijn eerste nacht aan boord van een drijvend paleis, dat op weg naar St. Louis, de Mississippi opvoer. Dat alles was aan hem niet besteed. Hij kon alleen maar aan zijn hangmat denken en hoe heerlijk het zou zijn als hij zijn ogen mocht dichtdoen.

Hij klopte op de deur van de kapiteinshut en wachtte op reactie.

'Binnen!'

Jesse wreef even in zijn ogen en hij hoopte dat hij er niet zo vermoeid uit zou zien als hij zich voelde. Hij zwaaide de deur open en het volgende moment was al zijn moeheid verdwenen. Hij hoefde geen moeite meer te doen om zijn ogen open te houden. Zijn armen en benen kregen nieuwe kracht. Aan slapen dacht hij niet meer. Hij voelde zich een ander mens.

De kapitein ging staan. 'Morgan, ik wil je aan iemand voorstellen.' Toen richtte hij zich tot zijn gast die was blijven zitten en zei: 'Dit is de jongeman over wie ik je verteld heb. Hij zal je in alles wat je nodig hebt helpen.' Hij keerde zich weer tot Jesse en zei met een elegant handgebaar: 'Morgan, dit is juffrouw Emily Barnes. Ze is verslaggeefster van de *Evening Post* van New York.'

Emily zat ingetogen op een stoel, haar handen op haar schoot gevouwen. Ze droeg een smaragdgroen wandelcostuum met lange mouwen. Het zat haar als gegoten en haar figuur kwam er prachtig in uit. Een bijpassende hoed die versierd was met kleine gedroogde bloemen en die met een zwart-en-wit lint onder haar kin was vastgemaakt, completeerde het geheel.

'Meneer Morgan', begroette ze hem. Haar ogen twinkelden even. Toen sloeg ze ze zedig neer.

'Juffrouw Barnes', groette Jesse terug.

'Je moet haar met respect behandelen, Morgan', gromde de kapitein. 'Ze wil mij interviewen voor een artikel in de krant en ik wil niet dat je de zaak verprutst! Begrepen?'

'Zeker meneer. Ik zal alles doen wat u zegt.'

HOOFDSTUK 19

De avondbries speelde door een paar krullen die langs haar bleke slapen vielen. Haar bruine ogen die in de hut van de kapitein zo zedig gekeken hadden, keken hem nu vrijmoedig aan. Het licht op haar neus en wangen, lippen en kin herinnerde Jesse aan de laatste keer dat hij haar gezien had. Ook die avond was er sprake geweest van een rivier; de East-rivier. Nu ontmoetten zij elkaar op de Ohio. Toen had het zachte licht van de gaslampen op de promenade haar gezicht gestreeld; vanavond was het het zilveren maanlicht.

Er waren een aantal overeenkomsten, maar één ding was voortdurend hetzelfde: zijn gevoelens voor haar als hij naar haar keek. Het leek wel of hij door het maanlicht betoverd was. Alles aan haar bekoorde hem. De manier waarop ze ondeugend haar mondhoeken optrok even voordat ze glimlachte. Haar zachte huid die net op pas gevallen sneeuw leek. De manier waarop ze haar tong en tanden bewoog terwijl het ene na het andere woord moeiteloos over haar lippen kwam. Hij kon wel naar haar blijven kijken zonder dat hij er ooit genoeg van kreeg.

Jesse zat op de onderste traptree en Emily leunde tegen de trapleuning. Het grootste gedeelte van de boot lag achter hen en voor hen bevond zich alleen de iets omhooglopende boeg van het schip. Het leek wel of ze samen op een privé-jacht aan het varen waren.

'Ik kan het nauwelijks geloven!', zei Jesse. Hij had sinds hij de hut van de kapitein verlaten had zo vaak geglimlacht dat zijn gezicht er zeer van deed.

'Wat kun je maar nauwelijks geloven?', vroeg Emily. Haar armen rustten op de trapleuning en haar kin rustte op haar armen. Aan haar gezicht te zien was ze net zo blij hem te zien als hij haar.

'Deze samenloop van omstandigheden!', zei Jesse. 'Dat jij en ik hier nu samen op een boot zitten, honderden kilometers van New York vandaan. Vind jij dat dan geen wonder?'

Haar mondhoeken krulden weer ondeugend omhoog. Toen scheidden haar lippen zich als gordijnen en werden haar volmaakt witte tanden zichtbaar.

'Waarom moet je lachen?', vroeg Jesse.

'O, niets.' Ze speelde met hem.

'Wat is er?', hield Jesse aan.

Ze boog haar hoofd nog iets meer, waardoor haar mond op haar arm rustte en ze keek hem met opgeslagen ogen aan alsof ze erover na moest denken hem iets te vertellen. Toen glimlachte ze opnieuw.

Jesse leunde met over elkaar geslagen armen achterover tegen de volgende traptree. Hij vond het niet erg dat hij op haar antwoord moest wachten, dan kon hij langer naar haar blijven kijken.

Ze tilde haar hoofd wat op. 'Als ik je eens...', begon ze, '... zou vertellen dat het eigenlijk allemaal niet zo erg toevallig is?'

'Vind jij het dan geen toeval dat we hier elkaar in Cincinnatti tegen het lijf lopen?'

'Nou, nee..., niet als je alle feiten kent.'

Jesse ging rechtop zitten, zette zijn handen naast zich op de trap en boog zich wat naar voren. 'En wat zijn die feiten dan wel?'

Emily glimlachte weer en liet haar mond weer op haar arm rusten. Kennelijk wist ze iets, maar aarzelde ze dat te vertellen.

'Als je het mij liever niet vertelt...'

Ze schudde haar hoofd. 'Ik moet je iets vertellen.'

'Nou, steek dan van wal.'

Emily keek hem strak aan. 'Oké', zei ze. 'Daar gaan we dan. Ik ben je hierheen gevolgd.'

Dat was niet wat hij verwacht had te zullen horen. Hij wist niet wat hij eigenlijk wel verwacht had, maar dit in ieder geval niet.

'Hierheen gevolgd? Maar dat kan helemaal niet! Moet ik geloven dat je sinds ik uit New York ben weggegaan, al die tijd achter mij aangezeten hebt?'

'Nee, zo ging het niet. Ik heb navraag gedaan en je toen opgespoord.'

Dat opsporen beviel hem niet helemaal, ook al was hij dan opgespoord door een mooie vrouw. Hij wilde het nog niet helemaal geloven en zei: 'Bewijs dat eens.'

'Bewijs dat eens?'

'Ja, vertel mij eens hoe je dat dan gedaan hebt.'

Door zijn uitdagende toon verdween de schittering in haar ogen enigszins. Dat speet Jesse enorm. Ook vond hij het jammer dat zijn romantische gevoelens snel plaats maakten voor een gevoel van onbehagen. Maar dat was niet zijn schuld. Het was een natuurlijke reactie. De prooi had zelden warme gevoelens voor de jager, hoe aantrekkelijk die ook mocht wezen.

'Nou, toen ik je een paar dagen niet meer gezien had en een andere jongen de brieven van de Ruger-glasfabriek kwam brengen, begon ik ongerust te worden. Ik stelde hier en daar dus wat vragen en kreeg te horen dat niemand wist waar je gebleven was.'

'Met wie heb je gepraat?'

Bij het horen van zijn onderzoekende toon fronste Emily haar wenkbrauwen. 'Met meneer Sagean bijvoorbeeld.'

'Heb je ook met mijn moeder gepraat?'

'Nee. Ik ben naar je huis gegaan, maar ze was er niet. Ik heb een briefje achtergelaten.'

'Wat heb je geschreven?'

Emily fronste opnieuw. 'Er was toen nog niet zoveel te vertellen en bovendien was het maar een klein stukje papier.'

'Ja, maar wat heb je dan geschreven?'

'Jesse Morgan! Houd daar onmiddellijk mee op!'

Hij was zo nieuwsgierig naar wat ze geschreven had, dat haar uitbarsting hem verraste. Hij wilde zo graag weten wat de mogelijke invloed van het briefje op zijn moeder was geweest, dat hij nauwelijks aandacht voor andere dingen had gehad, ook niet voor het feit dat Emily hem probeerde te helpen. Haar uitbarsting bracht hem weer terug tot de werkelijkheid.

'Houd op? Waarmee?', riep hij.

'Met dit verhoor! Je geeft mij het gevoel dat ik iets verkeerds gedaan heb!' Haar ogen die nog maar even daarvoor zo geschitterd hadden omdat ze zo blij was geweest hem te zien, glinsterden in het maanlicht. Ze stond op het punt om in tranen uit te barsten.

Jesse strekte zijn hand uit en raakte haar arm aan. 'Het spijt mij', zei hij zacht. 'Ik... het komt omdat je de reden niet weet waarom ik uit New York vertrokken ben. Weet je... ik ben nogal gevoelig op dat punt.'

Emily knipperde met haar ogen. Ze haalde haar neus op en zei: 'Zal ik verder gaan?'

'Ja, alsjeblieft.'

Ze snoof nog een keer en zei toen: 'In dat briefje schreef ik je moeder dat ik wist dat je was weggegaan en dat ik waarschijnlijk wist waar je heengegaan was.'

'Hoe kon jij dat nu weten?'

Ze wierp hem een waarschuwende blik toe. Hij stak ter verontschuldiging zijn handen op.

'Op de avond dat je wegging, zag ik je in de richting van de Hudsonrivier lopen. Je ging naar het Westen.'

Jesse wilde vragen hoe ze wist dat hij naar het Westen gegaan was, terwijl ze ver van te voren al uit elkaar gegaan waren. Maar hij bedacht dat dat er op dit moment niet zoveel toe deed en hij hield zijn mond.

'Je was mij een paar dagen voor', vervolgde Emily. 'Als ik je zou willen vinden, moest ik dus geluk hebben. Ik nam dezelfde weg als jij en begon mensen te vragen of ze je gezien hadden. Ik begon te vermoeden dat je van de hoofdweg was afgeslagen toen bleek dat niemand je gezien had. En net toen ik mij ging afvragen welke richting ik dan moest inslaan, kreeg ik beet. Ik ontmoette een herbergier die...'

'Hans!', riep Jesse uit.

Emily glimlachte en knikte.

'Door de beschrijving die ik van je gaf, herkende hij je. Hij vertelde mij dat hij je naar Brownsville gestuurd had. Ik huurde dus een rijtuig en reed erheen.'

'En toen praatte je met Edwards...'

'Heel kort maar. Toen ik je naam noemde, wilde hij weinig meer zeggen. Hij werd zelfs vijandig. Wat heb je met hem uitgehaald?'

'Wat ik met hem uitgehaald heb? Je kunt beter vragen wat hij met mij uitgehaald heeft!' Jesse vertelde haar hoe Edwards hem bedrogen had.

'Gelukkig', vervolgde Emily, 'waren een paar arbeiders bereid mij meer te vertellen. Ze zeiden dat je op weg was gegaan naar Pittsburg. Sommigen herinnerden zich dat je over Cincinnatti en St. Louis had gepraat. Een man vertelde mij dat hij je in een praam gezien had met drie andere mannen. Hoewel niemand precies wist op welke manier je reisde, was iedereen van mening dat je de loop van de rivier volgde. Dat deed ik dus ook.'

Jesse wilde haar vertellen over Bulfinch en Phyfe en Fritz, maar hij wilde haar verhaal niet onderbreken met zijn eigen verhaal. Dat zou hij later wel doen.

Emily zuchtte. 'Pittsburg bleek een teleurstelling te zijn. Niemand had je daar gezien en daarom besloot ik naar Cincinnatti te gaan en eventueel naar St. Louis als dat nodig zou zijn. Maar zoals je weet, was dat niet nodig. Ik zag je vanmorgen in de haven, terwijl je kratten aan boord bracht van de *Tippecanoe*.

Jesse gaf een waarderend knikje. 'Knap speurwerk, juffrouw Barnes.'

'Dank je, meneer Morgan.'

'Je bent hier dus niet om een interview te houden met kapitein Lakanal voor de *Evening Post*?'

'Natuurlijk ben ik hier om een verhaal voor de krant te schrijven', stelde Emily nadrukkelijk. 'Waar zou ik anders het geld vandaan moeten halen voor deze reis? Werkende meisjes hebben meestal geen rijke vaders, weet je?'

Jesse keek haar vertederd aan. Emily glimlachte, maar keek daarop meteen weer ernstig.
'Er is nog iets', zei ze.
'Dat dacht ik al. Je vertelde mij hoe je kans zag mij op te sporen, maar je hebt mij nog niet gezegd waarom je mij nagekomen bent. We kennen elkaar nog niet zo lang en ik vraag mij dan ook af waarom een succesvolle verslaggeefster achter mij aanloopt.'
'Achter je aanloopt?' Emily grinnikte. 'Je hebt nogal een hoge dunk van jezelf, meneer Morgan.'
Jesse kreeg een kleur. 'Sorry, dat zei ik verkeerd. Ik bedoelde, waarom deed je dit allemaal? Waarom ben je mij gevolgd?'
Emily keek nu ernstig. 'Ik weet waarom je bent weggelopen.'
Jesse voelde een rilling over zijn rug lopen. *Dat is onmogelijk. Ze denkt alleen maar dat ze het weet. Dat kan ze helemaal niet weten. Maar ze doet wel erg zelfverzekerd. Nee, ze zal een reden opgeven die er niets mee te maken heeft.* 'Dus jij denkt dat je weet waarom ik weggegaan ben', zei Jesse zo kalm mogelijk om zijn onbehaaglijkheid te verbergen. 'Nou, vertel mij die dan eens. Waarom ben ik weggegaan, denk je?'
'Denk je? Nee, ik *weet* waarom je bent weggegaan.'
Haar zelfvertrouwen was verbijsterend. Jesse maakte een hulpeloos gebaar. 'Waarom dan?'
Ze keek nu zeer ernstig en ze sloeg haar ogen neer. Bijna fluisterend zei ze: 'Kleine Jake.'
Twee woorden. Als kogels drongen ze zijn borst binnen en doorboorden zijn hart. Het verdriet dat hij meende achter zich gelaten te hebben, sloeg als een vloedgolf over hem heen. Ze wist het! Maar hoe kon ze dat weten? Nou ja, wat deed het ertoe? De pijn zou er niet minder om zijn.
'Je denkt dat je hem vermoord hebt', zei Emily zacht.
In zijn verdriet zag hij de bekende beelden weer voor zich, Jake op de daklijst. Jesse's eigen arm die zich naar hem uitstrekte. Jake die om hulp smeekte. Iets waardoor hij struikelde en waardoor hij boven op Jake viel. De maaiende armen van de jongen. Hij kon ze niet bereiken. Jakes verschrikte gezicht. Angst... doodsangst. Een gil. Jake die gilde. Zo jong... zo jong. Dan niets meer. Geen geluid. Geen Jake meer. Niets dan een lege lucht.
'Het was mijn schuld', fluisterde Jesse met gebogen hoofd.
'Jesse, je denkt alleen maar dat je hem gedood hebt', zei Emily.
'Ik heb hem gedood!'
'Nee, hij is niet dood!'
Jesse keerde zich van haar af. Hij schudde zijn hoofd. Ze begreep het

niet. Hij wilde geen goedkope woorden van troost. Hij wist wat er gebeurd was. Hij was erheen gegaan om Jake te redden, maar in plaats daarvan had hij hem over de rand geduwd. Het was een ongeluk. Maar dat veranderde niets aan het feit dat het zijn onhandigheid was geweest waardoor het jongetje nu dood was.

'Jake leeft!'

Jesse keek naar haar op. Helemaal in de war. Nee, ze had ongelijk. Hij had haar niet goed verstaan. Misschien zei ze wel: 'Ik wilde dat hij nog leefde.'

'Jesse, luister naar mij! Jake leeft!'

Waarom zei ze iets waarvan hij wist dat het niet waar was? Ze was er niet bij geweest. Hij had Jake zien vallen en zijn gil gehoord!

'Ze wilden een grap met je uithalen!', zei Emily. 'Ze hebben je laten geloven dat jij Jake vermoord had, maar dat heb je niet gedaan. Jake leeft!'

Het was moeilijk voor Jesse om zijn schuldgevoel kwijt te raken. Hij was ermee vertrouwd geraakt. Hij droeg die schuld nu al zo lang bij zich en hij was ervan overtuigd geweest dat hij die tot zijn dood zou moeten meetorsen. Om die nu zomaar naast zich neer te leggen, leek helemaal verkeerd. 'Heb je hem dan gezien? Heb je hem werkelijk gezien?'

Emily knikte. 'In die steeg waar we elkaar ontmoet hebben. Finn was hem zoals altijd weer aan het treiteren.'

Haar oprechtheid rukte aan zijn schuld en probeerde die van hem af te nemen. Jesse wilde haar zo graag geloven, maar hij kon het niet. Zou hij Jake zelf maar kunnen zien... dan zou hij het kunnen geloven.

'Hoe heb je dit allemaal ontdekt?', vroeg Jesse.

'Emily haalde haar schouders op. 'Laten we zeggen dat ik een goede speurder ben en het daarbij laten.'

Als een slang die uit zijn huid kruipt, voelde hij de schuld van zich afglijden. 'Dus het was echt een grap?'

Emily knikte. 'Ja, het was een grap.'

Jesse stond op en liep langzaam naar de boeg omhoog. Hij leunde tegen de lier en zag het water voorbijglijden. 'Een grap', fluisterde hij.

Emily volgde hem en bleef op een afstand met haar handen ineengeslagen staan. Ze gaf hem de tijd om de waarheid tot zich door te laten dringen.

'Dus ik ben voor niets weggelopen', zei hij. 'Dit alles... alles wat ik vanaf die dag gedaan heb tot nu toe... een grap. Jongen, jongen, als Finn dat eens zou weten. Hij en zijn maats zouden huilen van de lach.'

Emily raakte zijn arm aan. Haar vingers waren warm en teder. 'Vergeet hen', zei ze. 'Je kunt nu weer naar huis gaan.'

'Ja', grinnikte hij, 'dat zou kunnen.'

De deur viel zacht achter haar in het slot. Emily leunde met gesloten ogen en een bonzend hart tegen de deur. Ze dacht terug aan alles wat er die dag gebeurd was. Hoe opgewonden ze was geweest toen ze Jesse daar opeens in de haven had gezien. Door zijn pet had hij haar aandacht getrokken. Hij had met zijn rug naar haar toe gestaan. Hij tilde een zak op en gooide die over zijn schouder, gooide die op een stapel zakken op een laadbord dat door de kraan aan boord gehesen werd en keerde zich om om weer een nieuwe zak te halen.

Dat was het moment geweest waarop ze wist dat ze hem gevonden had! Hoewel hij meer strompelde dan liep, ook als hij geen zak droeg, was zijn gang onmiskenbaar. Hij zag er vermoeid uit, maar het was Jesse. Het was beslist Jesse! Ze had hem gevonden!

Toen Emily daar in haar hut op de stoomboot stond, bonsde haar hart evenzeer als toen ze hem daar in de haven had gezien. Toen ze de kapitein eenmaal ontmoet had, was het niet moeilijk geweest om aan boord te komen. Toen ze zag hoe Lakanal vol zelfbewustzijn op haar toeliep, had ze geweten dat ze een hut zou kunnen krijgen. De aandacht die hij aan zijn kleding besteedde, de manier waarop hij uiterst zorgvuldig zijn baard geknipt had, zijn zelfbewustzijn en het feit dat hij de tijd vond om net voor het vertrek nog een verslaggeefster te woord te staan, wezen er allemaal op dat hij een ijdel mens was. Mensen als hij grepen iedere kans aan om iets te zeggen wat in de krant zou komen. Hoewel zij vrijwel iedereen met een zekere verachting behandelden, waren ze altijd zeer voorkomend tegenover iemand die ervoor kon zorgen dat hun succesverhaal in een belangrijke krant kwam.

Emily grinnikte toen ze eraan terugdacht dat hij, toen ze eenmaal in de hut van de kapitein zat, bevel had gegeven om Morgan te gaan halen. Ze huiverde van opwinding bij de herinnering. Het was bijna te mooi, te gemakkelijk geweest. De kapitein zorgde er hoogstpersoonlijk voor dat ze hem te zien kreeg.

En toen het wachten. O, dat vreselijk lange wachten! Terwijl ze intussen net deed of ze geboeid zat te luisteren naar het saaie verhaal dat de kapitein haar over zijn leven vertelde. Ze had verlangend naar de deur zitten kijken in de wetenschap dat Jesse daar ieder moment door te voorschijn zou komen. De kapitein zei iets waardoor ze haar aandacht weer op hem moest richten. En opnieuw deed ze of ze zeer geïnteresseerd was, terwijl ze in werkelijkheid alleen maar aandacht voor de deur had waardoor Jesse zou opduiken.

Hoe zou hij reageren als hij haar zou zien? Zou hij blij zijn? Hij zou haar toch wel herkennen? Stel je voor dat hij haar niet zou herkennen!

Toen kwam die klop op de deur. Hij was zo dichtbij! Daar brak het moment aan waarvan ze gedroomd had. De deur ging open en hij zag haar.

Emily zuchtte toen ze terugdacht aan hun hereniging. Ze giechelde. Zijn gezicht! Eén en al verbazing. En toen die blijdschap op zijn gezicht. Ze had wel naar hem toe willen rennen. Maar in plaats daarvan vouwde ze haar handen in haar schoot. Ze had hem aan willen staren, maar ze wist dat ze dan zou wegsmelten op haar stoel. Alle beroepsmatigheid zou dan verdwenen zijn. De kapitein zou iets vermoeden. Ze dwong zichzelf ertoe haar ogen neer te slaan en deed zo zakelijk mogelijk.

Maar het mooiste van alles was nog dat laatste uur daar met Jesse bij de trap op het voordek. Wat waren ze dicht bij elkaar geweest. Ze kon hem ruiken, een geur die ze zich nog herinnerde van die avond op de brug. Als ze haar ogen sloot, rook ze hem weer. En de manier waarop hij naar haar gekeken had! Hij kon zijn ogen niet van haar afhouden! En toen had hij zijn hand uitgestoken en haar aangeraakt!

In de hut streek Emily zachtjes over de plaats waar hij haar arm had aangeraakt. Heel even maar, maar wat was het heerlijk geweest. Was het een voorschot op wat nog komen ging? Ja, daar was ze zeker van. Er zou een dag komen dat hij haar in zijn armen zou sluiten. Haar aanraken. Haar kussen.

Terwijl ze tegen de deur leunde, luisterde ze naar Jesse's verdwijnende voetstappen op het gangpad. Ze hoorde nu niets meer. Alles was stil. Hij was weg.

Emily uitte een vreugdekreet. Ze danste de kamer door en liet zich toen op haar bed vallen. Ze greep het kussen en drukte het stijf tegen zich aan. Toen dacht ze weer terug aan het moment dat ze Jesse daar in de haven gezien had.

'Tykas! Wat doe jij in Louisville?'

Richard Tykas streek met zijn hand door zijn vette haar op de manier van iemand die zich sterk van zijn uiterlijk bewust is. Hij stak zijn hand uit naar de man die hem aangesproken had en hij genoot, zonder zijn gezicht te vertrekken, toen hij zag hoe de man zijn walging probeerde te onderdrukken toen hij die vette hand drukte.

Tykas was allesbehalve verlegen. Hij vond het een leuk spelletje om eerst door zijn vette haar te strijken en dan iemand een hand te geven.

'Warren! Wat een verrassing!', zei hij. 'Ben je hier voor zaken?'

De man die hem aangesproken had, was jong en onberispelijk gekleed. De terugwijkende haarlijn op zijn voorhoofd werd gecompenseerd door grote bakkebaarden die vanaf de kin plotseling omhoog krulden en onder zijn neus weer bij elkaar kwamen. Op Tykas' vraag knikte hij bevestigend. Ja, hij was hier voor zaken.

'Dat meisje van Austin?', vroeg Tykas.

'Hoe weet jij dat?', vroeg Warren verbaasd.

Tykas haalde nonchalant zijn schouders op. 'Als je al zo lang in het vak zit als ik, dan vang je wel eens wat op.' En hij voegde er grinnikend aan toe: 'Ze is deze keer wel erg ver van huis.'

'Niet lang meer', zei Warren, vol zelfvertrouwen glimlachend.

'Zo, je hebt haar dus al opgespoord?'

'Dat heeft Hatch gedaan. Hij zag haar in Cincinnatti, maar hij kon haar niet volgen.' Warren grinnikte. 'Hij zag haar op een stoomboot net toen die de haven uitvoer. Dus wat kon hij doen? Er achteraan zwemmen? Daarom zond hij mij een telegram.'

Tykas lachte kort en schudde eveneens zijn hoofd. De ervaren agent deed dat niet om de man na te bootsen, maar om de verstandhouding te verstevigen. Door jarenlange ervaring had hij geleerd dat mensen zich meer op hun gemak voelen als je je hetzelfde gedroeg als zij. En Tykas wilde dat Warren zich bij hem op zijn gemak zou voelen.

'Ik durf te wedden dat je haar vader zo ongeveer in Californië tekeer kon horen gaan toen hij erachter kwam dat zijn dochter er vandoor was', zei hij.

'Nou, voor zover ik weet niet', antwoordde Warren. 'Ik hoorde dat Austin, toen hij het briefje van zijn dochter gelezen had, heel kalm de opdracht gaf om haar op te sporen en weer thuis te brengen. Heel zakelijk. Net of hij het over één van zijn bezittingen had.'

Tykas grinnikte weer even. 'Nu heb ik jaren voor die man gewerkt en ik begrijp nog steeds niets van de familierelaties. Ik begrijp rijke mensen trouwens zelden.' Hij staarde de jonge agent even aan en vroeg toen: 'Denk je dat ze bereid is om vrijwillig mee te gaan?'

'Ik heb er geen idee van', bekende Warren. Toen viel hem plotseling een gedachte in. 'Jij kent de Austins veel langer dan ik', zei hij. 'Ik heb haar slechts één keer gezien. Wat is ze voor iemand?'

Tykas vouwde zijn armen over elkaar en grinnikte als iemand die een op jarenlange ervaring gebaseerde mededeling gaat doen. 'Je zult er je handen vol aan hebben, wees daar maar op voorbereid.'

Warren grijnsde. 'Daar was ik al bang voor.' Hij dacht er even over na en veranderde toen van onderwerp. 'En hoe staat het met jou? Wat doe jij tegenwoordig? Je weet dat de meesten van ons het er niet mee eens waren dat Austin je ontslagen heeft.'

Tykas haalde zijn schouders op. 'Dat is nu eenmaal het risico van het vak', zei hij. 'Austin had geen keus. Of hij moest mij ontslaan, of hij kreeg met een publiek schandaal te maken.'

'Maar er was geen enkel bewijs! De beschuldigingen werden nooit bewezen! Je zou toch verwacht hebben dat hij rekening zou hebben gehouden met je jarenlange staat van dienst.'

'Je zou toch verwacht hebben...', herhaalde Tykas. Hij glimlachte en genoot ervan dat de jongeman hem verdedigde.

Warren voegde eraan toe: 'Het wordt voor de rest van ons wel moeilijk om op die manier loyaal te blijven aan een man die zo makkelijk iemand als jou, met zo'n staat van dienst, ontslaat op de onbewezen beschuldiging van één man.'

'Ook een veiligheidsagent', merkte Tykas op. Hij bracht Austins gezichtspunt naar voren in de wetenschap dat Warren hem verder zou verdedigen, wat hij dan ook prompt deed.

'Maar Logan kon de beschuldigingen niet bewijzen! Het was zijn woord tegen het jouwe!'

Tykas trok het gezicht van de martelaar en slaakte een zucht. 'Het ergste was nog dat Logan een vriend van mij was.'

'Nou, een mooie vriend!', riep Warren uit. 'En wat ben je nu van plan te gaan doen?'

Tykas keek even om zich heen, waarmee hij duidelijk maakte dat wat hij ging zeggen niet door anderen gehoord mocht worden. 'Te veel mensen', zei hij. 'Laten we een eindje daarheen lopen.' Tykas liep naar een dubbele rij kratten toe. Daar zouden ze buiten gehoorafstand zijn. Warren volgde niet onmiddellijk. Hij keek de rivier af. Tykas haalde een horloge uit zijn zak. 'Je hebt nog twintig minuten!', riep hij tegen Warren. 'Het zal niet lang duren, maar ik wil niet dat iedereen dit hoort.'

Warren haalde zijn eigen horloge tevoorschijn en keek hoe laat het was. Hij wierp een blik op de steeds groter wordende menigte. 'Goed dan', stemde hij toe.

Tykas glimlachte en bracht hem achter de rij kratten. Hij wist dat Warren zijn glimlach zou uitleggen als die van een vriend die hem wilde bedanken voor zijn toegeeflijkheid. Hij had zich niet erger kunnen vergissen. Tykas' glimlach was de grijns van een ervaren rot in het vak om een groentje met problemen. Toen Warren toegaf dat hij nog twintig minuten de tijd had, was Tykas er zeker van dat Emily Austin aan boord van de *Tippecanoe* zou zijn – de enige stoomboot die over twintig minuten zou arriveren.

Met een handgebaar nodigde Tykas de jongere veiligheidsagent uit om tussen de twee, drie meter hoge rijen kratten te komen staan. Hoewel niemand hen nu meer kon zien, boog Tykas zich naar voren en fluisterde: 'Ik ben op weg naar Illinois.'

'Is dat je geheim?'

Tykas lachte. 'Nee, het geheim is één woord - Christianopolis.'

'Christianopolis?'

'De stad van Christus', legde Tykas uit. 'Die ga ik bouwen.'

Warren keek hem verveeld aan. Tykas had hem erin laten lopen. De reputatie van de oudere agent was onder de andere agenten van Austin algemeen bekend. Ten aanzien van veiligheidszaken was er geen betere, maar iedereen was het erover eens dat hij op het gebied van godsdienst gek was. Tykas was zojuist de grens tussen een normaal zakelijk gesprek en godsdienstig geraaskal gepasseerd en nu kon Warren niet meer terug. Hij was erin gelopen.

Al jarenlang had de oudere agent er geen geheim van gemaakt dat hij een Putney Perfectionist was, een volgeling van John Humphrey Noyes die de inmiddels opgeheven Oneida Gemeenschap had opgericht, een sekte die geloofde dat alle zonden bij de bekering werden afgewassen, waardoor christenen een volmaakt leven konden leiden. Na bijna vier decennia had de utopische gemeenschap zich genoodzaakt gezien zich op te heffen daar Noyes' poging om een superieur geestelijk geslacht door selectieve voortplanting voort te brengen, niet was geslaagd.

'Ik weet waar Noyes fout ging!', zei Tykas opgewonden.

Warren keek hem laatdunkend en onverschillig aan.

'Zijn tijdschema over het duizendjarig rijk was fout en zijn wijsgerige basis was te simplistisch. In New Oneida zullen deze zaken gecorrigeerd worden. Ik zal een gemeenschap opbouwen die gebaseerd is op zowel de uitgangspunten van Plato, Lord Bacon en Sir Thomas More als op die van de Bijbel! En zoals je al zult vermoeden, zal die niet gesticht worden in New York, maar in Illinois.'

Warren keek op zijn horloge.

'Denk er eens over na! Een paradijs op aarde zoals in de hemel! Duizenden mensen zullen tot deze ideale gemeenschap toetreden', zei hij. 'En als we uiteindelijk met vijfduizend mensen zullen zijn, dan zal de wereld ons niet meer kunnen negeren. Alle wereldlijke leiders zullen dan uiteindelijk door het voorbeeld van onze nieuwe morele wereld overtuigd worden. En dan... o, dan zullen we Christus uitnodigen naar deze wereld terug te keren om zijn rechtmatige plaats op de aardse troon in te nemen.'

Warren onderdrukte met glazige ogen een geeuw.

Tykas was niet blind voor de tekenen van ongeïnteresseerdheid van de agent. Hij kwam tot de conclusie dat de geestelijke diepgang van de man weinig voorstelde. Maar Warren en zijn soort zouden toch op zekere dag overtuigd worden. Hun ogen zouden opengaan. Dan zouden zij de dingen zien die Tykas nu al voorzag en zouden ze de dingen begrijpen die Tykas nu al doorhad. Maar zover was het nu nog niet. En met de bedoeling Warrens afdwalende gedachten weer bij het onderwerp te brengen, gebruikte Tykas een algemeen aanvaarde leermethode.

'En wanneer denk je dat dit alles zal plaatsvinden?', vroeg Tykas.

'Ehh... wat? Zou je nog een keer willen herhalen wat je net zei?'

Tykas glimlachte toegeeflijk en vroeg opnieuw: 'Wanneer denk je dat Christus zijn rechtmatige plaats op de aardse troon zal innemen?'

'Dat weet God alleen!' Warren grinnikte om zijn eigen slimheid.

Tykas stak zijn handen in zijn zakken op een ontspannen zo niet minzame manier. 'Dat is ten dele waar. Hij weet het, maar Hij heeft het ook aan mij geopenbaard. Negentienhonderd. Bij de eeuwwisseling. Dat is nog geen tien jaar van nu.'

Warren schraapte zijn keel en zei: 'Tykas, bedankt voor wat je mij over Emily verteld hebt. En het beste met je nieuwe onderneming...'

Tykas haalde zijn linkerhand uit zijn zak en stak die omhoog. 'En wie denk je dat die nieuwe gemeenschap zal oprichten?', vroeg hij.

Warren tuitte zijn lippen en schudde ongeduldig zijn hoofd. 'Ik zou het werkelijk niet weten. Maar ik weet wel dat ik nu weg moet.'

'Austin.'

Warren bleef met open mond verbijsterd staan.

'Franklin Grant Austin.' Tykas noemde de volledige naam zodat die goed door zou dringen.

'Je houdt mij voor de gek!', riep Warren uit.

'Nee, ik ben doodernstig.'

In de verte was een stoomfluit te horen. Beide mannen keken op.

'Ik zou willen dat ik de tijd had het je allemaal uit te leggen', zei Tykas. 'Maar we hebben geen tijd en daarom weet ik iets beters.'

Alles wat Warren zag, was een bliksemsnelle handbeweging. Voordat hij ook maar iets kon doen, werd het mes diep in zijn lichaam gestoken. Hij wankelde en zijn ogen draaiden door de kassen.

Tykas ving hem op voor hij viel. Hij legde zijn hand over Warrens mond zodat hij niet kon schreeuwen terwijl hij stierf. Terwijl hij Warren zacht op de houten steiger legde, fluisterde hij in zijn oor: 'Zoals ik al zei, we hebben weinig tijd. Ik wilde wel dat ik de tijd had om je te overtuigen je bij ons aan te sluiten. Voor nu is het genoeg dat je weet dat Emily de sleutel is voor de financiering van de gemeenschap en daarbij sta jij mij in de weg. En daarom bewijs ik je deze gunst: ik stuur je regelrecht naar

Boven. Daar zullen al je vragen tot je tevredenheid beantwoord worden.'

Toen de *Tippecanoe* de haven binnendraaide, haalde agent Warren voor de laatste keer adem.

Tykas boog zich dichter over hem heen en fluisterde direct in zijn oor: 'Ik benijd je, Warren. Nog maar heel even en je zult Gods heerlijkheid zien - een heerlijkheid waarover de rest van ons alleen maar kan dromen.'

Toen Warren de laatste adem had uitgeblazen, liet Tykas de man op de houten steiger zakken. Hij haalde de zakken van de agent leeg en nam hem zijn geloofsbrieven af, zijn geld en het telegram dat hij van Hatch had ontvangen en waarin stond dat Emily zich aan boord van de *Tippecanoe* bevond.

Richard Tykas liep tussen de twee rijen kratten door en sloot zich aan bij de anderen die stonden te wachten op de aankomst van de stoomboot. Hij bestudeerde de gezichten van de passagiers die aan de railing stonden en keek of hij het gezicht van Franklin Austins dochter kon ontdekken.

Apetrots liet kapitein Louis Lakanal Emily het schip zien van de boeg tot de achtersteven, waarbij hij haar vergastte op verhalen over zichzelf als kapitein van een raderboot.

'Eens, vele jaren geleden, vervoerde ik op de Missouri-rivier een groep luidruchtige mijnwerkers die op weg waren naar het Rotsgebergte. Toen we hout aan het laden waren en de loopplank vol mijnwerkers was die aan boord kwamen, werden we aangevallen door Sioux-Indianen. De Sioux vielen ons aan met leren karwatsen en sloegen in op de hulpeloze mannen die beladen met hun bagage aan boord kwamen. In de verwarring die ontstond, vlogen plunjebalen en uitrustingsstukken alle kanten op en de mijnwerkers struikelden over elkaar om zo snel mogelijk op het dek te komen.'

Terwijl de kapitein zijn verhaal deed, maakte Emily aantekeningen. Ze liepen naast elkaar op het bovendek; hij met zijn handen op zijn rug gevouwen en zij gebogen over een blocnote, waarop zij de belangrijkste punten van het verhaal aantekende. De *Tippecanoe* lag in de haven. Matrozen en havenarbeiders brachten kratten aan boord. Sommige passagiers verlieten het schip en anderen kwamen aan boord.

Af en toe onderbrak de kapitein zijn verhaal. Terwijl hij zijn verhaal over de Sioux-Indianen vertelde, hield hij het laden en lossen goed in de gaten. Af en toe greep hij in. Dan brulde hij een bevel naar een matroos die zich haastte de opdracht uit te voeren; soms leunde hij over de railing en schreeuwde naar een havenarbeider op de steiger; en soms hield hij plotseling zijn mond, keek naar wat er gebeurde, mompelde in het Frans wat verwensingen en zei dan tegen haar: 'Waar was ik ook al weer?'

Tijdens deze onderbrekingen wierp ook Emily een blik op de matrozen die op het benedendek aan het werk waren. Ook Jesse was daarbij. Nadat zij hem alles verteld had, had ze gedacht dat ze samen in Louisville van boord zouden gaan om terug te keren naar New York. Maar Jesse had gezegd dat hij nog niet wist of hij wel terug wilde naar New York. Daar had zij niet op gerekend en nu moest ze improviseren.

Ze had gezegd dat ze aan boord zou blijven om de verhalen van de kapitein op te schrijven tot ze Cairo zouden bereiken, het stadje waar de rivieren de Ohio en de Mississippi samenvloeiden. Daarvandaan zou ze naar New York terugkeren. Ze vertrouwde hem toe dat de terugreis wel eens gevaarlijk zou kunnen zijn voor een alleen-reizende vrouw en dat ze zijn gezelschap daarom zeer op prijs zou stellen. Jesse had haar beloofd een besluit te nemen voordat ze Cairo zouden bereiken.

'Waar was ik ook al weer gebleven?', vroeg kapitein Lakanal.

De Sioux vielen het schip aan terwijl de mijnwerkers aan boord kwamen', antwoordde Emily.

'O ja. De baas van de mijnwerkers rende de loopplank op en begon naar zijn mannen en de Indianen te schreeuwen. Hij wist voldoende van zijn mensen bij elkaar te trommelen en toen de Indianen zagen dat ze in de minderheid waren gingen ze er vandoor.'

Lakanal liep naar de railing en schreeuwde naar beneden: 'Nee! NEE! Watkins! WATKINS! Daar! DAAR!'

Hij kwam weer terug en mompelde: 'De idioot! Waar was ik ook al weer?'

Maar Emily hoorde hem niet. Ze had de onderbreking weer gebruikt om een blik op Jesse te slaan. Ze kon hem niet onmiddellijk ontdekken en ze dacht dat hij misschien wel aan dek gegaan was of ergens in het ruim zat. Toen ze weer keek, viel haar oog op één van de passagiers. Een man. Middelbare leeftijd. Donker, sluik, vet haar. Bolle wangen. Een grote snor en een baard die wel aan zijn kin geplakt leek. Ze had die man eerder gezien! Maar waar? Op het kantoor? Nee, ze dacht van niet. Ze kon het zich niet herinneren en dat verontrustte haar.

Toen de man aan boord kwam, keek hij naar het bovendek. Emily deed een stap terug, zodat de man haar niet kon zien. Het was maar beter zich niet te laten zien voordat ze wist waar ze die man eerder gezien had.

'Juffrouw Barnes', zei de kapitein.

'O... eh... de Indianen trokken zich terug', antwoordde ze.

'Maar ze waren nog niet klaar!', voegde hij er met een twinkeling in zijn ogen aan toe. 'We hadden dergelijke dingen al eerder meegemaakt en gewoonlijk was het daarmee dan afgelopen. Dus toen we hen zagen vertrekken, ging ik naar het passagiersdek om wat te lezen, terwijl de rest van de mijnwerkers aan boord kwam en de bemanning het hout laadde. En toen sloeg er plotseling een salvo kogels op de zijkant van de boot in!'

Hij wachtte op haar reactie en glimlachte toen hij haar verschrikt zag kijken.

'Ja, de Indianen waren teruggekomen! Ze waren beledigd dat die voorman hen had weggejaagd. Ze doodden een matroos en kwamen zonder op enige tegenstand te stuiten aan boord; ze hadden ons bij verrassing overvallen. Kennelijk hadden ze het een en ander geleerd door onze stoomboten te bekijken, want ze grepen een aantal emmers, deden de deuren van de stookplaatsen open en doofden de vuren onder de ketels door er water op te gooien!'

Weer presteerde Emily het verschrikt te kijken en Lakanal glimlachte tevreden. Hij vermaakte zich kostelijk, temeer daar hij wist dat zijn verhaal in de krant zou komen.

'Je begrijpt dat mijn lezen ruw verstoord werd door het gehuil van de overvallers en ik werd bedolven onder de glasscherven door dat geweersalvo.'

'Was u gewond?'

'Een paar snijwondjes. Maar dat stelde niet veel voor', zei de kapitein met bravoure. Emily schreef tot genoegen van de kapitein zijn uitspraak op.

'Ik rende naar de rivierzijde van de boot', vervolgde hij, 'en terwijl ik probeerde in de stuurhut te komen, kwam ik oog in oog met de wilden te staan. Ze hadden de baas van de mijnwerkers gevangen genomen. Hij vertaalde hun eisen. "Ze willen de boot", zei hij. "Ze zeggen dat ze de bemanning zullen laten gaan als zij de boot krijgen. Als ze die niet krijgen, zullen ze iedereen doden."'

Emily was druk aan het schrijven. Lakanal wachtte even tot ze weer bij was. Toen ze klaar was, keek ze op en vroeg: 'En wat deed u?'

'Ik merkte iets vreemds op in het gedrag van de Indianen. Ze vertrouwden de boot niet helemaal, want slechts een paar van hen - degenen die de vuren gedoofd hadden en die nu de voorman van de mijnwerkers gevangen hielden - waren de boot op gegaan. Alle anderen dromden samen bij de loopplank in het midden. Ik probeerde dus iets te bedenken waarbij dat in mijn voordeel zou zijn.

Toen overwoog ik welke wapens ons ter beschikking stonden. Helaas was ons koperen kanon beschadigd. Het lag in de machinekamer om gerepareerd te worden.'

'Nee toch!'

'Zeker wel! Maar ik bedacht iets waardoor ik dat duidelijke probleem tot mijn voordeel kon gebruiken. Onder het voorwendsel dat ik mijn bemanning zou bevelen van boord te gaan, liep ik naar de machinekamer en beval de machinisten het kanon met kruit te laden. We hadden geen kogels en daarom gebruikten we klinknagels als ammunitie!'

Emily schreef dat op.

'Toen brachten we het kanon met een katrol aan dek en stelden het zodanig op dat het op de samengedromde Indianen bij de loopplank gericht was. Ik stak een sigaar op, blies een paar rookwolken uit en hield hem toen bij het kanon. Toen zei ik tegen de voorman dat hij de Indianen moest zeggen dat ze van boord moesten gaan, want dat ik hen anders allemaal overhoop zou schieten!'

De kapitein zette een hoge borst op toen hij zijn heldendaden vertelde.

'En? Werkte het?', vroeg Emily en voegde er toen haastig aan toe: 'Ja, natuurlijk werkte het. Anders stond u hier niet!'

Lakanal lachte triomfantelijk. 'Die wilden verdrongen elkaar om van mijn boot af te komen. We zwaaiden het kanon heen en weer en hielden het op de oever gericht tot we heel onze lading aan boord hadden.'

'Een mooi verhaal', zei Emily, terwijl ze de laatste zinnen opschreef.

'Maar dat is het einde nog niet!', zei Lakanal.

'Nee?'

Hij schudde zijn hoofd en grinnikte. 'Toen ik mijn bemanning aan het zoeken was die vreemd genoeg verdwenen was, keek ik ook uit naar die mijnwerkers. Waar hadden zij zich verborgen tijdens de aanval, waardoor ze de boot zonder verdediging hadden achtergelaten?'

Hij wachtte even voor het effect.

'Raad eens waar ik ze vond?', vroeg hij.

Emily haalde haar schouders op en schudde haar hoofd.

'Op de schepraderen van het achterrad! Ze hingen allemaal over de raderen heen alsof het sardientjes waren! Ik vond het zo walgelijk dat ik dreigde het rad aan te zetten zodat ze kopje onder zouden gaan! En dat zou ik gedaan hebben ook als de Indianen de vuren maar niet gedoofd hadden. Ik had geen stoom!'

Terwijl Emily druk aan het schrijven was, zei ze: 'Een geweldig verhaal, kapitein! Een geweldig verhaal!'

Lakanal knikte. Hij was het er roerend mee eens.

Toen het schip geladen was en de passagiers van en aan boord gegaan waren, had de kapitein het druk met het vertrek. Emily had het druk met haar zoektocht naar Jesse.

Ze liep naar zijn hut, maar daar was hij niet. Daarom liep ze nonchalant naar het benedendek en liep zo de hele boot door. Ze probeerde niet de indruk te wekken dat ze iemand zocht. Ze liep op haar gemak. Af en toe bleef ze staan om iets van de boot te bekijken of ze staarde naar de aanlegsteiger waarvan ze steeds verder weggleden. Maar ongemerkt keek ze scherp uit naar Jesse.

Toen ze de boeg van de boot weer bereikt had en de trap naar het bovendek op wilde lopen, zag ze hem plotseling weer – niet Jesse, maar de man met de baard die eruit zag of hij aan zijn kin geplakt was. Hij stond aan de railing en keek haar strak aan.

Hij bleef haar aankijken. Het was niet de blik van twee vreemdelingen die elkaar even aankijken en dan weer voor zich kijken. Hij glimlachte niet. Hij knikte niet en uit niets bleek dat hij haar zou kennen. Het leek wel of hij zich er niet eens van bewust was dat hij haar aanstaarde.

Door zijn vrijpostigheid bleef Emily staan. Ze had die man eerder gezien. Maar waar? De manier waarop hij naar haar keek, deed haar huiveren. Ze wendde zich af en liep snel de trap op. Hoewel ze hem nu niet meer zag, bleef zijn gezicht haar achtervolgen. Waar had ze hem eerder gezien?

De studeerkamer van vader!

Hij was één van vaders agenten. Ze herinnerde zich dat ze hem en een andere man uit de studeerkamer had zien komen op de avond dat ze betrapt was bij het binnensluipen van het huis. Zij waren degenen geweest die over die brand in de fabriek gepraat hadden, de brand waarnaar Emily onderzoek had gedaan voordat ze op kantoor ontslagen werd. Bij die brand waren twee mensen omgekomen. Een meisje met de naam Molly en Benjamin Morgan. Emily had nog niet de kans gehad om Jesse te vragen of Benjamin Morgan zijn vader was. Dat deed de vraag bij haar opkomen of die man nu achter haar of achter Jesse aanzat.

Misschien zit hij wel achter niemand aan en ben jij alleen maar paranoïde, hield Emily zichzelf voor.

Maar wat ze zichzelf ook voorhield, ze kon niet ontsnappen aan een gevoel van onbehagen als ze dacht aan de man met dat vette, zwarte haar. Ze besloot voorlopig niets tegen Jesse te zeggen. Hoe zou ze hem over de man kunnen vertellen zonder toe te geven dat ze van huis was weggelopen en dat haar vader naar haar op zoek was? Ze besloot dat het maar beter was om af te wachten en te zien wat de man van plan was. Als ze eenmaal wist wat hij van plan was, kon ze wel iets bedenken.

Terwijl ze opnieuw naar Jesse's hut liep, kreeg ze opeens een idee. Ze dacht erover na hoe ze de kapitein zou kunnen vragen naar deze man. Misschien wist hij iets over hem dat bruikbaar voor haar zou zijn.

De kapitein bleek niets te weten over de identiteit van de vertegenwoordiger van Austin. Emily stelde haar vragen behoedzaam om geen achterdocht te wekken. Het laatste wat ze wilde, was dat de kapitein ten gunste van haar zou ingrijpen en de man aanspreken. Als dat zou gebeuren, zou de kapitein al gauw de waarheid over haar te horen krijgen – dat ze van huis was weggelopen en dat ze helemaal geen verslaggeefster van de *Evening Post* was.

Wat dat laatste betreft hoopte ze dat haar list vruchten zou afwerpen. Hoewel ze geen opdracht van de *Post* had gekregen om een interview met de kapitein te houden, was ze van mening dat ze uit zijn verhaal wel een bruikbaar artikel zou kunnen maken dat ze aan de krant zou kunnen verkopen.

De kop van het artikel zou zijn: 'Louis Lakanal, de laatste van een uitstervend soort.' Het thema van haar artikel zou zijn het contrast tussen de romantiek en de pracht van de stoomboten tegenover de steeds populairder wordende spoorwegen. Ze wilde dit doen door kapitein Lakanal weer te geven als een soort witte ridder op de rivieren. Ze was van plan haar artikel in te leiden met een citaat van één van Lakanals meest geliefde schrijvers, een man die een groot gedeelte van zijn leven zelf op rivierboten had doorgebracht:

Om een goede loods te zijn moet een man meer leren dan wie dan ook. Hij moet het steeds weer opnieuw leren, iedere vierentwintig uur weer op een andere manier. Mark Twain

Volgend op dit citaat schreef ze: 'De kapiteins van deze edele stoomboten leerden de grondbeginselen van het omgaan met hun vaartuig als nederige dekmatrozen en hutjongens. Terwijl zij hun boten over de rivieren loodsten, leerden zij om te gaan met Indianen, onbetrouwbare machines en weerspannige bemanningen aan de hand van één stelregel: "net een beetje meer dan het gewone."'

Toen ze de kapitein vertelde wat haar thema zou zijn, stond hij erop haar inleiding te lezen. Toen hij de inleiding las en Emily de zelfvoldane trek op zijn gezicht zag, wist ze dat ze de juiste snaar geraakt had.

Het mysterie van de vertegenwoordiger van Austin bleef nog verscheidene dagen nadat zij uit Louisville vertrokken waren een mysterie. Emily vond dit vreemd. Iedere keer als ze de man tegenkwam, staarde hij haar doelbewust aan. Maar hij sprak haar geen enkele keer aan.

Op een avond, toen de kapitein het te druk had om haar zijn levensverhalen te vertellen en Jesse allerlei klusjes moest doen, betrapte zij de agent erop dat hij haar in de grote algemene verblijfplaats voor de passagiers zat aan te staren. De verblijfplaats was de sociale vergaderruimte voor de passagiers en was voorzien van een bar en tafeltjes met stoelen. De ruimte werd verlicht door een kristallen kroonluchter. De hele vloer was bedekt met rood tapijt en tegen de mahoniehouten wanden waren overal potten met varens geplaatst. In de ene wand was een rij ramen geplaatst zodat de passagiers het landschap aan zich voorbij zagen trekken, terwijl ze met elkaar converseerden en een drankje nuttigden of – zoals velen deden – allerlei gokspelletjes deden.

Emily had de zaal nog maar net betreden toen ze de vertegenwoordiger van Austin zag. Hij zat aan de bar en zag haar binnenkomen. Zoals altijd staarde hij haar onophoudelijk aan. Omdat het maar beter was de bedoelingen van de man te kennen, en omdat Emily zich met zoveel mensen om zich heen tamelijk veilig voelde, besloot ze de man dan zelf maar aan te spreken. In plaats van hem te ontwijken zoals ze anders altijd deed, bleef ze bij de ingang staan en staarde nadrukkelijk terug in de hoop dat hij zich daardoor onbehaaglijk zou gaan voelen. Hij tilde zijn glas op en nam een teug zonder zijn ogen van haar af te wenden.

Nou, goed dan, dacht Emily, *laten we eens zien wat hij eigenlijk wil.*

Ze liep doelbewust op hem af zonder haar ogen neer te slaan. Hij keek haar aan zonder dat zijn gezichtsuitdrukking veranderde. Hij glimlachte niet, hij trok zijn wenkbrauwen niet op en keek ook niet laatdunkend naar haar. Hij deed helemaal niets. Emily liep onverschrokken op hem af. Hij tilde zijn glas op en dronk het uit.

Toen ze op een paar meter afstand van hem was, stak ze haar hand op. Terwijl ze naar hem wees, wilde ze zeggen: 'Ik wil graag weten wie u bent en waarom u mij sinds u aan boord kwam zo aanstaart!'

Maar ze kreeg de kans niet om iets te zeggen.

De man zette zijn glas neer en liep weg. Emily bleef achter met een uitgestoken vinger naar een man die er niet meer was.

Ze liet wat verlegen haar hand zakken en dacht: *Zo gemakkelijk kom je niet van mij af. Ik wil weten wie je bent!*

Ze hoefde niet lang te wachten.

Ze werd wakker doordat er op haar deur geklopt werd.

Emily was net in slaap gevallen. Het was al laat. Met haar kleren aan was ze op bed gaan liggen om op Jesse te wachten. Het was bijna middernacht toen de kapitein hem eindelijk had laten gaan. Aangezien Emily de enige persoon in de publieke zaal was die niet aan een gokspelletje deelnam, was ze maar naar haar hut gegaan. Ze kwam Jesse tegen op het gangpad en hoewel hij eruit zag of hij nog nauwelijks zijn ogen kon openhouden, kon ze hem er toch toe overhalen om nog even op het dek te gaan wandelen voor ze gingen slapen.

Hij had zijn vuile handen opgestoken en gezegd dat hij zich eerst wilde gaan wassen en dat hij haar dan bij haar hut zou ophalen. Dat was nu bijna een kwartier geleden en terwijl Emily op hem wachtte, was ze in slaap

gesukkeld. Toen klonk de klop op de deur.
'Ik kom!', riep ze, terwijl ze probeerde niet al te slaperig te klinken. Ze sprong van haar bed en knipperde even met haar ogen om weer goed wakker te worden. Ze maakte haar kapsel in orde en greep de deurkruk. 'Nou, dat duurde zeg', zei ze terwijl ze de deur open deed. 'Waar heb je zo lang...'

De agent van Austin met het vette, zwarte haar stond voor de deur. 'Het is een beetje laat om nog iemand te verwachten, vind je ook niet, Emily?' Zijn ogen schitterden boosaardig.

'Ik zie niet in wat u daarmee te maken hebt', zei Emily.

'Nou, dat zie je dan verkeerd', zei hij. 'Als een veiligheidsagent van je vader, heb ik er wel degelijk mee te maken. Zie je, hij heeft mij erop uitgestuurd om je te zoeken. Mijn naam is Richard Tykas. Je kunt mij meneer Tykas noemen.'

'Zoals u al zei, meneer Tykas, is het nogal laat. Morgenochtend zullen we ons gesprek voortzetten. Goede nacht.'

Emily probeerde de deur dicht te doen, maar Tykas belette haar dat.

'Het is mijn plicht u erop te wijzen, juffrouw Austin... het is toch juffrouw Austin, hè? Om de een of andere reden schijnt iedereen aan boord hier te denken dat u Barnes heet, dat u verslaggeefster van de *Evening Post* bent en dat u een artikel over de kapitein schrijft. Ik vraag mij af hoe ze op dat idee gekomen zijn?'

De kilte die Emily voelde iedere keer dat zij hem zag, kwam weer terug, maar deze keer nog in versterkte mate. Terwijl ze had geprobeerd het een en ander over hem aan de weet te komen, had hij navraag naar haar gedaan. En uit wat hij zojuist gezegd had, bleek dat hij dat met meer succes gedaan had dan zij.

Hij wuifde zijn laatste opmerking weg. 'Och, wat doet het er ook toe hoe ze op dat idee gekomen zijn. Het is mijn plicht u erop te wijzen, juffrouw *Austin* (hij legde alle nadruk op haar naam) dat uw vader mij gestuurd heeft om u te zoeken *en* terug te brengen naar New York.'

Hij wachtte op haar reactie, maar Emily zei niets.

'Daarom zullen we het volgende doen', zei hij. 'Morgen om vier uur bereiken we Cairo. We gaan dan beiden van boord en ik zal u naar huis begeleiden. Omdat we van hier af tot Cairo geen andere havenplaats meer aandoen, neem ik aan dat u nog wel aan boord zult zijn. Ik raad u aan het niet moeilijker voor uzelf te maken, juffrouw Austin. Zo nodig zal ik de kapitein op de hoogte brengen van uw ware identiteit en hem verzoeken aanvullende veiligheidsmaatregelen te nemen zowel hier aan boord als in de haven.'

Hij wachtte weer. Emily keek hem alleen maar strak aan.

'Zoals u opgevallen zal zijn', vervolgde Tykas, 'heb ik u niet gevraagd of u het hier mee eens bent. Voor zover ik kan zien, heeft u geen andere keus. Ik stel dus voor dat u uw bagage klaarmaakt voor de reis naar huis.' Hij glimlachte gladjes en voegde eraan toe: 'Goede nacht, juffrouw Austin. Welterusten.'

Tykas probeerde de deur achter zich te sluiten, maar Emily hield de deurkruk stevig vast zodat het hem niet lukte. Hij haalde zijn schouders op en liep weg. Toen hij drie stappen op het gangpad gedaan had, sloeg Emily de deur met een klap dicht.

Emily lag de hele nacht met haar kleren aan op bed. Ze sliep nauwelijks en als ze even sliep draaide zij zich steeds om in haar slaap. Nu ze niet meer hoefde te raden, had ze genoeg om over na te denken en werd ze steeds bozer.

Waarom had Tykas zo lang gewacht om haar aan te spreken? Sinds hun vertrek uit Louisville had de boot verschillende keren aangelegd. Waarom had hij gewacht tot Illinois?

De reden dat hij haar dit alles nu pas vertelde, een paar uur voordat ze in Cairo zouden aanleggen, was duidelijk. Hij wilde haar niet de kans geven er vandoor te gaan.

En waar was Jesse? Hij had daar voor de deur moeten staan en niet Tykas. Als Jesse op tijd gekomen was, zou ze met hem op het dek gewandeld hebben toen Tykas aan haar deur kwam.

Hoewel ze steeds bozer werd op Jesse, bleef ze toch op hem liggen wachten. Ze wachtte de hele nacht, maar Jesse kwam niet opdagen.

HOOFDSTUK 21

'Hoe vaak moet ik het nog zeggen. Het spijt mij. Ik ben in slaap gevallen!'

Ze stonden op het gangpad en Emily was duidelijk boos, bozer dan ze, naar de mening van Jesse, onder de gegeven omstandigheden zou moeten zijn. Hij was in slaap gevallen en daarom hadden ze samen niet over het dek kunnen wandelen. Dat speet hem, maar wat kon hij verder nog zeggen?

Toen Jesse in zijn hut wakker geworden was, was hij goed kwaad geweest op zichzelf. Het speet hem erg. Hij wilde niets liever dan samen met Emily zijn. Maar hij had een vergissing begaan. Hij was alleen maar even gaan liggen en was toen in slaap gevallen. Waarom deed Emily nu net of het een kwestie van leven en dood was?

'Ik heb nu geen tijd om ruzie te maken', zei Emily boos. 'Ik moet bij de kapitein komen.'

'Ik zie helemaal niet in dat we ruzie zouden moeten maken!', riep Jesse uit.

'Ik heb nu geen tijd om het allemaal uit te leggen!' Ze liep langs Jesse heen naar de stuurhut. Toen draaide ze zich plotseling om en vroeg: 'Weet jij waarom de kapitein mij wil spreken?'

'Luister', was alles wat Jesse zei.

Ze fronste verwonderd haar voorhoofd. Wat bedoelde hij nu? 'Luisteren, waarnaar lui...?'

Jesse legde zijn vinger op zijn lippen. Hij fluisterde een woord: *luister*. In de verte klonk drie keer een stoomfluit. 'Het is de stoomboot de *Eagle*. De kapitein van de *Eagle* is de rivaal van Lakanal. Van wat ik hoorde begrijp ik dat ze beiden met hetzelfde sop overgoten zijn; ze zijn beiden trotse stoombootkapiteins. Ik was in de stuurhut toen de kapitein een hofmeester de opdracht gaf jou te gaan roepen. Toen de machinist dat hoorde, keerde hij zich om en zei tegen mij: "Als hij die verslaggeefster laat halen, krijgen we gegarandeerd een race."'

'Een race?'

Jesse knikte. 'Naar wat ik gehoord heb, is dit niet de eerste keer. Die twee kapiteins mogen elkaar niet. De *Eagle* achter ons loopt snel op ons in en volgens de machinist is er maar één reden waarom hij dat doet – hij wil voor Lakanal in Cairo zijn.'

'Wat heb ik daarmee te maken?'

'Alles natuurlijk. Denk jij dat Lakanal zich wil laten verslaan als jij aan boord bent? Je schrijft zijn levensverhaal op. Als je in je artikel schrijft dat Marsh hem verslagen heeft en het eerst in Cairo aankwam, zal hij zich natuurlijk vernederd voelen. Maar als Marsh hem uitdaagt - en dat doet hij - en Lakanal is het eerste in Cairo, dan komt hij natuurlijk als een held van de oude stoomboottraditie naar voren!'

'Wat maakt het nou uit welke boot het eerst in Cairo aankomt?', zei Emily. 'Het lijkt wel een wedstrijd tussen twee jochies!'

Jesse lachte. 'Misschien is dat wel zo, maar iedereen is erg geïnteresseerd in de uitkomst. De bemanning van de *Tippecanoe* is helemaal opgewonden. En naar wat ik gehoord heb, zijn de passagiers ook op de hoogte gebracht en niemand wil van de *Eagle* verliezen.'

Emily schudde verachtelijk haar hoofd. 'Nou, hier is dan een passagier die het, zolang we maar veilig op de plaats van bestemming komen, niets uitmaakt als dat andere schip eerder aankomt! Dit is gewoon achterlijk!'

'Emily, het hoort nu eenmaal bij de traditie van de rivierboten. De competitie tussen de kapiteins is gewoon legendarisch! Joiner - dat is de machinist - vertelde mij dat hij het begin van de race gezien heeft tussen de *Natchez* en de *Robert E. Lee,* twintig jaar geleden. Ze vertrokken van New Orleans en het ging erom wie het eerst in St. Louis zou zijn. Volgens Joiner stonden er bij de start tienduizend mensen te kijken en zelfs in Londen en Parijs werden er weddenschappen afgesloten!'

'Ik blijf het dwaas vinden', zei Emily.

'Nou als ik jou was, zou ik dat maar niet tegen de kapitein zeggen.'

Emily's antwoord was het geklik van haar hakken tegen het gangpad, terwijl ze op weg ging naar de stuurhut. Jesse keek haar even na, draaide zich toen om en ging naar het ketelruim.

Jesse had Emily niet alles verteld wat er door de kapitein in de stuurhut gezegd was. Toen de *Eagle* in zicht kwam en het duidelijk werd dat ze op hen inliep, had de kapitein Jesse terzijde genomen en hem een paar instructies ingefluisterd. Hij zou gebruikt worden als loopjongen tussen de stuurhut en het ketelruim. Daarbij moest hij snel en discreet te werk gaan. Lakanal had echter nadrukkelijk gesteld dat de persoonlijke communicatie slechts van secundair belang was. Hij wilde in de eerste plaats dat Jesse alles goed in de gaten zou houden. Hij wilde dat Jesse Joiner, de machinist, nauwlettend in het oog hield en alles wat hij deed en zei tijdens de wedstrijd aan de kapitein zou rapporteren.

Jesse kreeg de indruk dat hij als spion gebruikt werd. Uit wat de kapitein vervolgens zei, bleek dat hij Jesse's gedachten geraden had, want hij voegde eraan toe: 'Normaal gesproken zou ik je dit niet vragen. Maar vandaag heb ik daar mijn redenen voor. Laten we zeggen dat Joiners moed in het verleden op de proef is gesteld en dat hij nogal tekortgeschoten is. Laten we het daar maar bij laten.'

Jesse was op weg naar het ketelruim met een eerste geschreven boodschap van de kapitein, toen hij op het gangpad Emily was tegengekomen. Hij had haar sinds hun afspraakje de vorige avond niet meer gezien. Nu hij naar het ketelruim liep, schold Jesse zichzelf opnieuw uit voor het feit dat hij in slaap gevallen was. Hij had iets goed te maken bij Emily. Maar hij had niet veel tijd. Later op die dag zouden ze in Cairo aanleggen en hij had haar beloofd om haar, voordat ze Cairo zouden bereiken, zijn besluit te vertellen. Daar zou ze ook niet blij mee zijn.

'O, neem mij niet kwalijk!' De man met wie Jesse in botsing kwam, wankelde achteruit, hoewel hij de grootste van de hen beiden was. Het gezicht van de man vertrok van woede.

'Waarom kijk je niet beter uit!', schreeuwde de man.

Jesse stond oog in oog met een man die een hevige zweetlucht verspreidde. Zijn sluik, vettig haar zat op zijn voorhoofd geplakt.

'Neem mij niet kwalijk, meneer. Het was mijn fout', verontschuldigde Jesse zich.

'Is het gebruikelijk dat bemanningsleden betalende passagiers zomaar ondersteboven lopen? Dit is onvergeeflijk! Hoe heet jij?'

'Jesse, meneer. Jesse Morgan.'

De man maakte een overdreven beweging met zijn hoofd. 'Morgan?' Het was net of de naam de man bekend voorkwam, maar hij die niet helemaal plaatsen kon. Hij ging steeds nijdiger kijken en zei nog eens: 'Morgan.'

'Ja meneer. En het spijt mij oprecht.'

Toen greep de man Jesse bij zijn overhemd. Jesse werd er volkomen door verrast. Het ene moment was de man bij het noemen van zijn naam achteruitgedeinsd en het volgende moment trok hij Jesse naar zich toe. De stank van zweet werd nu vermengd met zijn adem die naar koffie rook.

Met opeengeklemde kaken zei de man: 'Luister, Morgan. Ik zeg je dit slechts één keer. Bemoei je niet met Emily. Als je leven je lief is, blijf dan van haar vandaan.'

Hij duwde Jesse van zich af en liep het gangpad af alsof hij zomaar een wandeling maakte. De bedreiging van de man had Jesse meer uit zijn evenwicht gebracht dan de botsing met hem. Wat had dit te betekenen? Wie was die man? En wat had hij met Emily te maken?

Het begon tot Jesse door te dringen dat de botsing geen toeval was geweest. Hij begon de man achterna te lopen.

Drie signalen van de stoomfluit uit de stuurhut brachten hem tot staan. Er volgden nog drie fluitsignalen, deze keer van de *Eagle*. Ze was nu dichtbij.

'MORGAN!'

De stem van de kapitein weergalmde over het water. Jesse aarzelde. Hij wilde de man volgen die hem zojuist bedreigd had om er achter te komen wat dit allemaal te betekenen had. Maar hij was nog niet naar het ketelruim geweest en de kapitein schreeuwde naar hem dat hij naar de stuurhut moest komen. De man zou moeten wachten. Hij moest nu een keus maken: naar het ketelruim of naar de stuurhut.

Jesse wierp een laatste blik op de rug van de man die hem bedreigd had. Uit frustratie gaf hij een klap op de railing en rende toen naar het ketelruim.

'Waar heb jij gezeten?'

Tegen de tijd dat Jesse weer terug was in de stuurhut was hij buiten adem. Hij stormde het stuurhuis binnen en overhandigde de kapitein een stuk papier - het antwoord van de machinist op Lakanals boodschap. Terwijl de kapitein de boodschap las, keek Jesse naar Emily. Ze zat in een hoek van de stuurhut te schrijven. Ze had niet opgekeken toen hij binnenkwam en ook nu hield ze haar ogen op haar schrijfblok gericht.

Met zijn handen stevig om het stuurwiel geklemd keek de stuurman hem aan. De man had een vastberaden trek op zijn gezicht. Hij keek nerveus over zijn schouder. Jesse volgde zijn blik. De *Eagle* - haar twee schoorstenen braakten vlammen en rook - was duidelijk dichterbij gekomen.

Lakanal frommelde het papier in elkaar en keek op. 'Breng verslag uit!'

Jesse vertelde wat hij had waargenomen. 'Iedereen in het ketelruim is vol zelfvertrouwen en bereid om de wedstrijd met de *Eagle* aan te gaan.'

Emily keek verwonderd op toen ze het verslag hoorde.

De kapitein boog zich dichter naar Jesse toe. 'Iedereen?', vroeg hij.

'Iedereen', antwoordde Jesse.

'Goed!' Hij keerde zich tot de stuurman en zei: 'Meneer Barker, het wordt tijd dat we Marsh eens laten zien wat de *Tippecanoe* kan!'

De grimmige trek op het gezicht van de stuurman veranderde niet. Hij gaf slechts een kort knikje.

Lakanal raadpleegde zijn kaart, wees met een verweerde vinger naar een plaats op de kaart waar de rivier een scherpe bocht maakte en zei: 'Hier.'

Zonder zijn stuurwiel los te laten, boog de stuurman zich naar voren en keek naar de plaats die de kapitein aanwees. Toen hij opkeek, was zijn gezichtsuitdrukking niet veranderd. Hij keek de kapitein aan.

'Het element van de verrassing, meneer Barker', zei de kapitein. 'Dat zal Marsh niet verwachten!'

'De zandbank?', vroeg Barker.

'Er is voldoende ruimte. We blijven er wel vrij van!', zei de kapitein.

Barker keek nu nog grimmiger. Weer knikte hij even.

Lakanal greep een stuk papier en schreef gehaast iets op. Hij vouwde het papier op en gaf het aan Jesse. 'Vergeet mijn instructies niet, Morgan', zei hij. 'Als je dit aan Joiner gegeven hebt, blijf je daar beneden. Bij het eerste teken van verandering, breng je aan mij verslag uit. Begrepen?' De kapitein keek Jesse strak aan om te zien of Jesse hem goed begrepen had. De boodschap was duidelijk.

Voor hij de deur uit rende, wierp Jesse nog een laatste blik op Emily. Deze keer keek ze hem aan. Ze had een verachtelijke trek om haar mond alsof ze wilde zeggen: 'Wat een onzin allemaal!'

Deze keer kwam Jesse geen enkele passagier tegen. In de gang was niemand te zien. De meeste passagiers, die nu allemaal op de hoogte waren van de wedstrijd, stonden langs de railing aan de andere kant van de boot. De *Eagle* voer nu naast hen. Iedereen was opgewonden. Geld ging van hand tot hand en overal werden weddenschappen afgesloten. Over het water werden door de passagiers van beide boten met veel geschreeuw weddenschappen gesloten. Jonge vrouwen sprongen opgewonden heen en weer alsof de *Tippecanoe* een paard was dat ze wilden aanvuren.

Kapitein Marsh en de stuurman stonden trots achter het glas van de stuurhut van de *Eagle*. Evenals Lakanal had Marsh grijs haar, maar het was dunner en korter. Hij had alleen een snor. De tevreden grijns onder zijn snor wees erop dat hij in zijn sas was over het feit dat de *Eagle* was ingelopen op haar rivaal. Hij keek naar de stuurhut van de *Tippecanoe*. Het was opvallend hoe de tevreden grijns onmiddellijk verdween toen hij Lakanal in het oog kreeg.

Jesse bereikte het ketelruim. Naar adem happend gaf hij het papier van de kapitein aan de machinist. Joiner pakte het aan, las het en knikte. Jesse wachtte op een verdere reactie, maar die bleef uit. Joiner had eenvoudigweg de order bevestigd. Jesse ging dus aan de kant staan om te zien of er enige verandering zou optreden, zoals hem bevolen was.

Matrozen met ontbloot bovenlijf, zwetend en met roet bedekt, stonden in een rij en gooiden op bevel van de machinist hout onder de ketel. Jesse herkende de grootte en de vorm van de houtblokken; in Brownsville had hij er heel wat gehakt.

Hij had zich zo opgesteld dat hij de vlammen onder de ketel niet direct kon zien. Hij had die plaats ingenomen zonder er verder bij na te denken. Zolang hij zich kon herinneren had hij bij het zien van vuur altijd een onbehaaglijk gevoel gehad. Als hij vlammen zag, kreeg hij maagkrampen en voelde hij zich misselijk worden. Zijn handen begonnen dan te zweten en hij begon te beven. Als hij erover nadacht, wist hij wel waarom hij zo reageerde. Maar omdat hij automatisch het zien van vlammen vermeed, hoefde hij er slechts zelden over na te denken.

De gloed van het vuur onder de ketel kleurde iedereen die er omheen stond in een geel en oranje licht – geel voor de mensen die het dichtst bij het vuur stonden en oranje voor de mensen die verder weg stonden. Joiner stond met zijn handen in zijn zij en inspecteerde de ketel. Hij boog zijn hoofd dan deze en dan die kant op, boog voorover en keek aan weerskanten van de ketel in de vuurgloed. Hij wrong zijn handen.

Jesse lette scherp op de reactie van de machinist, maar bewoog zich niet. Er kwam een verontrustende vraag bij hem op. De kapitein had gezegd dat hij iedere gedragsverandering moest melden. Maar dit zou hij toch niet bedoeld hebben? Of wel? Eerst had Joiner met zijn handen in zijn zij gestaan en nu stond hij handenwringend voor het vuur. Een gedragsverandering. Maar was die belangrijk genoeg om te rapporteren? Jesse besloot te wachten en nog een poosje langer toe te kijken.

Toen werd de opdracht van de kapitein overgebracht om op volle snelheid te varen. Het bevel ging gepaard met de aanmaning: 'Haal alles eruit wat erin zit, Joiner!'

De machinist wachtte lang genoeg om het zweet van zijn gezicht te vegen. Toen beval hij zijn mannen het vuur nog verder op te stoken. Het vuur reageerde onmiddellijk op de toegevoerde brandstof. De ketel siste en kraakte. Het scheprad draaide sneller door het water. Hun snelheid nam toe.

Joiner bestudeerde de ketel opnieuw. Voor Jesse leek de machinist op een moeder die haar kind op tekenen van waterpokken of een andere huidziekte onderzocht. Wat hij zag stond hem niet aan. Joiner schudde zijn hoofd en vloekte.

Jesse keek toe. Nu? Dat handenwringen en dat vloeken? Was dat voldoende? Moest hij de kapitein op de hoogte brengen? Hij besloot nog even te wachten.

Weer kwam er een bevel uit de stuurhut. 'We hebben meer snelheid nodig. Haal er uit wat er in zit, Joiner!'

De machinist bleef besluiteloos staan. De mannen om hem heen verwachtten orders van hem, maar hij zei niets.

Jesse begon zich zorgen te maken dat hij te lang gewacht had. Joiner had zijn ogen gesloten. Hij hijgde zwaar. Juist toen Jesse besloten had terug te gaan naar de stuurhut, gaf de machinist het bevel dat er nog sneller hout op het vuur gegooid moest worden.

Het vuur werd nu zo heet dat de oranje gloed in een witte veranderde. De mannen die het hout op het vuur gooiden, moesten de blokken er nu van een grotere afstand opgooien. Ze deinsden dan weer haastig terug en beschermden hun gezicht met hun armen. De ketel trilde door de verhoogde temperatuur. Het scheprad aan de achtersteven sloeg sneller en sneller door het water tot de afzonderlijke schoepen niet meer te zien waren.

Joiner wendde zich van zijn mannen af en vervloekte mompelend de kapitein. Jesse zag het omdat hij hem in het oog hield. Hij wist niet eens zeker of hij de woorden wel verstaan had, maar hij zag de woorden op Joiners lippen. Hij zag hoe de lippen de woorden vormden en hij herkende ze.

Jesse liep het ketelruim uit en werd door allerlei gevoelens overvallen. Het eerste wat hij opmerkte was de bries. Het verschil met de hitte in de stookruimte deed weldadig aan. Hij hoorde de aanmoedigende kreten en het gejuich van de passagiers die hun schepen aanvuurden. In vergelijking met de trage gang die hij gewend was, trok de rivieroever nu met grote snelheid aan hem voorbij.

Hij rende over het gangpad, vloog de trap op en stormde de stuurhut binnen. Emily die gespannen naar de *Eagle* zat te kijken, keek verschrikt op toen hij zo binnenkwam. De twee schepen voeren nu naast elkaar met grote snelheid door het water.

De kapitein vloekte toen hij Jesse zag, niet om Jesse zelf, maar omdat Jesse's verschijning betekende dat de machinist het liet afweten. 'Rapport!', schreeuwde hij.

Terwijl hij zich wat voorover boog om weer op adem te komen, fluisterde Jesse: 'Ze voeren uw orders steeds trager uit. Hij wringt zijn handen, staat te mompelen en te vloeken.'

'Kom mee naar buiten!' Ze liepen naar buiten en de kapitein deed de deur achter hen dicht. De kapitein boog zich naar Jesse toe en sprak dicht bij zijn oor. Hij moest luid praten om verstaaanbaar te zijn boven het geruis van de wind en het water en het geraas van het scheprad, maar hij wilde niet dat iemand anders zou horen wat hij zei. 'Heeft Joiner zijn mannen ontmoedigd?'

Jesse begreep niet precies wat de kapitein bedoelde. 'Nee..., ik dacht van niet.'

De kapitein stelde zijn vraag directer. 'Heeft Joiner gezegd of laten voorkomen dat de ketel zal exploderen als we nog sneller gaan?'

Jesse was blij dat de kapitein direct in zijn oor sprak zodat hij zijn verwonderde blik niet kon zien. 'Nee', zei Jesse, 'daar heeft hij niets over gezegd.'

De kapitein knikte geestdriftig. 'Ga weer naar beneden', beval hij. 'Als Joiner twijfel onder zijn mannen begint te zaaien, wil ik dat meteen weten!'

Jesse knikte.

De kapitein wilde de deur naar de stuurhut openen toen Emily naar buiten kwam. 'Wat gaat u doen, juffrouw Barnes?', vroeg hij.

'Kapitein', ze moest bijna schreeuwen om verstaanbaar te zijn, 'mag ik met meneer Morgan mee naar het ketelruim? Voor mijn verhaal wil ik graag de mannen in actie zien.'

Jesse kon aan zijn ogen zien dat hij zou weigeren. Emily zag het kennelijk ook.

'Ik blijf maar heel even', stelde ze hem gerust. 'Ik kom meteen weer terug naar de stuurhut.'

De kapitein moest er even over nadenken, maar gaf Emily toen toestemming om met Jesse mee te gaan.

Zodra de deur van de stuurhut weer dicht was en ze door het gangpad liepen, keerde Emily zich tot Jesse. 'Wat heeft hij tegen je gezegd?', vroeg ze.

Jesse was even van zijn stuk gebracht. Over wie had ze het nu? Wist ze dat die man hem bedreigd had? Of bedoelde ze de kapitein?

'Wat bedoel je?', vroeg hij.

'Ik bedoel, wat zei de kapitein tegen je? Je had je gezicht eens moeten zien!'

Jesse vertelde haar wat zijn opdracht in het ketelruim was.

'Exploderen! Is dat mogelijk?'

'Dat is tijdens wedstrijden tussen stoomboten wel vaker voorgekomen.'

'Niet te geloven', zei Emily terwijl ze een eindje wegliep. Terwijl ze nadacht, beet ze op haar nagels. Toen zei ze weer: 'Niet te geloven.'

'Wat is er dan? Heb je iets gehoord?'

Ze knikte en bleef op haar nagels bijten.

'Een eindje verderop maakt de rivier een bocht die in tweeën gedeeld wordt. In de binnenbocht liggen twee zandbanken die zo dicht bij elkaar liggen dat een boot er maar net tussendoor kan. Normaal gesproken nemen de stoomboten de buitenbocht. Maar om de *Eagle* te verslaan wil Lakanal nu tussen die twee zandbanken door. Volgens de stuurman is het al riskant om dat met lage snelheid te doen, maar Lakanal...'

Jesse maakte haar zin af: '... probeert dat nu op topsnelheid te doen.'
'Sneller dan de *Tippecanoe* ooit gevaren heeft', voegde Emily eraan toe.
'Zei hij dat?', vroeg Jesse.
Emily knikte.
'Kom mee', zei Jesse.
'Waar ga je heen?'
'Naar het ketelruim. We moeten goed op Joiner letten. Als er ook maar iets niet in orde is, zal hij dat onmiddellijk weten en hij is niet iemand die zijn gevoelens verbergt. Als er iets verkeerd zou gaan...'
Deze keer vulde Emily Jesse aan: '... springen we overboord.'
Jesse knikte.
'Ik wil eerst even naar mijn hut om een paar dingen te halen', zei Emily.
'Daar hebben we geen tijd voor!'
'Het zijn belangrijke dingen', riep Emily uit. 'Ik zie je zo wel weer in het ketelruim.'
Jesse keek haar aan. Het was nu niet de tijd om uit elkaar te gaan. 'Nee', zei hij, 'ik ga met je mee.' Hij greep haar hand en samen renden ze naar haar hut.
Ze had slechts een paar minuten nodig om een aantal dingen in een tas te stoppen en terwijl ze daarmee bezig was zei ze: 'Mijn geloofsbrieven en wat geld. De aantekeningen voor mijn artikel heb ik al bij me. Ik hoop wel dat ze een duik in de rivier zullen overleven als dat nodig zou zijn.'
Ze gooide de riem van de tas over haar schouder en keerde zich om om te gaan. Ze liep recht op Jesse af die in de deuropening stond. Hij bewoog zich niet. 'Vreemd dat het zo moet aflopen', zei hij.
Emily hield haar hoofd wat schuin. 'Vertel mij eens, gaan we nu samen terug naar New York?'
Jesse glimlachte. 'We zijn nog niet in Cairo. Ik heb je gezegd dat ik je vraag zou beantwoorden als we in Cairo zijn.'
Emily deed nog een paar stappen dichter naar hem toe. Met een hese stem zei ze: 'Het lijkt erop dat je mij probeert te ontwijken. Zeg op. Wat ben je van plan?'
Ze stonden nu dichter bij elkaar dan ooit tevoren.
'Het spijt mij', zei Jesse abrupt. 'Ik zal het je vertellen zodra we in Cairo zijn.' Hij greep haar hand en trok haar op het gangpad.

Jesse en Emily bereikten het ketelruim niet. Zodra ze op het hoofddek kwamen, werden ze bijna onder de voet gelopen door zwetende en met roet bedekte mannen die langs hen heen renden en overboord sprongen.
Plons! Plons! Plons!

Eén man sprong over de railing terwijl hij schreeuwde: 'Hij gaat ontploffen!'

Omdat de stoomboot met grote snelheid voer, kwamen de meeste mannen weer boven water toen de boot al langs hen heen gevaren was. Sommigen van hen hadden echter niet ver genoeg gesprongen en werden door het scheprad weer onder water getrokken.

Het geschreeuw uit het ketelruim alarmeerde de passagiers die nog steeds aan de railing stonden om hun boot aan te vuren. Binnen een paar seconden ontstond er aan dek grote paniek.

Jesse greep Emily's hand. 'Hou vast!', schreeuwde hij. 'Laten we bij elkaar blijven!'

Emily knikte zenuwachtig. Ze maakten zich klaar om over de railing te springen.

'Morgan! Hé, Morgan!'

Achter hen werd geroepen. Het was de man die Jesse eerder bedreigd had.

'Blijf staan!', schreeuwde hij.

Emily keek boos naar Jesse. 'Ken je die man? Ken je Tykas?'

De man die Emily Tykas noemde, rende naar hen toe. Jesse wilde wat zeggen om zich te verdedigen, maar hield toen zijn mond. Dit was niet het juiste moment voor uitleg. Hij keek Emily aan en duwde haar over de railing.

'Jesseee!', gilde ze.

Plons!

Hij bleef lang genoeg kijken om Emily weer boven te zien komen. Ze was ver genoeg weg van het raderwiel.

Tykas deed een uitval naar Jesse, maar hij greep mis. Jesse dook onder zijn arm door en rende weg. Hij rende over het gangpad, dook tussen schreeuwende en radeloze passagiers door. Tykas was vlak achter hem.

De stoomfluit van de *Tippecanoe* loeide. Korte stoten die snel op elkaar volgden. Langs het gangpad schoten de rivier en de oever met grote snelheid voorbij. Toen Jesse de boeg bereikte, zag hij voor zich twee zandbanken liggen die parallel aan de koers van de boot lagen. Tussen de twee banken in was het water donkerder en dieper. Maar was de vaargeul breed genoeg? Zandbanken waren er berucht om hoe snel zij van de ene op de andere dag van ligging veranderden.

De stoomfluit loeide maar door. Vanuit de stuurhut kon Jesse de kapitein horen schreeuwen: 'Snelheid, meneer Joiner! Ik heb meer snelheid nodig!'

Door al de passagiers op het gangpad kon Jesse niet bij de railing komen en overboord springen. Tykas zou hem te pakken krijgen voordat hij kon springen. Jesse keek naar de boeg. Nee, dat was niet de juiste plaats. Als hij daar af zou springen, zou de boot over hem heen varen. Hij keek vliegensvlug om zich heen. Hoe moest hij van die boot afkomen?

Wat zou Truly Noble doen?

Het bovendek. Daar zou het waarschijnlijk niet zo druk zijn.

Jesse draaide zich om en stormde de trap op, dezelfde trap waarop hij die eerste avond aan boord gezeten had en naar Emily had gekeken. Tykas probeerde hem de pas af te snijden door over de leuning heen naar hem te grijpen. Hij kreeg een stuk van zijn overhemd te pakken.

Jesse probeerde zich los te rukken. Hij probeerde zich op de trap af te zetten, maar Tykas hield hem stevig vast. Daarom veranderde Jesse van tactiek. In plaats van zich los te rukken, zette hij beide handen op Tykas onderarm. Toen leunde hij er met zijn volle gewicht op, waarbij hij de leuning als draaipunt gebruikte. Tykas uitte een kreet van pijn. Het volgende moment was Jesse vrij.

Hij rende de trap op. Zijn inschatting bleek juist te zijn. De meeste passagiers hadden vanaf het benedendek de wedstrijd gadegeslagen, zodat op het gangpad van het bovendek slechts een paar mensen liepen. Terwijl hij langs de hutten rende, wist Jesse precies wat Truly Noble gedaan zou hebben; maar hij was er niet zeker van of hij de moed zou hebben om dat ook te doen.

Hij keek achter zich. Tykas stormde de trap op.

De stoomfluit van de *Tippecanoe* gilde onophoudelijk terwijl ze op de smalle vaargeul aankoerste. De *Eagle* lag nu achter hen en voer door de buitenbocht.

Plotseling trilde het bovendek onder Jesse's voeten. Mensen gilden. De boot schudde opnieuw, heviger deze keer.

Jesse was halverwege het gangpad. Tykas was recht achter hem. Voor een wat oudere man was hij erg snel - sneller dan Jesse, nu er geen obstakels meer waren. Jesse kon de hijgende adem van de man achter zich horen. Het klonk als het geluid van een stier die in de aanval gaat. Jesse boog zich verder naar voren en dwong zich nog sneller te rennen. Hij keek op. Het gangpad liep dood.

Wat zou Truly Noble doen?

Precies wat Jesse nu ging doen.

Met een sprong kwam Jesse tussen twee staanders op de railing terecht. Even leek het wel of hij tussen hemel en aarde bleef hangen. Boven hem zag hij alleen de lucht. Beneden zich de oever, de stoomboot en de strook rivier daar tussenin.

Toen viel hij. Als een baksteen. De rivier kwam hem tegemoet.

Plons!

Alles werd plotseling heel stil. Hij hoorde alleen een zwak gorgelend geluid totdat het stampende geluid van het raderwiel hem passeerde. Onder zich zag Jesse de modderige rivierbodem met hier en daar wat rotsblokken en rietstengels. Boven zich zag hij, verwrongen door het wateroppervlak, de lucht en wolken. Hij zwom naar het blauw toe.

Zodra hij boven kwam, keek hij naar de stoomboot. Het raderwiel sloeg met grote snelheid door het water en bewoog de boot naar de vaargeul tussen de banken. De twee schoorstenen braakten vuur, rook en as. Maar er was nog een andere haard van vuur en rook. De derde rookkolom steeg uit het ketelruim omhoog.

Jesse zag Tykas aan de buitenzijde van de railing staan en terwijl hij zich met beide handen vasthield aan de railing, keek hij neer op het water. Het leek erop dat hij voldoende moed aan het verzamelen was om te springen. Net toen hij van plan scheen om toch weer over de railing terug te klimmen, gleed hij uit. Hij plonsde in het water en Jesse zag hem niet meer boven komen.

De *Tippecanoe* ploegde zich naar de vaargeul, terwijl haar stoomfluit onophoudelijk loeide. Lakanal was vastbesloten door de geul te varen. Als het hem zou lukken, zou hij de wedstrijd zeker winnen en zich een plaats veroveren in de geschiedenis van de rivierboten om zijn moed en vermetelheid.

Hoe dichter de boot de geul naderde, hoe luider de stoomfluit gilde.

Schokkend en schuddend kwam de boot in de geul. Zij gleed tussen de zandbanken en even leek het erop dat ze het zou halen. Toen schokte ze opnieuw, heviger deze keer. De achtersteven van de boot zwaaide naar links, zodat de naam *Tippecanoe* voor de mensen op de oever goed zichtbaar werd alsof de boot iedereen wilde laten weten hoe haar naam gespeld moest worden als de gebeurtenissen van deze dag vermeld zouden worden.

De twee prachtige schoorstenen van de boot schokten en helden toen plotseling in een vreemde hoek achterover. Even later klonk een oorverdovende explosie. Uit het ruim van het vaartuig schoot een enorme vuurbal omhoog. Hout en glas vlogen de lucht in en plonsden even daarna in het water. Kort daarop volgde een tweede explosie en helde de boot sterk naar rechts.

Kapitein Lakanal had de wedstrijd – en zijn plaats in de geschiedenis – verloren.

Jesse zwom naar de oever.

HOOFDSTUK 22

In het zuidelijkste puntje van Illinois, waar de rivieren de Ohio vanaf de linkerkant en de Mississippi vanaf de rechterkant vlak voor hen samenstroomden, zaten Jesse en Emily naast elkaar. Ze zaten daar op Emily's verzoek. Hoewel ze niets tegen Jesse gezegd had, vond ze het een gepaste, symbolische plaats voor deze gelegenheid, omdat ze ervan uitging dat haar en Jesse's weg zouden samengaan door hun terugkeer naar New York. Bovendien hoopte ze dat de locatie na verloop van tijd profetisch zou blijken te zijn als een symbool van het samengaan van twee levens in een huwelijk.

Na de explosie aan boord van de *Tippecanoe* had kapitein Marsh de *Eagle* laten omkeren om de overlevenden te hulp te komen. Al spoedig na de explosie hadden Jesse en Emily elkaar teruggevonden aan de oever. Emily was stroomafwaarts aan land gekomen en vanaf die plaats was ze getuige geweest van de ontploffing. Even later had ze gezien hoe Jesse naar de oever zwom. Onder de doden bevonden zich kapitein Lakanal, de stuurman en de machinist Joiner die nog steeds bij de ketel was toen die uit elkaar sprong. Richard Tykas behoorde tot de vermisten.

De *Eagle* vervoerde de overlevenden verder naar Cairo. Het was een sombere reis geweest. Volgens de geruchten die na de redding de ronde deden, had kapitein Marsh zich in zijn hut opgesloten. Niemand had meer iets van hem gehoord en op het geklop op zijn deur reageerde hij niet.

De stoombootmaatschappij had voor onderdak en maaltijden voor de overlevenden gezorgd. Emily en Jesse brachten het grootste deel van de volgende morgen door met het beantwoorden van vragen over de gebeurtenis. Ze moesten hun verhaal zo vaak vertellen - aan vertegenwoordigers van de maatschappij, verslaggevers, hotelpersoneel en aan vele anderen die gehoord hadden dat ze aan boord van de *Tippecanoe* geweest waren - dat hun informatie begon te lijken op een van tevoren ingestudeerd verhaal.

Tegen het einde van de middag was de grootste opwinding wat geluwd. Jesse en Emily hadden een paar uur de tijd genomen om wat te rusten en zich op te knappen. Ze spraken af om voor het avondeten bij elkaar te komen en daarna een wandeling te maken. Emily had een rijtuig gehuurd dat hen langs veel imposante woningen voerde die door de stoombootmaatschappij gebouwd waren voordat de trein het transport naar het Westen overnam.

De schemer viel in. Vanaf de rivieren aan beide zijden van hen waaide een koele bries.

'Wat ben ik ongerust over je geweest', zei Emily.

Ze keek hem niet aan terwijl ze sprak. Ze zaten op een deken een paar centimeter van elkaar af. Emily had haar benen met de enkels over elkaar gestrekt en leunde op haar handen achter zich. Jesse zat met zijn armen om zijn opgetrokken knieën geslagen. Hij gooide zo af en toe een steentje weg.

'Ongerust? Wanneer dan?', vroeg hij.

'Toen die ketel ontplofte. Ik wist niet of je nog aan boord was. Toen zag ik plotseling een hoofd boven water met die pet en wist ik dat je veilig was.'

Jesse grinnikte en raakte de pet even aan. 'Na alles wat ik meegemaakt heb, is het een wonder dat ik die pet nog heb.'

Hun gedachten dwaalden af naar de gebeurtenissen die aan boord van de *Tippecanoe* hadden plaatsgevonden.

'Wie is die Tykas eigenlijk?', vroeg Jesse plotseling. Hij gooide nu geen steentjes meer, maar dacht aan de man die hem had nagezeten toen hij overboord gesprongen was.

Emily ging in een verdedigende houding rechtop zitten. 'Hoe ken jij hem?', vroeg ze hem.

'Ik ken hem helemaal niet!', protesteerde Jesse. 'Op het gangpad liep ik tegen hem op en het volgende moment bedreigde hij mij en waarschuwde mij bij jou uit de buurt te blijven!'

Zijn antwoord scheen Emily gerust te stellen. Ze ontspande zich en leunde weer achterover, deze keer nog verder, waarbij ze op haar ellebogen leunde. 'Hij werkt voor een andere krant', legde ze uit. 'Hij heeft een oogje op mij en kan erg lastig zijn. Hij werd bij de *Evening Post* ontslagen toen hij andere mannen die belangstelling voor mij hadden, bedreigde. Ik herinner mij plotseling dat je mij overboord duwde!'

'Je zegt dat op een manier of ik daar iets verkeerds mee gedaan heb!', riep Jesse uit.

'Nou, is dat dan niet zo?'

'Nee, natuurlijk niet. Die vent, Tykas, wilde ons aanvallen en de ketel kon ieder moment ontploffen en we zouden toch overboord gesprongen zijn. Ik wilde je leven redden!'

'Dat weet ik wel', zei Emily glimlachend. 'En ik heb nog niet de kans gehad om je ervoor te bedanken.'

Ze kwam omhoog en gaf hem een kusje op zijn wang. Toen zakte ze weer op haar ellebogen terug alsof er niets gebeurd was. Maar er was wel iets gebeurd. Jesse gooide de steentjes weg en veegde het vuil van zijn handen. Hij draaide zich om en ging met gekruiste benen voor Emily zitten. Ze keek even op en hij keek haar aan onder een koepel van schitterende sterren, terwijl beide rivieren aan Emily's voeten samenstroomden.

Jesse verbrak de stilte. 'Was het moeilijk voor je vandaag?'

'Wat bedoel je?'

'Om met die verslaggevers te praten. Ik bedoel, jij bent meestal degene die de vragen stelt in plaats van ze te moeten beantwoorden.'

'O, dat', zei Emily. 'Nee, dat was niet zo moeilijk. We hebben een verschillende taak. Zij houden zich met het dagelijkse nieuws bezig, terwijl ik meer bepaalde zaken onderzoek. Mijn werk kost meer tijd omdat de zaken ingewikkelder zijn. Zij verslaan gewoon gebeurtenissen, terwijl ik onder het oppervlak naar de achtergronden op zoek ben. Er bestaat eigenlijk geen enkele overeenkomst.'

Jesse knikte en liet zijn hoofd zakken. 'Ik weet zeker dat je goed bent in wat je doet.'

'Dank je, Jesse. Dat is lief van je.'

'Dus je weet waarschijnlijk al wat ik nu wil gaan zeggen?'

Emily glimlachte zelfverzekerd. Ze zei niets, en liet hem de tijd om de juiste woorden te zoeken. Terwijl ze wachtte, luisterde ze naar het geruis van de rivieren.

Op zijn zij gelegen trok Jesse een envelop uit zijn zak. Hij gaf hem aan haar.

Emily draaide ook op haar zij om een hand vrij te maken om hem aan te nemen. Ze boog zich dichter naar Jesse toe. 'Wat is dit?', vroeg ze glimlachend.

'Een brief aan mijn moeder. Ik zou graag willen dat je die aan haar zou geven als je terug bent in New York.'

Als je terug bent in New York. Als je terug bent in New York.

De woorden bleven in de lucht hangen en Emily wilde ze wegslaan en doen alsof ze niet gezegd waren. Maar ze kon niets doen. De woorden waren gezegd – uitgesproken woorden die niet weggevaagd konden worden.

'Ga jij dan niet terug?'

Ze stelde de vraag heel kalm of ze gewoon informatie wilde hebben, maar het was de kreet van iemand die haar dromen als een zeepbel uiteen ziet spatten. Misschien had ze hem verkeerd begrepen. Misschien kwam er nog een verklaring die haar verloren gaande fantasie weer zou opwekken.

'Ik ga verder naar het Westen', zei Jesse.

Zijn antwoord was als een steek in haar hart en Emily's droom dat ze samen zouden terugkeren, ging in rook op. Met de envelop in haar hand viel ze weer terug op haar ellebogen en staarde voor zich uit zonder iets te zien.

'Ik heb het gevoel dat ik hier thuishoor', legde Jesse uit. 'Ik houd van de wijdsheid van de lucht en het land. Als ik eraan denk weer terug te gaan naar de stad, krijg ik het benauwd, alsof iemand mij in een kast opsluit. Hier heb ik geleerd wat zelfvertrouwen is. Ik heb geleerd dat ik overleven kan..., meer dan dat, ik heb geleerd dat ik met hard werken iets van mijn leven maken kan. Ik ben veranderd sinds die avond dat ik uit New York ben weggegaan. Ik ben sterker geworden en ik heb meer zelfvertrouwen gekregen. Voor de eerste keer in mijn leven ben ik tevreden met mezelf.'

Emily moest toegeven dat Jesse veranderd was. Hij was steviger geworden, had meer kleur gekregen en was zelfbewuster geworden. Hij was meer man geworden. Maar dat alles maakte het haar nog moeilijker om bij hem weg te gaan.

'Bovendien heb ik daarginds niets te zoeken. Ik bedoel wat een baan of een toekomst betreft. Kun je je voorstellen dat ik, na alles wat ik heb meegemaakt, weer terug zou gaan als een loopjongen voor de Rugerglasfabriek? En ik zie mijzelf ook nog geen student worden. Dat is de droom van mijn moeder, niet die van mij. Hier wil ik blijven. Ik wil met mijn handen werken. Ik wil iets blijvends opbouwen.'

Nog helemaal van haar stuk gebracht door wat hij gezegd had, probeerde Emily haar stem te beheersen. 'En je moeder dan?', vroeg ze.

'Dat heb ik allemaal in die brief geschreven', zei Jesse. 'Ik heb uitgelegd waarom ik weggegaan ben en ik heb mij verontschuldigd voor de pijn die ik haar heb aangedaan. En ik heb haar ook geschreven dat ik, zo gauw ik mij ergens gevestigd heb, een huis voor ons zal bouwen en haar zal laten halen. Ze kan het geld dat ze voor mijn opleiding gespaard heeft, gebruiken om een treinkaartje te kopen.'

Emily knikte. Hij had het allemaal overdacht. Maar in zijn plannen kwam zij niet voor. 'En waar denk je je dan te vestigen?'

'Dat weet ik nog niet precies', antwoordde hij. 'Waarschijnlijk vaar ik op een andere stoomboot de Missouri-rivier op.'

'De Missouri? Ik dacht dat je naar St. Louis wilde gaan.'

Jesse grinnikte.

'Wat is er?'

'O, ik moest denken aan ouwe Hans in de herberg 'Het rode Paard'. Hij was degene die mij over Brownsville vertelde en hoe ik van daaruit in het Westen kon komen. Maar zijn informatie was zo'n vijftig jaar oud. Brownsville was niet langer die snelgroeiende plaats die hij beschreef en St. Louis is niet langer de poort naar het Westen die het eens was. Iemand op de *Tippecanoe* vertelde mij dat ik naar Independence aan de Missouri moest gaan. Hij vertelde mij dat van daaruit wagenkaravaans van soms wel tweehonderd stuks naar het Westen vertrekken. En hier ben ik erachter gekomen dat dat inmiddels ook al weer achterhaald is. Een overstroming heeft de werven bij Independence verwoest en nu worden de wagenkaravaans uitgerust te Westport Landing. En daarom neem ik mij voor daarheen te gaan.'

'Kansas City', zei Emily.

'Wat?'

'Dan ga je naar Kansas City. De naam Westport Landing werd vervangen door Kansas Town en toen door Kansas City.'

Jesse staarde haar aan, er niet helemaal zeker van of hij haar nu wel of niet moest geloven.

'Ik ben journalist! Ik weet die dingen nu eenmaal!', riep ze uit. In werkelijkheid was ze die naamsverandering tegengekomen in één van de documenten op het kantoor toen ze het bedrijf van haar vader aan het doorlichten was.

'Nou, vertel mij eens juffrouw de journaliste, is het Westen daar eigenlijk nog wel? Wordt dat nog steeds het Westen genoemd?'

'Voor zover ik weet wordt het Westen nog steeds het Westen genoemd', zei Emily, zijn sarcastisch toontje overnemend. 'Maar ik kan je niet garanderen dat het Westen nog steeds het Westen zal zijn tegen de tijd dat jij daar zal aankomen.'

Door hun luchthartig gesprek was Emily de pijn even vergeten, maar nu ze weer zwegen, kwam die in alle hevigheid terug. 'Eerder hè? Toen ik zei dat er niets was in New York dat mij trok?'

Emily knikte.

'Toen was ik niet eerlijk.'

Emily knikte opnieuw. 'Je moeder. Ik denk dat ik weet hoe je je voelt.'

'En ook jij bent daar.'

Emily keek naar hem op, erop voorbereid dat hij het spottend bedoelde. Maar Jesse zat met neergeslagen ogen toen hij dat zei. Hij keek naar haar op. Er viel geen spot in zijn ogen te lezen. Ze keken haar teder en ernstig aan.

'Emily, ik zou wel willen dat je met mij mee kon gaan. Ik weet dat dat onmogelijk voor je is – je bent een succesvolle verslaggeefster en je hebt daar je baan enzo. Maar ik zou wel willen... nou ja, ik zou wel willen dat de dingen anders waren. Ik wou dat je mee kon naar het Westen.'

Emily kon hem alleen maar verbijsterd aanstaren. Door slechts een paar woorden van Jesse waren al haar dromen in vervulling gegaan. Maar ze kon er geen beslag op leggen. Haar eigen verzonnen verhalen stonden haar in de weg.

Wat moest ze zeggen? 'Jesse, ik heb de hele tijd tegen je gelogen. De waarheid is dat ik helemaal geen verslaggeefster ben en dat ik ook niet Barnes heet. Ik ben van huis weggelopen en jou naar het Westen gevolgd omdat ik van je houd. Mijn vader is rijk en hij heeft één van zijn agenten achter mij aangestuurd om mij weer thuis te brengen. Alsjeblieft, vergeef mij, ik heb het allemaal verzonnen omdat ik van je houd. Ik ga graag met je mee naar het Westen.'

Jesse legde haar overpeinzingen uit als een zwijgen dat door verlegenheid werd ingegeven. 'Het spijt me', zei hij, 'ik heb je kennelijk in verlegenheid gebracht. Een vrouw als jij moet in New York natuurlijk rijen aanbidders hebben. Neem mij niet kwalijk. Maar ja, toen ik je op de stoomboot zag... nou ja, toen...' Hij schudde zijn hoofd. 'Dat doet ook niet zoveel ter zake.'

Voordat ze iets kon zeggen, sprong hij op.

'We moeten zo van lieverlee eens terug', zei hij.

'Jesse, wacht!'

Maar hij wachtte niet. Hij liep naar het rijtuig toe.

Emily haalde hem in. 'Jesse.' Ze raakte zijn arm aan. Hij bleef staan. Ze draaide hem zacht om tot ze elkaar aankeken. 'Ik zou erg graag met je naar het Westen gaan', zei ze.

Hij nam aan dat haar zin nog niet af was en voegde eraan toe: '... maar je moet je verhaal afleveren over kapitein Lakanal en de *Tippecanoe*.' Hij glimlachte. 'Het is een goed verhaal, Emily. En je was erbij. Je kunt een ooggetuigenverslag schrijven voor de *Evening Post* over de laatste dagen van een legendarische kapitein van een stoomboot. Ik hoop dat ik het op zekere dag nog eens zal lezen.'

Emily drukte zich tegen hem aan en legde haar hoofd op zijn borst en haar armen om zijn middel. Hij sloeg zijn armen om haar schouders.

Bij de samenvloeiing van de rivieren de Ohio en de Mississippi kwamen Emily en Jesse voor een kort moment bij elkaar.

Toen Emily de volgende morgen in de foyer van het hotel kwam, was Jesse al weg.

'Clara! Fijn je weer te zien!'

'Ja, kind! Welkom in Point Providence.'

Sarah en Jenny begroetten Clara bij de deur, terwijl J.D. haar bagage uit het koetsje haalde.

'Je ziet er moe uit na zo'n lange reis,' zei Jenny. 'Kom binnen. Wat wil je drinken? Thee of limonade?'

'Thee, alsjeblieft', zei Clara.

Ze was inderdaad moe, hondsmoe. De treinreis vanuit New York was daar slechts zeer ten dele de oorzaak van. Al maanden voordat Jesse weggegaan was, was vermoeidheid Clara's dagelijkse metgezel geweest. Haar nooit onderbroken schema om zoveel mogelijk naaiwerk te doen, had zijn tol geëist. Daarbij kwam nog dat ze zich grote zorgen maakte om Jesse sinds hij verdwenen was en het vooruitzicht dat ze, als ze New York zou verlaten, haar werk zou kwijtraken.

'Laten we aan de keukentafel gaan zitten', zei Jenny. 'Ik heb wat melassekoekjes bij de thee.'

Clara zat verscheidene minuten alleen aan de keukentafel. Terwijl de anderen allerlei klusjes deden – J.D. bracht haar bagage naar boven, Jenny maakte thee en Sarah deed de koekjes op een schaal – hing er een geladen stilte in de lucht. Clara had zich nooit bij de Morgans op haar gemak gevoeld en ze verwachtte niet dat dit nu plotseling anders zou zijn, ook niet door de ongebruikelijke omstandigheden die hen hier samenbrachten.

Toen Ben Clara voor het eerst aan zijn familie had voorgesteld, had hij dat met groot enthousiasme gedaan. Omdat Ben door een excentrieke en wraakgierige grootvader was opgevoed, had hij zijn familie pas leren kennen toen hij volwassen was. Pas tijdens de oorlog was hij erachter gekomen dat hij broers en een zuster had. En toen ze dan uiteindelijk herenigd waren, had Ben al het mogelijke gedaan om de verloren jaren, waarin hij dacht dat hij enig kind was, in te halen.

Soms had Clara gedacht dat haar man wel eens wat overdreven te werk was gegaan in zijn pogingen een goede broer te zijn. De Morgans waren een trotse familie met een rijke erfenis en ze had het gevoel gehad dat haar man zich te veel zorgen had gemaakt om de familienaam hoog te houden.

En nu droeg ook zij die naam; maar alleen de naam, niet de erfenis die daarmee gepaard ging. De erfenis van de Morgans was Bens erfenis geweest, niet die van haar. Zo was het vanaf het begin geweest. Vanaf die eerste familiebijeenkomst, waarbij Ben haar zo enthousiast aan zijn familie had voorgesteld, had ze zich een indringer in een geheime organisatie gevoeld. Ze had zich nooit op haar gemak gevoeld bij de Morgans. Toen niet en nu niet.

Ze kwamen allemaal tegelijk aan tafel zitten. *Ze sluiten de rijen*, dacht ze. J.D. kwam de trap af, Jenny zette de theepot en de kopjes neer en Sarah bracht de koekjes mee. Clara bestudeerde in het bijzonder Jenny.

Ze was een mooie vrouw die haar leeftijd niet was aan te zien. Haar glanzende, blonde haar was in het midden gescheiden en lag als twee opengetrokken gordijnen om haar voorhoofd heen. Ze had heldere, levendige ogen en vertoonde altijd een zweem van een glimlach. Terwijl J.D. en Sarah echte Morgans waren, was Jenny door haar huwelijk een Morgan geworden. Maar ze was ook een echte Morgan geworden. Ze hoorde evenzeer bij de familie als de Morgans door geboorte. Maar Jenny was opgegroeid met de kinderen Morgan. Ze had hen haar hele leven gekend. En in een kleine stad als Point Providence is dat bijna hetzelfde als familie van elkaar zijn. Zij en J.D. waren al vriendjes van elkaar geweest vanaf het moment dat ze konden lopen.

Jenny schonk de thee in. Eerst Clara, toen J.D., toen Sarah en tenslotte haar eigen kopje.

Bij het zien van de thee en de koekjes wreef J.D. als een kleine jongen zijn handen. Hij keek Clara aan en zei: 'Ik heb de hele dag al op je zitten wachten! Ik ben de hele morgen al door de geur van die koekjes gekweld! En deze twee farizeeën, – hij knikte naar zijn vrouw en Sarah –, zeiden dat ze voor onze gast waren en voordat die gearriveerd was, mocht ik er zelfs niet één proeven. Alsof je dat ene koekje zou missen!'

Jenny zei tegen Clara: 'Let maar niet op hem. Sommige mannen worden nooit volwassen!'

Clara slaagde erin beleefd te glimlachen. Ze nam een slokje thee.

Ze aten zwijgend.

Na een poosje vroeg Sarah: 'Heb je nog iets van Jesse gehoord?'

Clara schudde haar hoofd. 'Maar Jesse's baas vertelde mij dat een jonge vrouw navraag bij hem deed op de glasfabriek. Hij zei dat hij haar kende. Het was de dochter van Franklin Austin.'

J.D. fronste zijn voorhoofd. 'Austin... Was het niet een fabriek van Austin die afbrandde waarbij Ben omkwam?'

Clara knikte.

'Kent Jesse dat meisje van Austin?', vroeg Jenny.

'Hij heeft nooit over haar gepraat', antwoordde Clara.

'Heb je met dat meisje gepraat?', vroeg Sarah.

'Ik heb het geprobeerd', antwoordde Clara. 'En meneer Sagean ook. Maar we komen niet verder dan de voordeur van de Austins.'

'Willen ze je niet eens te woord staan?' vroeg J.D. verontwaardigd.

Clara dacht dat het een retorische vraag was. Ze antwoordde dan ook niet.

'Nou', zei Sarah, 'hier is het een en ander gebeurd.'

Clara legde het koekje dat ze naar haar mond bracht neer.

Sarah, Jenny en J.D. keken elkaar aan.

'Wat dan?', vroeg Clara. De manier waarop de drie elkaar aankeken, irriteerde haar. Een geheim genootschap. Ze wisten iets over Jesse en namen nu gezamenlijk het besluit of ze haar dat wel of niet zouden vertellen.

Sarah schoof haar stoel achteruit en liep weg.

J.D. zei: 'We zijn tot de conclusie gekomen dat Jesse in ons huis geweest is.'

Jenny stak haar hand uit en raakte Clara's arm aan. 'Hadden we het toen maar geweten. Ik wil niet zeggen dat we dan anders gehandeld zouden hebben, maar als we hadden geweten dat hij het was, zou dat toch verschil hebben gemaakt!'

'Hoe weet je zeker dat hij het was?', vroeg Clara.

'Hierdoor.'

Sarah kwam terug met een opgezwollen boek. Ze gaf het aan Clara. 'Herken je dit?'

Clara bekeek het boek. De pagina's waren nu weer droog, maar het was duidelijk dat het boek in het water gelegen had. Daarom was het zo opgezwollen. De omslag was kromgetrokken en hier en daar waren de bladzijden aan elkaar geplakt. De titel en de afbeelding op de omslag waren vervaagd, maar nog steeds leesbaar: *Gevaar in Deadwood: een nieuw opwindend verhaal over Truly Noble*. Sarah Morgan Cooper.

Terwijl ze naar de schrijfster keek, sloeg Clara de omslag open. Op de titelpagina stond geschreven: *Voor Jesse. Dat je de kracht mag vinden die samen gaat met goedheid. Je tante Sarah Morgan Cooper.*

'Het is in de rivier bij Cincinatti gevonden. Het dreef daar op het water', legde J.D. uit. 'De jongen die het gevonden heeft, liet het aan zijn vader zien. Zijn vader herinnerde zich Sarah's naam. Hij had vroeger een boerderij in de buurt van Point Providence gehad. Omdat het door Sarah gesigneerd was, dacht hij dat het misschien wel waarde voor ons zou hebben en daarom heeft hij het naar mij toegestuurd.'

Clara sloeg langzaam de bladzijden om.

Jenny zei: 'Clara, je hebt een erg knappe zoon. Ben zou erg trots op hem geweest zijn.'

De tranen sprongen Clara in de ogen. Ze bleef het boek doorbladeren.

'Tussen hier en Cincinnatti hebben we overal navraag gedaan', zei J.D. 'Maar niemand met wie wij gesproken hebben, heeft hem gezien.'

'Er zijn mensen in onze kerk die regelmatig voor hem bidden', voegde Jenny eraan toe.

Clara snoot haar neus en vroeg: 'Waar ligt Deadwood?'

'Het stadje in mijn boek?', vroeg Sarah.

Clara knikte zonder van het boek op te kijken.
'Dat is zomaar een denkbeeldige stad', zei Sarah.
'Lijkt het op iets wat werkelijkheid is?'
'Het verhaal speelt zich af in het New Mexico Territorium. In het verhaal ligt Deadwood een paar kilometer van Santa Fe.'
'Gaan er treinen naar Santa Fe?'
'In het boek?', vroeg Sarah.
'Je bent toch niet van plan om daar heen te gaan?', vroeg J.D.
'Het is de enige aanwijzing die ik heb', zei Clara. 'Om de een of andere reden is hij naar het Westen getrokken. Die Truly Noble is al jarenlang zijn held geweest. Als Truly Noble naar Santa Fe getrokken is, dan is de kans groot dat hij daar ook heengegaan is.'
'Mmm.' J.D. schudde nadenkend zijn hoofd. 'Dat lijkt mij nogal onwaarschijnlijk, Clara.'
'Het is mijn laatste hoop.'
'Je gaat toch niet alleen?', vroeg Jenny.
'Waarom niet?'
'Een vrouw alleen die naar het Westen trekt?', zei Sarah. 'Dat zou niet verstandig zijn.'
'Het lijkt erop dat ik de laatste jaren al zoveel alleen heb moeten doen en meemaken', zei Clara. 'Het oproer van de arbeiders in '77, de sneeuwstorm in New York in '88, in armoede leven en wonen in een huurkazerne bijvoorbeeld. Op de een of andere manier heb ik het allemaal overleefd. Ik neem aan dat ik hier ook wel doorheen zal komen.'
'God heeft kennelijk over je gewaakt', zei Jenny.
'Luister', zei Clara, 'ik wil jullie niet tot last zijn. Morgen vertrek ik weer.'
'Onzin!', riep Jenny uit. 'Je kunt hier zolang blijven als je wilt.'
Clara schoof haar stoel achteruit en stond op. De andere drie volgden haar voorbeeld.
'Ik denk nog steeds dat het beter is als er iemand met je meegaat', zei Sarah.
'Laat mij een telegram sturen aan Marshall', bood J.D. aan. 'Ik weet zeker dat hij bereid is je in St. Louis te ontmoeten en daarvandaan...'
'Ik heb jullie hulp niet nodig!', riep Clara uit. Het kwam er een beetje harder uit dan ze bedoeld had, maar nu het gebeurd was, liet ze zich door haar emoties meevoeren. 'Dit is geen reddingsmissie voor de Morgans', zei ze. 'Als mijn zoon naar het Westen getrokken is, zal ik hem vinden.'
'Clara, kind', zei Jenny, 'we denken alleen maar dat de wereld waarin Jesse...'

'Laat hem daar dan!', schreeuwde Clara. Omdat ze al zover gegaan was, kon ze, zo redeneerde ze, nu net zo goed alles eruit gooien. 'Door die belachelijke mentaliteit van de Morgans, dat ze denken dat ze de wereld moeten redden, is Ben omgekomen! Ik wil niet dat Jesse door diezelfde mentaliteit om het leven zal komen!' Ze barstte in tranen uit en terwijl ze de kamer uitrende, riep ze: 'Als hij al niet dood is!'

HOOFDSTUK 23

Toen Jesse de eerste dag op de prairie kwam, dacht hij dat zijn dromen eindelijk werkelijkheid werden, maar veertien dagen later was hij daarvan niet meer zo zeker.

Een paar ossen en zwermen vliegen waren zijn enige metgezellen. Het was zijn taak om naast de dieren te lopen die een Conestoga-huifkar trokken zoals zij ook de voorafgaande dagen gedaan hadden, nu al twee weken lang. De zwarte ossen zweetten en stonken. De zon brandde genadeloos. De vliegen gonsden tot vervelens toe om zijn hoofd en probeerden een schaduwrijk plekje te vinden onder de klep van zijn pet of in zijn oren of neus. Naast die vliegen waren er nog zwermen kleinere insecten die hem 'prairiejeuk' bezorgden, zoals dat werd genoemd.

Een gids hadden ze niet nodig. Ze hoefden de wagens zelfs niet te besturen. Het Santa Fe Spoor waarover ze voorttrokken, had zulke diepe karresporen dat het wel een verzonken spoorbaan leek. De wielen van de wagen volgden vanzelf de karresporen. Het enige wat nodig was om hun plaats van bestemming te bereiken was voortbeweging en daar zorgden de ossen voor.

Terwijl de ossen hem gezelschap hielden en Jesse niets anders deed dan dag in dag uit naar de karresporen turen, werd hij steeds humeuriger. De diepe karresporen herinnerden aan de duizenden mannen, vrouwen en kinderen die hem over de prairie waren voorgegaan. En allen die hem waren voorgegaan, hadden kans gezien om het 'wilde Westen' te temmen.

Er bestond geen gevaar meer dat ze tijdens hun trektocht door Indianen zouden worden overvallen. Er waren verdragen gesloten, reservaten aangewezen en de Indianen waren daarheen verhuisd. Met een hele reeks forten en regelmatige patrouilles langs het spoor was de trek naar het Westen veiliger dan ooit geworden. Zelfs de grootte van de colonne waaraan Jesse deelnam, getuigde ervan hoe veilig de trek geworden was. Om elkaar te beschermen hadden de colonnes soms uit meer dan tweehonderd ossenwagens bestaan. De colonne waarvan Jesse deel uitmaakte was veel kleiner; om precies te zijn bestond die uit twee wagens.

Jesse mopperde bij zichzelf: *Nou, dat is dan de nalatenschap die je je kinderen zult nalaten: Hij was de laatste man die naar het Westen trok over het Santa Fe Spoor.*

Er waren in totaal tien mensen die met de twee wagens naar het Westen trokken. Allen Waterman was de eigenaar van beide wagens. Hij had de twee wagens nodig omdat hij zijn zaak verhuisde naar Pueblo in Colorado. Waterman was een drogist uit Chicago. De eerste wagen bevatte allerlei flessen met drankjes, pillen en medicijnen, maatbekers, weegschalen en maatlepels - alle dingen die hij nodig had om zijn beroep te kunnen uitoefenen. In de tweede wagen werden de gebruikelijke dingen die pioniers nodig hadden, vervoerd - kleding, voedsel, keukengerei, wapens, gereedschap en reserveonderdelen als een van beide wagens gerepareerd moest worden.

De twee wagens waren typische prairieschoeners, die zo genoemd werden omdat ze met hun witte huiven precies op schepen leken die door een oceaan van gras trokken. In feite waren het eiken kisten op wielen van vier bij tien voet. De huiven bestonden uit zeildoek dat over notenhouten spanten gespannen was. De wagens hadden geen veren, waardoor de mensen die dat konden er liever naast gingen lopen.

Allen Waterman, een kleine, gedreven man met dun donker haar, leidde de eerste wagen die met zijn medicijnen beladen was. Hij werd meestal gezelschap gehouden door zijn vrouw Daisy, een vrouw met een streng gezicht die wat langer was dan hij, en één van hun twee dochters: Cora Belle van zeven en Lillie van vijf. Omdat er zo weinig ruimte in de wagen was, kon er slechts één dochter in zitten, zodat de andere in de tweede wagen moest meerijden.

De tweede wagen werd bestuurd door Watermans zwager, George McFarland, die met Watermans oudere zuster, Matilda, getrouwd was. Hij was langzaam en nogal dik en had een kale kruin, terwijl zij meer op haar broer leek: klein, nauwkeurig en knap. Hun twee dochters, Cordelia van dertien en Clarina van tien, deelden de ruimte achter in de wagen met de overgebleven dochter van Waterman. De ruimte was beperkt, want vrijwel de hele wagen werd in beslag genomen door de persoonlijke bezittingen en het eten van beide gezinnen. Achter de laatste wagen was een eenzame muilezel gebonden. Waterman wilde het dier voor ploegen gebruiken als ze eenmaal in Pueblo zouden zijn aangekomen.

Jesse had al gauw in de gaten dat McFarland in feite een niksnut was. Hij dronk veel en er kwam weinig werk uit zijn handen. In tegenstelling tot Waterman had McFarland geen vastomlijnde plannen als ze Pueblo zouden bereiken. De tocht naar het Westen was helemaal door Waterman georganiseerd. Het enige wat McFarland deed was het besturen van de tweede wagen. Zijn beste bijdrage was zijn gezin. Zijn dochters speelden met de dochters van Waterman en Matilda hield Daisy gezelschap.

De twee andere deelnemers aan de onderneming kregen hun werkzaamheden betaald in de vorm van eten en transport. Jesse hielp de Watermans, en een verlegen jongeman met de naam Slate Pickens hielp de McFarlands met de tweede wagen.

Iedere dag was gelijk aan de voorafgaande. Om zes uur 's morgens braken ze het kamp op, laadden hun spullen in de wagens en gingen op weg. Twee keer per dag onderbraken ze hun tocht om de dieren water te geven. Ze legden gemiddeld zo'n vijftien mijl per dag af en als ze een goede dag hadden werd dat twintig mijl. 's Middags om een uur of vier stopten ze en maakten ze hun kamp klaar voor de nacht. Er werden een paar kampvuren aangelegd, de ossen werden uitgespannen om te grazen en het eten werd gekookt. Tijdens de maaltijd werd er nauwelijks gesproken en ook de tijd daarna verliep uiterst saai. Waterman inspecteerde zijn lading, stofte zijn flessen met medicijnen af en gromde naar een ieder die in zijn buurt kwam. De twee vrouwen zaten op een afstandje met elkaar te praten, terwijl de vier meisjes om hen heen aan het spelen waren. McFarland schold Slate uit, zei dat hij lui was en ging tegen een boom zitten drinken. Slate onderging alles gelaten. Zodra hij zijn karweitjes gedaan had, ging hij onder een wagen liggen slapen. En iedere avond moest Jesse zich maar zien te vermaken.

Na twee weken was de sterrenpracht 's nachts en de uitgestrektheid van de prairie overdag geen bron van verwondering meer. Jesse kwam erachter dat iemand zich slechts een beperkt aantal dagen kan verwonderen over het grote aantal sterren dat er in vergelijking met de stad op de prairie te zien is. Hij had niets te lezen, niemand om mee te praten en niets te doen. Zelfs dromen over de toekomst of terugdenken aan Emily kon hem niet bekoren. Dat deed hij al de hele dag als hij naast de ossen liep. Tot nu toe had hij zich nooit gerealiseerd dat ook herinneringen, evenals kledingstukken, door dagelijks gebruik kunnen verslijten.

Jesse smachtte naar iets opwindends. Hij verlangde naar een zwerm sprinkhanen, of een vloedgolf of een cycloon om de dagelijkse sleur te doorbreken.

Terwijl hij twee volle emmers water met zich meesjouwde, liep Jesse de rotsachtige helling van de rivier op. Toen hij boven op de oever gekomen was, kreeg hij de twee prairieschoeners weer in het oog. Ze werden omringd door een zee van zonnebloemen die in de wind heen en weer bewogen en hij kon nu duidelijk zien waarom ze ooit die naam gekregen hadden. De weg en de wielen waren niet te zien. Jesse kon alleen de bovenkant van de wagens met de witte huiven zien. De touwen waren losgemaakt en de hoeken van het witte zeildoek waren teruggetrokken zodat de spanten van de wagens te zien waren. De losse hoeken klapperden in de wind en leken net zeilen.

Aan de andere kant van de wagens lag een open plek die was schoongehakt, een herinnering aan de duizenden pioniers die hier al eerder langs getrokken waren. Ongetwijfeld hadden op die open plek ook zonnebloemen gestaan. De weg liep hier vlak langs de rivier en de locatie was, voor al de wagens die hier langs getrokken waren, een voor de hand liggende kampeerplaats geweest.

Waterman stond in de voorste wagen, waarvan de huif opengeslagen was en inspecteerde zijn flessen en potten. Het deksel van een houten kist stond open en hij haalde er steeds weer een fles uit om die in het afnemende zonlicht te inspecteren. Soms schudde hij de fles, stofte hem af en zette hen weer in de kist.

Zoals altijd ging hij zeer methodisch te werk. Jesse had opgemerkt dat alles en iedereen in Watermans geest zijn vaste plaats in het leven had. Als mensen en dingen zich op die vaste plaats bevonden, was Waterman zeer tevreden en zwijgzaam. Maar zodra de dingen niet op hun plaats stonden of als er iets gebeurde wat niet in het schema paste, werd hij sarcastisch en humeurig. Om hem in de goede stemming te houden probeerde een ieder in het gezelschap zijn of haar taak naar zijn verwachting uit te voeren.

Toen Jesse in Kansas City door hem aangenomen was, voelde hij zich erg gelukkig. Jesse had eerst geprobeerd om met de trein naar het Westen te gaan, maar hij had ontdekt dat de kans om per spoor naar het Westen te reizen erg gering was. Op een trein was aanzienlijk minder personeel nodig dan op een stoomboot. En hij was nu eenmaal geen conducteur of machinist. Hoewel er altijd mensen nodig waren voor laden en lossen van goederen, werd die taak uitgevoerd door mannen en jongens die in de stad woonden. Als de trein vertrok, bleven zij achter.

Jesse kreeg te horen dat er misschien een kans was om als knecht bij een wagentransport naar het Westen te gaan. Er vertrokken echter steeds minder wagenkaravaans naar het Westen. Na wat rondvraag hoorde hij dat de Watermans op het punt stonden om met een ossenwagen naar het Westen te trekken en dat ze naar een knecht zochten omdat ze alleen maar dochters hadden.

Toen hij hen gevonden had, werd Jesse meteen aangenomen en hij prees zich gelukkig dat hij naar het Westen kon trekken in gezelschap van een man met een zekere ontwikkeling. Op dat moment wist hij niet dat die ontwikkelde man erg op zichzelf was. Hij praatte alleen maar als hij bevelen moest geven. Als hij op de wagen zat en iets tegen zijn vrouw te zeggen had, wat zelden voorkwam, dan boog hij zich naar haar toe en fluisterde haar iets in. Jesse hoorde nooit wat hij tegen haar zei en hij betwijfelde ook of het de moeite waard was om te horen, want het kwam slechts zelden voor dat Daisy Waterman iets terug zei. Ze zat zwijgend tegen hem aangedrongen en staarde in de verte.

Toen Jesse bij de wagens kwam, kon hij er tussendoor de open plek zien. De vrouwen stonden over een vuur heengebogen. Matilda had koffie in een pot gedaan en wachtte nu tot Jesse haar water zou brengen. Uit een koekenpan die Daisy vasthield stegen rooksliertjes op. Jesse kon zelf op afstand het spek horen sissen en ruiken.

Achter hen was Slate aan het houthakken, waarbij hij door McFarland in de gaten werd gehouden. De jongen bracht er niet veel van terecht en zijn bijl miste vaak. Iedere keer als dat gebeurde, schold McFarland hem uit en gaf hem een draai om zijn oren.

Door zijn verlegenheid was Slate een soort mysterie. Een uur voordat ze uit Kansas City vertrokken waren, had hij zich bij hen aangesloten. Toen de jongen naar Waterman was toegegaan en gezegd had dat hij gehoord had dat hij een knecht zocht, had Waterman hem weggestuurd met de mededeling dat hij al iemand anders gevonden had. McFarland was toen aan het zeuren gegaan. Waterman had nu hulp, waarom zou hij dan geen hulp krijgen? Hij zeurde net zo lang tot Waterman toestemde en de jongen aannam alleen om van het gezeur van zijn zwager af te zijn.

Slate Pickens was een tengere jongen die nog niet helemaal volgroeid was. Zijn armen die altijd door lange mouwen bedekt waren, moesten wel erg dun zijn. Hij was niet sterk en hoewel hij alles deed wat er van hem gevraagd werd, had hij met allerlei karweitjes de grootste moeite. Hij droeg een breedgerande hoed, liep altijd een beetje voorovergebogen en deed slechts zelden zijn mond open. Jesse vermoedde dat de jongen veel slaag gekregen had en dat hij daarom van huis was weggelopen. Helaas was het leven van Slate daarna weinig beter geworden. Met een fles whisky in de hand stond McFarland tegen de jongen te schreeuwen en te vloeken omdat hij zo weinig van het houthakken terecht bracht.

Plotseling klonk er gegil en gegiechel van meisjes vanachter de zonnebloemen. Jesse sprong verschrikt achteruit.

'Haha, we hebben hem lekker aan het schrikken gemaakt!'

Er sprongen vier meisjes uit hun schuilplaats tevoorschijn die plagend naar Jesse wezen.

'We hebben je aan het schrikken gemaakt! We hebben je aan het schrikken gemaakt!'

Cordelia, de oudste, had een oogje op Jesse. Omdat hij de twee emmers droeg, was ze brutaal genoeg om een knoop van zijn overhemd aan te raken. 'We hebben je goed laten schrikken, hè?', zei ze flirtend. Lillie, de kleinste en de jongste, kwam er als laatste aan. Ze kwam met een brede glimlach op haar gezicht vlak voor hem staan, sloeg hem op zijn knie en schreeuwde: 'We hebben je lekker bang gemaakt!' Gillend van de lach liep ze de andere meisjes na.

Jesse wilde geen afbreuk aan hun spelletje doen. Hij knikte en zei lachend: 'Nou zeg, hebben jullie mij even laten schrikken.'

Jesse liep tussen de twee wagens door. Waterman besteedde geen aandacht aan hem en hield weer één van zijn flessen tegen het licht.

'Waar bleef je zolang?', zei Matilda terwijl hij zijn emmers naast het vuur zette.

Waar hij ook heen ging, die vraag bleef hem achtervolgen. Omdat ze niet op het antwoord maar op water wachtte, pakte Jesse een emmer op. Matilda hield de koffiepot bij de rand en Jesse vulde die. Hij goot de rest van het water in een waterton.

'Heeft je vader je dan helemaal niets geleerd?', schreeuwde McFarland.

Jesse keek op en zag dat Slate probeerde een houtblok overeind te zetten. Voordat hij zijn bijl omhoog gezwaaid had, was het blok al omgevallen.

'We hebben nog twee emmers water nodig', zei Matilda tegen Jesse.

'Ja, mevrouw', zei Jesse. Maar in plaats van met de emmers naar de rivier te lopen, bracht hij ze naar de plaats waar Slate aan het hout hakken was.

'Hier', zei Jesse. Hij zette de twee emmers neer en nam de bijl van Slate over. 'Laat mij dat maar doen en ga jij maar water halen.'

'Wat ben jij van plan, Morgan?', bulderde McFarland. 'Dat is zijn taak!'

Het geschreeuw van de man trok de aandacht van de andere volwassenen. Waterman ging rechtop staan en keek hun kant uit. Ook de twee vrouwen keken naar hen.

Jesse zei verklarend tegen Waterman: 'Zo werken we beter.' Om dat te laten zien zette hij een houtblok rechtop en sloeg die met één klap in tweeën. 'Ik heb in mijn leven al voldoende hout gehakt om er een stoomboot een jaar op te laten varen', overdreef hij. 'Ik heb dit klusje zo gedaan.'

Ze keken nu allemaal naar Waterman om te zien hoe hij zou reageren. De drogist zei niets, maar keerde zich weer tot zijn flessen. Jesse vatte dat als een goedkeuring op. Ook de twee vrouwen gingen weer verder met koken. Slate knikte even, tilde de emmers op en liep naar de rivier. McFarland gluurde even naar Jesse en liep toen achter Slate aan.

'Ik durf te wedden dat je ook geen water uit de rivier kunt halen!', jammerde hij.

Jesse hakte de rest van het hout dat, hoe verder ze naar het Westen trokken, steeds schaarser werd.

Ik hoop maar dat we al die opwinding overleven, zei hij bij zichzelf.

Na het avondeten stond Jesse aan de rand van het veld met de zonnebloemen en keek naar de sterren die zich in alle windrichtingen van horizon tot horizon uitstrekten. Het enige wat zijn uitzicht belemmerde was het silhouet van de twee wagens. Hij bereidde zich weer op een lange avond voor.

De vrouwen die klaar waren met hun karweitjes na het avondeten, zaten op kampeerstoeltjes naast elkaar. Cordelia zat voor haar moeder op de grond terwijl deze haar haar borstelde. De vrouwen zaten met elkaar te praten en Cordelia luisterde. Af en toe boog een van de vrouwen zich wat voorover en fluisterde het meisje iets in het oor. Cordelia zette dan grote ogen op, haar mond viel open en ze kreeg een kleur. Ze genoot er kennelijk van dat ze in het gesprek van de twee vrouwen betrokken werd. Af en toe duwde haar moeder haar speels wat terug als het meisje te veel naar voren boog om te horen wat er gezegd werd.

De flessen die Waterland aan het schoonmaken was, rinkelden. McFarland zat, met de fles nog steeds in zijn hand, tegen een rotsblok geleund. Zijn hoofd was op zijn schouder gezakt. Hij snurkte. Niet ver van de wagens klonk af en toe het gebalk van de muilezel en het geloei van de ossen die aan het grazen waren. De drie jongste meisjes zaten elkaar na rond de wagens. Slate legde een deken onder de tweede wagen om te gaan slapen.

Was ik maar in Dodge City, dacht Jesse, *de stad van Bat Masterson, de bisonjager, Indiaanse gids en sheriff.* Toen, met een geërgerde trek op zijn gezicht dacht hij: *Dodge City zal inmiddels ook wel saai geworden zijn. Hier gebeurt nooit iets opwindens meer.*

'Hé, jij daar', riep Matilda. Alle drie de vrouwen hadden zich omgedraaid naar Slate die op zijn knieën onder de wagen zijn deken uitspreidde om te gaan slapen. 'We willen hier samen praten zonder afgeluisterd te worden!'

Slate zei niets. Hij stond op en liep naar de andere kant van de weg. Daar bleef hij staan met zijn rug naar hen toe en zijn handen in zijn zakken. Sinds ze Kansas City verlaten hadden, was dit één van de weinige avonden dat Slate niet vroeg naar bed kon. Jesse besloot gebruik te maken van de gelegenheid en hem aan te spreken. Ze waren alletwee van huis weggelopen – hoewel Jesse dat wat zichzelf betrof eigenlijk niet wilde toegeven – en misschien konden ze erachter komen wat ze gemeenschappelijk hadden.

Jesse liep tussen de twee wagens door naar de jongen toe. Zijn pad werd gekruist door drie kleine meisjes die naar hem toe renden.

'Jesse is zoooo aardig!', zei Clarina, de stem van haar oudere zus nabootsend.

'Houd je mond, Clarina!', gilde Cordelia, die nog steeds voor haar moeder op de grond zat.

'Jesse is zoooo aardig!', riep nu ook Cora Belle.

'Moeder, alstublieft. Zeg dat ze hun mond houden', schreeuwde Cordelia.

De kleine Lillie liep als laatste naar hem toe. Ze had haar muts in haar hand en sloeg er speels mee naar zijn benen. 'Jesse is zoooo aardig!', giechelde ze en toen rende ze hard weg.

'Moeder!', riep Cordelia weer.

'Meisjes, laat Jesse met rust!', zei Matilda terwijl ze glimlachend naar Daisy keek.

Jesse glimlachte naar de meisjes. Hij keek op, juist op het moment dat Slate zijn hoofd omdraaide, maar Jesse dacht dat hij een glimlach op het gezicht van de jongen gezien had. Hij liep van achteren naar hem toe en zei: 'We hebben nog nauwelijks de kans gehad om elkaar te leren kennen.'

De jongen antwoordde niet.

Jesse liet zich niet uit het veld slaan en zei: 'Het lijkt erop dat dit een erg lange tocht gaat worden, dus we kunnen elkaar maar beter leren kennen.'

Geen antwoord.

Jesse legde een hand op zijn schouder. De schouder was nog magerder dan Jesse gedacht had. Slate schrok duidelijk toen Jesse hem aanraakte, maar hij schudde zijn hand niet af. Jesse deed een stap opzij om de jongen in de ogen te kunnen kijken en zei: 'Ik denk dat ik weet hoe je je voelt.'

Stilte.

'Je bent van huis weggelopen, hè?'

Slate knikte kort.

'Ik ook!', zei Jesse die het gevoel kreeg dat hij vorderingen maakte.

Om de een of andere reden keek Jesse even op. Clarina zat achter Cora Belle aan langs de ossen en de ezel. De kleine Lillie holde achter hen aan, zwaaide met haar muts en gierde van de pret. Toen ze langs de muilezel heen liep, sloeg ze met haar muts tegen een achterpoot aan.

De muilezel reageerde instinctmatig. Hij trapte achteruit en raakte Lillie's hoofd. Haar gelach stopte abrupt. Ze viel op de grond en bleef bewegingloos liggen.

'MAMA!'

Clarina's gil sneed door de lucht. Er klonk paniek in door en Waterman keek verschrikt op van zijn flessen, de vrouwen roddelden niet meer en zelfs George McFarland ontwaakte uit zijn roes. Het meisje had zich omgekeerd om te zien waar Lillie bleef en op datzelfde moment sloeg de muilezel achteruit.

'O, mijn kleine meisje!' Daisy sprong op en haar kampeerstoel vloog achteruit. Ze rende naar haar jongste dochter toe.

'O nee', riep Waterman en hij liet zijn flessen in de steek en rende naar Lillie toe.

Jesse bereikte haar het eerst; maar toen hij bij haar gekomen was, wist hij niet wat hem te doen stond. Hij legde zijn hand op haar rug. Die was warm, maar hij kon geen ademhaling voelen.

Daisy schoof hem opzij en tilde haar dochter op. 'Mijn kind! Mijn kind!' Ze drukte het kind tegen haar borst.

'Laat mij eens kijken!', schreeuwde Waterman. Hij slaagde erin zijn vrouw zover te krijgen dat ze het meisje niet meer tegen zich aandrukte zodat hij haar hoofd kon onderzoeken. Er zat een diep gat in waar maar weinig bloed uitkwam.

De andere meisjes stonden zwijgend met hun hand voor de mond toe te kijken en de tranen liepen hen over de wangen. Zelfs de dronken McFarland slaagde erin bezorgd te kijken.

Waterman beval zijn vrouw haar gejammer te staken en hij legde zijn oor op Lillie's lippen. Hij legde zijn hand op haar borst. Iedereen hield zijn adem in.

Hij keek op naar zijn vrouw. 'Ze is dood.'

'Nee!', fluisterde Daisy. 'Ze slaapt alleen maar!'

'Weet je het zeker, Allen?', vroeg Matilda. 'Weet je het zeker?'

Waterman knikte plechtig. Hij huilde niet, maar het was duidelijk dat Lillie iets van het leven uit de ogen van haar vader had meegenomen toen ze heenging.

'Je hebt een hele wagen vol medicijnen!', gilde Daisy tegen hem. 'Maak dan iets waarmee je haar wakker kunt maken!'

'Daisy, ze is dood. Niets kan haar nog wakker maken!', zei Waterman.

Matilda verzamelde de meisjes - ze huilden nu allemaal - en bracht ze terug naar de wagen. McFarland keerde weer terug naar zijn rotsblok en dronk in stilte. Slate kroop onder de wagen en rolde zich in zijn deken. Waterman stond bij zijn huilende vrouw. Hij bood haar geen enkele troost.

In het getemde Westen, midden in alle verveling, had de dood plotseling toegeslagen.

In de nacht die volgde op Lillie's dood was er weinig rust in het kamp. De volgende morgen vroeg werd het meisje tussen de zonnebloemen begraven. Daisy wilde dat Waterman de muilezel zou doodschieten, maar hij weigerde. Als ze Pueblo bereikten, hadden zij hem nodig. Nadat hij ieder persoonlijk had gewaarschuwd Daisy niet in de buurt van de vuurwapens te laten komen, probeerde Waterman de dagelijkse routine weer te herstellen.

Daisy was na Lillie's dood echter niet meer dezelfde. Ze sprak nauwelijks meer en terwijl haar man de flessen schoonmaakte, McFarland aan het drinken was en Matilda de meisjes in het oog hield, zat ze 's avonds alleen op haar kampeerstoel.

Binnen een week was de routine weer hersteld. Om zes uur op, twee keer stoppen om de dieren water te geven, om vier uur het kamp opzetten, de vereiste werkzaamheden uitvoeren en naar bed, om de volgende dag weer precies hetzelfde te doen. Het enige wat er veranderd was, waren de personen die aan deze routine deelnamen. Cora Belle verloor niet alleen haar zusje, maar ook haar moeder aan een zwijgzame wereld van verdriet. En ook McFarland veranderde in de manier waarop hij Slate behandelde. Hij achtervolgde de jongen meer dan ooit.

Van zonsopkomst tot ver na zonsondergang ging hij alle gangen van de jongen na. Hij sloeg de jongen nog steeds, maar behandelde hem op een andere manier en de verandering in tactiek scheen Slate nog meer te hinderen. Om die reden deed McFarland het dan ook, besefte Jesse.

De dronkaard McFarland, die nu niet alleen maar 's avonds maar ook overdag dronk, trad op als Slate's schaduw. Hij zorgde dat hij altijd binnen handbereik was en hij liet de jongen nooit alleen. In plaats van tegen de jongen te schreeuwen, fluisterde hij nu in zijn oor – naar Jesse vermoedde schunnigheden, want Slate duwde de dronkaard steeds weer van zich af. McFarland ging niet meer tegen hem tekeer, maar treiterde hem. Om vrijwel alles wat Slate deed moest hij lachen en stak hij de draak met hem.

Na dit een aantal dagen te hebben aangezien, had Jesse er genoeg van. Hij zei McFarland dat hij de jongen met rust moest laten. Het gevolg was dat McFarland naar Jesse uithaalde en hem zei zich met zijn eigen zaken te bemoeien. Daarna treiterde hij Slate nog erger, waarbij hij nu steeds naar Jesse gluurde.

Jesse kon zich niet voorstellen dat Waterman niets van dit alles merkte. Hij kon alleen maar tot de conclusie komen dat Waterman om de een of andere reden de confrontatie met zijn zwager niet aan wilde. Jesse bracht McFarlands gedrag onder de aandacht van Waterman in de hoop dat Waterman zou ingrijpen. Hij wimpelde het af met de opmerking dat hij de jongen gehuurd had om geen last met zijn zwager te krijgen en dat het tot nu toe gewerkt had. Bovendien zei hij dat Jesse zich verder niet met McFarland en Slate moest bemoeien en de zaak op zijn beloop laten.

Diezelfde avond laat werd Jesse wakker door het geluid van een worsteling. Onder de tweede wagen was McFarland met Slate aan het vechten. Hoewel McFarland erg dronken was en zich nogal traag bewoog, had hij het voordeel dat hij bijna twee keer zo zwaar was als de jongen. Hij zat bovenop de jongen en drukte zijn armen tegen de grond.

'Ga van me af!', siste Slate.

De woorden van de jongen hadden geen enkele uitwerking op de dronkaard. Slate kronkelde en probeerde los te komen, maar het lukte hem niet.

Jesse keek om zich heen. Iedereen sliep. Jesse sliep bij het vuur en de Watermans met hun dochter onder de eerste wagen. Matilda en haar dochters sliepen in de tweede wagen.

Slate zag kans een been vrij te krijgen. Hij probeerde tegen de onderkant van de wagen te schoppen in de hoop dat hij de vrouw van McFarland wakker zou maken zodat ze zou kunnen ingrijpen. McFarland drukte zijn been echter weer tegen de grond.

Omdat Jesse rekening hield met Watermans waarschuwing zich nergens mee te bemoeien, riep hij half fluisterend om de anderen niet wakker te maken: 'Houd op, McFarland. Je tuigt die jongen de hele dag al af. Laat hem in ieder geval 's nachts met rust!'

Niets wees erop dat McFarland Jesse gehoord had. Door al het lawaai was de kans ook groot dat hij hem inderdaad niet gehoord had. Het leek erop dat ook Slate hem niet gehoord had; hij kreunde en probeerde de veel zwaardere man van zich af te duwen.

'McFarland!'

De vechtpartij ging verder.

'McFarland!'

Het had geen zin. Als Jesse harder zou roepen, zou hij iedereen wakker maken. Maar als hij er zich werkelijk mee ging bemoeien, zou de dronkaard zich waarschijnlijk op hem storten. Daar was hij wel niet zo benauwd voor, maar hij dacht aan de waarschuwing van Waterland. Hij wilde de dingen voor Slate niet nog erger maken. Ook wilde hij voorkomen dat Waterman hem ergens midden in Kansas zou achterlaten omdat hij zich met dingen bemoeide waarmee hij zich niet mocht bemoeien.

Wat zou Truly Noble doen?

Die vraag gaf de doorslag. Er waren nu eenmaal momenten dat er daadwerkelijk ingegrepen moest worden en dit was één van die momenten.

Jesse gooide de deken van zich af en liep naar de rand van de wagen. Hij boog zich voorover, gaf McFarland een duw in zijn rug en zei: 'Laat de jongen met rust!'

McFarland draaide zich om als een beer die in zijn hol gestoord wordt. Met bloeddoorlopen ogen staarde hij de indringer aan. Hij liet zijn tanden zien en als Jesse zich niet vergiste, hoorde hij hem ook grommen.

'Bemoei je met je eigen zaken!', raasde McFarland.

'Jesse... help... mij...'

De stem van de jongen was nauwelijks hoorbaar. Zijn borst droeg het volle gewicht van de dronkaard. Maar het was voldoende om Jesse tot daden aan te zetten. Hij stak zijn hand onder de wagen, greep McFarland in de kraag van zijn overhemd en trok hem met alle macht van de jongen af.

Omdat McFarland ook zwaarder was dan hij, trok Jesse zo hard mogelijk. Misschien was hij inmiddels veel sterker geworden of misschien was de man door alle drank lichter geworden, maar Jesse trok hem met gemak van de jongen af. Het ging met zo'n vaart dat hij met zijn hoofd tegen de onderkant van de wagen sloeg.

McFarland uitte een kreet van pijn.

Zodra de dronkaard van hem af was, kroop Slate aan de andere kant onder de wagen uit. Hij rende om de wagen heen het veld in naar de beek.

De klap en de schreeuw waren luid genoeg geweest om de meisjes in de wagen wakker te maken. 'Mama, ik hoorde buiten iets. Ik denk dat het een beer is, of misschien wel Indianen!'

Ook haar zus begon nu te gillen. Matilda, die niet wist dat het haar man was die geschreeuwd had, riep nu om haar echtgenoot. Waterman kwam overeind en greep een geweer. Onder de eerste wagen kroop Cora Belle gillend tegen haar moeder aan. Daisy drukte haar tegen zich aan en zei: 'We komen eraan, Lillie! We komen eraan!'

Jesse keek naar de chaos om zich heen. Er was geen andere beschrijving voor de situatie te geven – het was net een wespennest.

'Waterman, niet schieten! Ik ben het!'

De drogist tuurde in zijn richting zonder de loop van zijn geweer te laten zakken.

Jesse keek naar Slate. De jongen rende door het veld. Hij keek achterom naar de wagen, struikelde en sloeg tegen de grond.

De drogist zwaaide zijn geweer naar het veld.

'Niet schieten! Het is Slate!', riep Jesse. Hij draaide zich om en met zijn handen om zijn mond schreeuwde hij: 'Is alles goed met je Slate? Blijf waar je bent!'

De jongen probeerde overeind te komen.

'Ik zal hem gaan halen!', zei Jesse en wilde weglopen.

McFarland greep hem van achteren bij zijn overhemd. Zijn zure whisky-adem sloeg in zijn gezicht toen McFarland begon te vloeken en tegen hem zei: 'Blijf met je handen van haar af!'

Jesse trok zich los. 'Waar heb je het over?', schreeuwde hij. 'Ben je gek geworden?' Toen hij zich omdraaide om achter Slate aan te gaan, zag hij de jongen zijn hoed oprapen die op de grond gevallen was. Het was de eerste keer dat Jesse de jongen zonder hoed zag. De jongen had plotseling iets bekends.

Jesse rende achter hem aan. Slate draaide zich om en begon weer te rennen. Achter hen bleef McFarland maar roepen dat hij haar het eerst gezien had.

Aan de andere kant van het veld, vlak bij de beek, haalde Jesse de jongen in. Jesse greep hem van achteren bij zijn jas, juist op het moment dat Slate over de oeverwal verdween. Samen rolden ze over de met kiezelstenen bedekte helling. Toen ze uiteindelijk tot stilstand kwamen, lag Jesse op zijn rug in de beek. Het koude water doorweekte hem. Slate lag bovenop hem.

Voor het eerst sinds ze vertrokken waren, zag Jesse nu duidelijk Slate's gezicht. In een flits dacht hij terug aan een steeg in New York en het geluid van een politiefluit. Er sprong een houten poortdeur open en een donkere gedaante vloog op hem toe die hem tegen de grond wierp en bovenop hem terecht kwam. Net als nu. Precies zoals nu.

'Emily!'

'Ik kan alles uitleggen, Jesse. Geef mij de kans om alles uit te leggen!'

HOOFDSTUK 25

Clara Morgan stond tussen honderden emigranten die zich in Kansas City op het perron van de Santa Fe Spoorweg verdrongen. Hier en daar waren grote, witte stoomwolken te zien terwijl het treinpersoneel de trein klaarmaakte voor het vertrek. Ze zag de machinist op de locomotief zijn meters controleren. Hij had de cabine op de locomotief een persoonlijke noot gegeven door een hertengewei op te hangen. Terwijl een stoker kolen op de vuurplaats schepte om de stoomdruk te handhaven, deed hij een stap terzijde.

Een conducteur ging op een kleine verhoging staan zodat hij wat boven de menigte uitstak. Vanaf een lijst die hij voor zich hield begon hij namen af te roepen. Overal om hem heen spitsten de mensen hun oren om naar hem te luisteren. De conducteur riep iedere naam slechts één keer af en ging niet in op vragen die aan hem gesteld werden. Hij stond op zijn verhoging en riep alleen namen af.

Degenen die hun naam hoorden afroepen, verzamelden haastig hun koffers, pakken en hun kinderen en stapten haastig in de trein. De conducteur dreunde de ene na de andere naam op. Clara Morgan behoorde daar niet bij. Ze vroeg zich af wat ze zou doen als ze geen plaats in de trein kon krijgen. De rijen mensen die mee wilden, waren lang en de spoorwegbeambten weigerden om in te gaan op de vragen van mensen met een emigrantenkaartje, zelfs niet als het eenvoudige vragen betrof over het reisschema. Het was het goedkoopste kaartje en meer kon Clara ook niet betalen.

Ze had net voldoende geld om in Santa Fe te komen. Wat ze daarna moest gaan doen, wist ze nog niet. Alles hing ervan af of ze Jesse zou kunnen vinden. Als ze hem in Santa Fe zou vinden, zou ze wel iets bedenken om weer thuis te komen. Als ze hem niet zou vinden... nou ja, ze zou zich voorlopig nog maar geen zorgen maken.

De menigte emigranten om haar heen dunde aanmerkelijk uit. Ze keek naar de ramen van de spoorrijtuigen. In iedere wagon bevonden zich vijftien ramen en voor alle ramen zag ze een gezicht. Ze liep wat dichter naar de conducteur toe. Terwijl ze dat deed, besefte ze dat dit niets zou veranderen, maar ze was in ieder geval een paar meter dichter bij de trein. De conducteur riep:

'Meneer en mevrouw John G. Shreves...
Phoebe Ann Park...
Nathaniel Hardman...
Meneer en mevrouw Thomas Galbraith.'

Hij wachtte even en liet zijn lijst zakken. Daarna draaide hij zich om en keek achter zich. Hij wachtte op een signaal.

Zat de trein vol? Clara vroeg zich bezorgd af wat ze nu moest doen. Wanneer zou de volgende trein vertrekken? Hoe kon ze daar achter komen? Moest ze nu haar kaartje gaan ruilen om op een nieuwe lijst te komen of zouden ze gewoon doorgaan met de bestaande lijst?

De conducteur knikte naar een of ander onzichtbaar teken. Hij hief zijn lijst op en begon weer namen af te roepen:

'Meneer en mevrouw Amos Matthews Harris...
Charlotte O'Dell Gilmore...
Henry Dutton...
Clara Cassidy Morgan...
Spencer Philips...'

De conducteur had haar naam afgeroepen! Clara greep haar tas en stapte vinnig naar het eerste rijtuig toe. Net toen ze wilde instappen, blokkeerde een andere conducteur haar de weg.

'Deze niet... één van de volgende rijtuigen.' Hij schoof haar opzij alsof ze een kind was dat zich op de verkeerde plaats bevond.

Ook bij het derde en het vierde rijtuig werd ze door een conducteur weggestuurd. Bij de ingang van het vijfde rijtuig stond niemand. Clara klom in de trein.

Het rijtuig waarin Clara zich bevond was aan beide zijden van het gangpad afgeladen met volwassenen en kinderen van allerlei maat en soort. Het tafereel herinnerde Clara aan de ark van Noach. De zitplaatsen hadden rechte leuningen en waren smal met dunne kussens en weinig beenruimte. Voor- en achterin de wagon hing een petroleumlamp. Om in het gangpad te komen moest ze om een houtkachel heenlopen die in het portaal stond. In een afgeschotte ruimte aan het andere einde van de wagon bevond zich een toilet.

Met haar tas voor zich uit liep Clara door het gangpad en speurde naar een lege plaats. Aan beide zijden van de gang hingen volwassenen over de randen van de smalle banken waardoor de doorgang nog nauwer werd. Ze kon maar beter niet zeggen: 'Neem mij niet kwalijk', want dan kon ze wel aan de gang blijven.

Toen ze driekwart van de gang had afgelegd, zag ze twee lege plaatsen. De lege plaats aan de linkerkant was naast een in het zwart geklede vrouw die een kwijlend kind op schoot had. De lege plaats aan de rechterkant was naast een man met een volle bruine baard en dun haar. Hij keek uit het raam.

Gezien de keuzemogelijkheid gaf Clara er de voorkeur aan om naast de vrouw te gaan zitten in plaats van naast een vreemde man. Maar toen ze naar de lege plaats toeliep, begreep de vrouw haar bedoeling en met een snauw zette ze het kind van haar schoot op de plaats naast haar. Het kind protesteerde, begon te huilen en probeerde weer bij zijn moeder op schoot te klimmen. Maar de moeder moest daar niets van hebben. Ze schold hem uit en drukte hem weer op zijn plaats.

Clara keerde zich om naar de andere lege plaats.

'Is deze plaats vrij?', vroeg ze.

De man naast het raam keek haar aan. Hij had vriendelijke ogen maar glimlachte niet. Hij keek weer gauw de andere kant uit, ging zo dicht mogelijk bij het raam zitten en trok de panden van zijn jas naar zich toe. 'Ja', zei hij zachtjes.

Clara keek om zich heen waar ze haar tas kon laten. Alle beschikbare plaatsen leken al in beslag genomen.

'Hebt u hulp nodig?'

Hij had zo zacht gesproken dat Clara hem eerst niet verstaan had. Toen ze zich realiseerde dat hij iets tegen haar gezegd had en zag dat hij naar haar tas keek, zei ze: 'O, ik zie nergens een plaatsje voor mijn tas.'

De man stond op. Ze overhandigde hem haar tas en hij zag kans die onder hun bank te duwen, waardoor zijn beenruimte echter nog kleiner werd.

'Weet u zeker dat u daar geen last van zult hebben?', vroeg Clara.

De man glimlachte en schudde zijn hoofd. Hij ging weer zitten en Clara ging naast hem zitten.

Even later reed de trein langzaam het station uit. Clara verwachtte dat de trein wel sneller zou gaan rijden als ze eenmaal buiten het station zouden zijn. Maar na een vol uur reed de trein niet sneller dan iemand die stevig doorstapt. Niemand gaf hiervoor een verklaring. Maar een aantal passagiers om haar heen opperden wel allerlei vermoedens.

'Waarschijnlijk is er ergens op de baan een trein ontspoord', zei een man aan de andere kant van het gangpad een paar rijen voor haar. Het was een grote man met een witte baard en een rode neus. Hoewel hij sprak tegen de man die aan de andere kant van het gangpad zat was het door de manier waarop hij om zich heen keek, duidelijk dat hij wilde dat iedereen hem hoorde.

'Ik heb eens een trein van de oostkust genomen', zei hij, 'van New York naar Philadelphia. Toen gebeurde precies hetzelfde. Iemand vergat een wissel om te zetten en twee treinen reden met een vaart van zestig mijl frontaal op elkaar! BOEM!' Om zijn verhaal te illustreren maakte hij een krakend geluid. 'Ze hadden twee volle dagen nodig om de rails vrij te maken voordat we weer verder konden. Toen we de plaats van het ongeluk passeerden, lagen er nog overal doden. Ze waren natuurlijk wel met dekens en zeildoek bedekt, maar hier en daar staken de voeten er onderuit.'

Clara wilde het verhaal niet horen, zeker niet nu ze zelf in de trein zat. Ze bleek niet de enige te zijn. Er werden steeds meer hoofden van de man afgewend. Clara dacht dat hij nu zijn mond wel zou houden, maar ze vergiste zich.

'Ontsporingen komen regelmatig voor, bijna iedere dag', begon de man opnieuw. 'Ik heb ergens gelezen dat er in het midden van de zeventiger jaren honderdvier botsingen waren!' Hij wachtte even op reactie en was tevreden toen hij hier en daar wat wenkbrauwen omhoog zag gaan. 'De spoorwegmaatschappijen zijn sinds die tijd natuurlijk wel wat verbeterd, maar dat wil nog niet zeggen dat het niet regelmatig voorkomt.'

Hij leunde achterover en scheen zich te koesteren in de belangstelling die hij kreeg, ook al was die dan maar matig. Clara hoopte opnieuw dat hij verder zijn mond zou houden.

'Treinongelukken kunnen natuurlijk door allerlei oorzaken ontstaan', vervolgde de man. 'Ketels kunnen uit elkaar ploffen, bruggen kunnen instorten als de trein erover heen rijdt, de rails kunnen breken of verwrongen worden door hitte en soms vliegen treinen in brand door die petroleumlampen of die kachel daar in het portaal! Ik heb het een en ander gelezen over de grote ongelukken bij Camp Hill en Angola. Er verbranden tweeënveertig passagiers toen de trein van de brug stortte!'

De man naast Clara schoof wat ongemakkelijk heen en weer op zijn plaats. Hij trok aan de manchetten van zijn mouwen en staarde naar het voorbijkruipende landschap.

'De ergste ongelukken zijn natuurlijk frontale botsingen', ging de morbide verteller verder. 'Ik heb een fotoafdruk van zo'n botsing die plaats vond in Pawtucket op Rhode Island in '56. Ik heb hem in mijn tas zitten. Zodra we daar de gelegenheid toe hebben, zal ik hem laten zien aan iedereen die belangstelling heeft.'

De man aan de andere kant van het gangpad zei tegen hem: 'Ik heb gehoord dat sommige spoorwegmaatschappijen ongelukken ensceneren voor vermaak.'

Clara kreunde. *Alsjeblieft, moedig hem nu niet aan!*

De zelfbenoemde deskundige op het gebied van treinongelukken straalde. 'Ik heb er één gezien!', kraaide hij. 'Er kwamen dertigduizend mensen kijken om het te zien!' Hij keek om zich heen en verdedigde zich tegenover de onuitgesproken gedachten van zijn medepassagiers. 'Ik ben dus niet zo afwijkend als sommigen van u misschien denken als er dertigduizend mensen naar een treinongeluk komen kijken!'

In de daaropvolgende twintig minuten beschreef hij zeer gedetailleerd wat er gebeurde toen twee locomotieven met een vaart van zestig mijl op elkaar inreden.

Om geen aandacht aan hem te hoeven besteden, sloot Clara haar ogen en leunde achterover. Haar gedachten keerde terug naar wat ze zelf pasgeleden had meegemaakt – een persoonlijke frontale botsing. *Waarom doe ik toch altijd zo tegenover de Morgans? Altijd weer als ik met hen te maken krijg, laat ik mij van mijn slechtste kant zien. Na al die jaren zou ik toch in staat moeten zijn om mijn gevoelens te beheersen als ik hen zie. Maar ik voel mij altijd de gebeten hond. Toch weet ik dat ze het goed bedoelen. Maar ze beseffen maar niet dat ze de wereld niet kunnen verbeteren. Met sommige dingen moet je nu eenmaal leren leven...*

'Gaat u naar Topeka?'

Clara deed haar ogen open. De man naast haar keek haar vriendelijk aan. 'Topeka? Nee, ik ga naar Santa Fe.'

Hij knikte en keek weer voor zich.

'En u?', vroeg Clara.

'Denver', zei de man. 'Via La Junta.'

Clara knikte.

'Gaat u naar familie in Santa Fe?'

'Nee... nou ja, ik denk... ik hoop het tenminste', stamelde Clara.

De man glimlachte. Hij had van nature een warme glimlach die het vermoeden opriep dat hij een vriendelijk karakter had.

'En u? Heeft u familie in Denver?'

De man schudde zijn hoofd. Hij trok weer aan de manchetten van zijn mouwen. 'Geen familie...' Hij verzonk even in gedachten en zei toen: 'Ik heb daar kans op een baan. Een beveiligingsmaatschappij, zoals die van Pinkerton, alleen veel kleiner. Ik heb gecorrespondeerd met de man die de eigenaar van de onderneming is. Hij heeft mij geschreven dat, als ik naar La Junta kon komen, hij mij die baan zou geven. Hij heeft daar een boerderij. Die baan zou in Denver zijn.'

Clara knikte.

Er viel een wat gespannen stilte tussen hen. Zouden ze op een ander onderwerp overgaan of zouden ze weer terugkeren tot hun persoonlijke gedachten? Clara keek voor zich uit en wachtte op de verdere ontwikkeling.

'Tussen haakjes, ik heet Logan', zei de man. Hij gaf haar geen hand.
'Logan', herhaalde Clara.
'Eigenlijk is het Woodhull Logan.' Hij grinnikte en haalde zijn schouders op. 'Maar de meesten noemen mij alleen maar Logan... dus u kunt mij gewoon Logan noemen... ik dacht: als we samen toch zo ver moeten reizen, kunnen we...'
'Clara.'
'Clara', herhaalde Logan.
'Clara Morgan.'
Logan boog zijn hoofd wat opzij en keek haar nadenkend aan.
'Wat is er?', vroeg Clara.
'Komt u uit Kansas City?'
'Nee', zei ze weifelend, 'ik kom uit New York.'
'Uit het oostelijke deel?'
'Ja.'
Logan leunde achterover en glimlachte. 'Is dat even wonderlijk', mompelde hij voor zich heen, 'nee... dat zou...'
'Wat?'
Logan keerde zich naar haar toe. 'Hij is nu al een aantal jaren geleden overleden, maar bent u toevallig familie van Benjamin Morgan. Hij was...'
'... de predikant van de evangelisatiepost van de Heritage Kerk.'
'Ja, die bedoel ik!', riep Logan opgewonden uit.
'Ja, die kende ik', zei Clara. 'Hij was mijn man.'
Woodhull Logan sloot zijn ogen en fluisterde: 'Dank U, Heere!' Hij wendde zich weer tot Clara en zei: 'Mevrouw Morgan, dit is een gebedsverhoring. Ik wil u graag vertellen hoeveel uw man voor mij betekend heeft. Hij....' Logan wachtte even en knipperde een paar tranen weg. 'Uw man heeft mijn leven gered. Tot twee keer toe.'
Onder het spreken trok hij de manchetten van zijn mouwen omhoog. Clara zag dat beide handen van de man de littekens van zware brandwonden vertoonden.

HOOFDSTUK 26

Waterman had Jesse ervoor gewaarschuwd geen moeilijkheden te veroorzaken. Nu hij daar in het water aan de rivieroever lag, kon Jesse zich niet voorstellen dat de zaken nog meer uit de hand zouden kunnen lopen dan nu het geval was.

Zijn kleren zogen het koude water op en hij huiverde van de kou. Slate lag bovenop hem; alleen het was Slate niet, het was Emily die haar haar had afgeknipt. Niet ver van hen vandaan bevond zich een dronkaard die Jesse een pak slaag wilde geven en een drogist met een geweer die Jesse ongetwijfeld de schuld zou geven van alles wat er gebeurd was. Maar Emily's nabijheid, haar blanke huid die afstak tegen de donkere lucht met de schitterende sterren, bekoorde hem meer dan hij zichzelf wilde toegeven. Tegelijkertijd kreeg hij een hevige aanval van prairiejeuk, die waarschijnlijk nog verergerd werd door zijn natte kleren. Maar dat alles viel in het niet bij de aanwezigheid van Emily. Hij kon zijn ogen niet van haar afhouden. Het ene moment was het nog Slate geweest en het volgende moment was het Emily - mooi en aantrekkelijk. Waarom was ze als jongen verkleed? En waarom had hij haar tot nu toe niet herkend?

Al die gedachten tolden door zijn hoofd.

Emily rolde van hem af, en terwijl Jesse uit de rivier kroop, kreunde hij: 'Nou, je zei dat je alles kon uitleggen. Ga je gang. Leg het dan maar eens uit!'

'Niet hier!', fluisterde Emily. Ze kroop op de oeverwal tot ze de wagens weer kon zien. 'Waterman en McFarland komen eraan!', riep ze.

Jesse gluurde over de rand. Waterman liep met zijn geweer in de aanslag voorop. McFarland waggelde heen en weer zwaaiend achter hem aan. Daisy en Matilda waren met de kinderen naast de wagen bij elkaar gekropen en de twee moeders legden hun armen beschermend om hun kinderen heen.

'Zorg ervoor dat hij mij niet meer aanraakt!', riep Emily. Ze keek strak naar McFarland. Op haar gezicht viel afgrijzen en walging te lezen en haar lippen krulden verachtelijk.

Jesse keek om zich heen om te zien waar ze heen zouden kunnen gaan. 'Kom mee!', zei hij.

Hij nam Emily bij de hand en bracht haar een paar honderd meter stroomopwaarts. Daar vonden ze achter een aantal rotsblokken een verlaten kampeerplaats. Ze wachtten zwijgend en luisterden. Toen ze na een paar minuten niets gehoord hadden dan alleen het ruisen van de wind, besloot Jesse dat de drogist en de dronkaard hen niet gevolgd waren. Hij nam aan dat de kust veilig was. McFarland was zo dronken dat hij nauwelijks op zijn benen kon staan.

Jesse keerde zich tot Emily die op een rotsblok zat en zei: 'Nou, je zei dat je alles kon uitleggen.'

Emily staarde naar de grond. 'Ik weet nauwelijks waar ik moet beginnen', zei ze.

Misschien was het de kou en zijn natte kleding; of misschien was het een nieuwe aanval van prairiejeuk; of misschien waren het de omstandigheden waar hij geen raad mee wist, maar Jesse voelde zich steeds nijdiger worden.

'Nou, laat mij eens raden', zei hij. 'Je wilt een hoofdartikel schrijven over een drogist die vanuit Chicago naar Pueblo in Colorado trekt. Of nee... nu begrijp ik het... je wilt natuurlijk een artikel schrijven over hoe gevaarlijk dronkelappen zijn op het Santa Fe Spoor! Of misschien is het dit wel... je volgt een man over het hele continent om erachter te komen op hoeveel manieren je zijn leven kan ruïneren voordat hij uiteindelijk gek wordt!'

'Jesse Morgan!', riep Emily terwijl ze van het rotsblok sprong, 'je hebt niet het recht zo tegen mij te praten!'

'Ik heb alle recht om zo tegen je te praten!', schreeuwde Jesse. 'Wie ben jij eigenlijk? Ik weet niet eens zeker tegen wie ik eigenlijk praat – Slate of Emily Barnes? En nog erger, ik weet niet eens zeker of je nu een jongen of een meisje bent! Ik word gek van jou!'

'Jesse Morgan, je bent een gevoelloze schoft!', schreeuwde Emily terug. 'Nog maar even geleden probeerde een dronkelap mij aan te randen en het duurde nogal lang voor je mij te hulp kwam!'

'Ja, omdat ik dacht dat je een jongen was', riep Jesse.

'McFarland wist wel dat ik geen jongen was!' riep Emily. In het maanlicht glinsterden tranen op haar wangen.

'Hoe lang wist hij dat al?'

Emily haalde haar neus op en veegde haar tranen af. 'Sinds de dag waarop we Lillie begraven hebben', zei ze. 'Hij betrapte mij toen ik...' ze aarzelde even, '... toen ik...'

Jesse stak zijn hand op en knikte ten teken dat hij haar begreep. *Dat verklaarde dus de gedragsverandering van McFarland tegenover Slate..*

eh, Emily. 'Als McFarland dat wist, waarom vertelde hij dat dan niet?', vroeg Jesse.

'Hij dreigde iedere dag het tegen Waterman te vertellen', riep Emily. 'Ik denk dat hij mij met zijn zwijgen wilde chanteren.'

'Heb je toegegeven?'

'Nee, natuurlijk niet', schreeuwde Emily. 'Je zag toch hoe ik mij onder de wagen tegen hem verzette. Je denkt toch niet dat ik hem terwille was? Ik vocht voor mijn leven!'

'Het spijt mij', zei Jesse zachtjes. Hij keek haar aan en zei: 'Ik heb tijd nodig om eraan te wennen dat jij Slate niet bent. Op de een of andere manier denk ik steeds dat jij Slate's kleren aangetrokken hebt en dat die arme Slate hier ergens in zijn onderbroek rondloopt.'

Emily snuffelde en lachte. 'Jij hebt mij op dat idee gebracht.'

'Ik?'

'Die avond op de brug. Je vertelde mij over Julia, een tante van je, die zich als een Confederale soldaat verkleedde.'

Jesse schudde zijn hoofd en grinnikte. Hij had zich altijd verwonderd afgevraagd hoe Marshall zo blind geweest kon zijn dat hij een vrouw in mannenkleren niet als vrouw herkend had. Nu hij zichzelf had laten beet nemen, had hij meer begrip voor zijn oom.

'Je hebt mij nog steeds niet uitgelegd wat je hier nu eigenlijk doet!', zei Jesse. 'Ik bedoel... wie ben je eigenlijk? De eerste keer dat ik je zag, was je typiste op een kantoor. Vervolgens ben je een soort reddende engel die door een poort komt stormen en op een politiefluitje blaast. Dan ben je een mooie vrouw die ik toevallig op de Brooklyn-brug ontmoet. En het volgende moment lopen we elkaar op een stoomboot in Cincinnatti tegen het lijf en je wilt een verhaal schrijven over een stoombootkapitein, terwijl een lompe kerel mij dreigend zegt dat ik uit je buurt moet blijven. Nu duik je, midden in Kansas, weer op in de vermomming van een jongen op het Santa Fe Spoor.' Hij wachtte even en vroeg toen: 'Heb ik misschien nog iets overgeslagen?'

Emily kon nog wel een paar dingen aan de lijst toevoegen die hij nog niet wist, maar ze hield haar mond.

'Wie is Emily Barnes?', riep Jesse uit.

'Austin', zei Emily.

'Austin? Wat bedoel je met Austin?'

'Mijn achternaam is niet Barnes, maar Austin.'

Jesse was met stomheid geslagen. Hij staarde haar met opgetrokken wenkbrauwen en open mond aan. 'Austin', herhaalde hij. 'Bedoel je...'

Emily knikte. 'De Austinfabriek. De Austin-ondernemingen. Franklin Austin. Ik ben zijn dochter.'

Jesse stak zijn handen in de lucht en draaide om zijn as. 'Moet ik dat geloven? Ik sta midden in Kansas met de dochter van een miljonair die als jongen verkleed is!'

Emily trok de breedgerande hoed van haar hoofd. Dat hielp aanzienlijk. Hoewel haar haar kortgeknipt was, was ze zonder hoed onmiskenbaar een vrouw.

'Heb je nog meer verrassingen?', vroeg Jesse.

'Ik ben geen verslaggeefster van de *Evening Post*.'

Opnieuw viel zijn mond open van verbazing. 'Ben je geen verslaggeefster? Al die tijd... kapitein Lakanal die je over de boot rondleidde... de wedstrijd met de *Eagle* om indruk op je te maken...'

Emily klapte in haar handen. 'Ik wil wel graag verslaggeefster worden!', riep ze uit. 'Maar ik heb nog nooit de kans gekregen iets te publiceren.'

'Dit is ongelooflijk!', riep Jesse. 'Absoluut ongelooflijk! Daar moet ik even bij gaan zitten.' Hij liep naar een rotsblok toe, en liet zich er helemaal verbijsterd op neervallen.

'Er is nog meer', zei Emily.

'Ja, natuurlijk! Waarom ook niet!', riep Jesse sarcastisch.

'Die man op de stoomboot. Die Tykas.'

'Ja?'

'Hij werkt voor mijn vader. Hij heeft hem achter mij aangestuurd om mij weer thuis te brengen.'

Jesse viel van de ene in de andere verbazing. 'Vertel mij nou niet dat je van huis weggelopen bent.'

'Mijn vader wilde mij niet laten gaan, maar ik ging toch.'

Jesse sloeg zijn ogen ten hemel.

'Jij bent toch ook weggelopen!', riep Emily.

'Ik dacht dat ik een jongen gedood had. Bovendien ben ik oud genoeg om mijn eigen leven te leiden.'

'Ik ook!'

'Hoe oud ben jij eigenlijk?', vroeg Jesse.

Emily haalde haar neus op. 'Dat vraag je nu eenmaal niet aan een dame.

'O nee', kreunde Jesse. 'Een jaar of zestien zeker. Misschien pas vijftien!

Emily ging rechtop zitten. 'Helemaal niet. Ik ben achttien!'

'Toch nog jong genoeg voor je vader om iemand achter je aan te sturen om je thuis te brengen!'

Emily wipte van haar rotsblok af. 'Ik heb genoeg van dit gesprek Bedankt!', zei ze.

'Wat is er? Heb ik je gevoelens misschien gekwetst? Wat ben je van plan? Naar huis te wandelen? Ik betwijfel of dat je zal lukken, want thuis is zo'n duizend mijl hier vandaan, weet je?'

Emily stond als aan de grond genageld door Jesse's sarcastische opmerkingen. Door de manier waarop ze keek – helemaal verschrikt, verslagen en gekwetst – wilde Jesse wel dat hij zijn woorden ingeslikt had. Maar hij was nog steeds woedend. Hij moest nu nog één ding weten.

'Je hebt mij nog niet verteld waarom je dit allemaal gedaan hebt.'

'Wat allemaal gedaan hebt?'

'Dit allemaal.' Jesse maakte een wijds armgebaar. 'Deze hele schertsvertoning! Net doen of je verslaggeefster bent. Weglopen. Je als jongen verkleden! Alles!'

Emily begon weg te lopen. 'Ik wil er verder niet meer over praten.'

'Ik wel', zei Jesse.

'Jesse Morgan, als je soms denkt dat ik hier blijf staan en jou...'

Jesse greep haar bij de schouders en schreeuwde: 'Vertel op!'

'Jesse Morgan, laat me los!'

'Niet voordat je mij dat verteld hebt.'

Emily probeerde zich los te rukken, maar Jesse hield haar stevig vast.

'Kijk mij aan!', zei Jesse.

Emily keek van hem weg.

'Kijk mij aan', zei Jesse nog eens. Hij greep haar hoofd met beide handen vast en dwong haar hem aan te kijken. 'Vertel mij waarom je dit alles gedaan hebt!'

'Laat me los!'

'Niet voordat je mij verteld hebt waarom je dit gedaan hebt!'

'Jesse, ik waarschuw je...'

'We kunnen hier niet de hele nacht blijven staan', zei Jesse. 'Vertel mij waarom je dit gedaan hebt!'

Emily begon te huilen.

'Vertel het me!'

'Nee... ik...' De tranen verstikten haar stem.

'Vertel op!'

'Jesse...'

'Vertel op!'

'Ik hou van je...', snikte Emily. 'Ik hou van je... Ik heb dit allemaal gedaan omdat ik van je hou!'

Jesse liet haar schouders los en Emily's hoofd viel tegen zijn borst.

'Ik hou van je', snikte ze zachtjes. 'Jij grote dwaas!'

Toen Emily en Jesse stroomafwaarts terugliepen, begon de lucht al lichter te worden. Toen ze over de oeverwal heenliepen die de rivier van het veld scheidde, slaakte Emily plotseling een diepe zucht.

'Ze zijn weg!', zei ze.

'Ik kan het niet geloven!', riep Jesse uit. 'Ze hebben ons gewoon achtergelaten!'

De kampeerplaats aan de andere kant van de weg was verlaten. Er was geen wagen, geen drogist en geen dronkelap meer te zien. Jesse rende het veld over en een klein eindje het karrenspoor op. Nergens was iets van het gezelschap van Waterman te zien, zelfs geen stofwolk die door de wagens werd opgeworpen.

Emily haalde hem in. 'Wat doen we nou?', vroeg ze.

Jesse beet op zijn lip en staarde het karrenspoor af. Toen draaide hij langzaam rond, bleef in iedere windrichting even staan en tuurde in de verte. Er was niet veel te zien. Een vrijwel vlak, zacht glooiend landschap, maar nergens iets van wegen of bewoningen.

'Weet je waar we zijn?', vroeg Emily.

'Waterman had de kaarten. Als we op weg waren, bekeek hij die altijd. Persoonlijk heb ik ze nooit bestudeerd.'

'Zijn we dan verdwaald?', vroeg Emily.

'Ik heb er geen idee van hoe ver we nog moeten trekken voordat we een dorp of zoiets tegenkomen', zei Jesse, terwijl hij weer de weg langs keek. Hij begon te lopen; zijn kleren waren vochtig en zwaar en de prairiejeuk was heviger dan ooit.

Emily bleef nog even staan en toen ze besefte dat hij niet op onderzoek uitging, maar besloten had verder te trekken, begon ze te rennen om hem in te halen. 'Gaan we zomaar lopen?', vroeg ze.

'Heb jij dan een beter idee?'

Ze ging naast hem lopen.

'Zet die hoed weer op', zei Jesse. 'Als iemand ons ziet is het voorlopig maar beter dat ze denken dat je een jongen bent.'

Dat was alles wat hij de hele verdere dag tegen haar zei.

HOOFDSTUK 27

Jesse en Emily wankelden vermoeid en volkomen uitgeput na twee dagen lopen de veiligheid van Fort Larned binnen. Eerder die morgen hadden ze op een kleine, rotsachtige heuvel gestaan. In een ander deel van het land zou deze geografische formatie nauwelijks opgevallen zijn. Ze waren echter in Kansas en de heuvel was op de prairies een soort baken in zee. De mensen die naar het Westen trokken werden er onweerstaanbaar door aangetrokken.

Degenen die Jesse en Emily waren voorgegaan bij hun trek naar het Westen hadden allerlei inscripties in de rotswand gekerfd. Later hoorde Jesse dat de verhoging Pawnee Rock werd genoemd. In de loop der jaren was het gebruikt als kampeerplaats. Het was ook de plaats geweest waar veel overvallen door Indianen hadden plaatsgevonden. Volgens de kolonel van Fort Larned werd vrijwel iedere vierkante meter aan de voet van de rots in beslag genomen door een graf van iemand die het Santa Fe Spoor had genomen.

Jesse zag echter geen Pawnees bij de rots. Van enig gevaar was geen sprake. De rotsformatie herinnerde hem er alleen aan dat hij in het Westen was aangekomen lang nadat het gevaar van een overval door Indianen verdwenen was. Veel avontuurlijks viel er op het spoor niet meer te beleven. Er trokken alleen nog maar vreemde drogisten met hun dronken zwagers rond en weggelopen meisjes die zich als jongens verkleedden.

De bevelvoerende kolonel van Fort Larned had alle begrip voor de situatie waarin Jesse en Emily zich bevonden, tenminste voor zover hij op de hoogte gebracht werd met hun situatie. Ze hadden hem verteld dat Waterman hen in de steek gelaten had toen zij bij de rivier waren. Ze verborgen het feit dat Emily een meisje was niet voor de kolonel en ze vertelden hem ook niet wat ze daar bij de rivier deden. Hij vroeg er ook niet naar.

De kolonel vertelde hun dat er inderdaad twee wagens langsgetrokken waren die niet gestopt hadden, wat hij wel vreemd gevonden had – ten eerste omdat er steeds minder mensen met wagens reisden en ten tweede omdat ze niet gestopt hadden. Vrijwel iedereen die al zover in Kansas was doorgedrongen, had behoefte aan nieuwe voorraden en zelfs als dat niet het geval was, stopten de meesten om informatie te krijgen over de weg die nog voor hen lag, of om gewoon een babbeltje te maken.

'Ik vond het erg vreemd dat die twee wagens zomaar langsreden', zei de kolonel. Hij was een kleine man met rood haar en gemakkelijke omgangsvormen. Maar dat deed in geen enkel opzicht afbreuk aan zijn gezag, zoals Jesse merkte. Uit de manier waarop de soldaten hem behandelden, bleek duidelijk dat ze hun superieur respecteerden.

'Ik kan wel een afdeling achter hen aansturen om ze weer terug te brengen', bood de kolonel aan.

Jesse dacht over het aanbod na en hij keek Emily vragend aan. In haar ogen viel duidelijk te lezen dat ze het vooruitzicht om weer met McFarland te maken te krijgen, verschrikkelijk vond. 'Nee, dankuwel, meneer', antwoordde Jesse. 'We zijn nu in veiligheid en ze hebben ons niet echt slecht behandeld.'

'Denk er goed over na, jongen. Twee mensen zomaar op de prairies achterlaten zonder eten en drinken en wapens is iets wat we hier niet lichtvaardig opvatten', zei de kolonel.

'Waterman raadpleegde voortdurend de kaarten', zei Jesse. 'Hij wist waarschijnlijk dat Fort Larned hier in de buurt lag. Ik zie niet in dat we hem terug zouden moeten brengen.' Jesse had er moeite mee de drogist in bescherming te nemen, maar hij deed het voor Emily.

De kolonel schudde zijn hoofd. 'Als ik in jouw schoenen stond, zou ik niet zo vergevingsgezind zijn', zei hij. 'Wat zijn jullie nu verder van plan?'

'Heeft u hier een telegraaf?', vroeg Jesse.

'Ja natuurlijk.'

'Dan zou ik graag een telegram naar New York sturen. Juffrouw Barnes... ik bedoel juffrouw Austin moet contact met haar vader opnemen om haar terugkeer te regelen.'

Op Emily's gezicht was duidelijk te lezen dat ze teleurgesteld en gekwetst was. Ze hadden samen al heel wat afgepraat over dit onderwerp. Jesse stond erop dat ze terug zou keren naar haar vader; Emily wilde dat beslist niet. Emily ging er bovendien vanuit dat, als het moment zou aanbreken om een beslissing te nemen, Jesse wel toe zou geven en dat ze samen verder zouden kunnen gaan. Jesse had zojuist laten zien dat ze het bij het verkeerde eind had gehad. Hij zond haar terug.

Jesse keek haar strak aan toen hij het telegram dicteerde en hij verwachtte dat Emily zou protesteren. Ze zei echter niets. Emily liet berustend haar hoofd zakken.

Het telegram werd verzonden.

'Ik ben nog steeds verbaasd over de hedendaagse communicatiemiddelen', zei Jesse, terwijl hij een telegram in zijn hand hield. 'Pas twee uur geleden hebben we een telegram naar je vader gestuurd en nu hebben we al antwoord! Vroeger zou het maanden geduurd hebben voordat een brief uit Kansas door iemand uit New York beantwoord werd.'

Jesse stond in de deuropening van Emily's kamer. Achter hem op de binnenplaats waren de laatste zonnestralen verdwenen en was de avond ingevallen. Soldaten lieten de vlag van het fort zakken. Anderen liepen om het fort heen wacht om de veiligheid van de buitenpost te waarborgen.

Het was in Emily's kamer zo donker dat een lamp wel op zijn plaats zou zijn geweest. Er was echter geen licht. Emily zat in elkaar gedoken op een stoel naast een bed met een deken erop. Uit de onverschillige trek op haar gezicht was op te maken dat ze Jesse's enthousiasme over de moderne communicatiemiddelen niet deelde.

Ze zuchtte. Op effen toon vroeg ze: 'Wat staat er in het telegram?'

'Emily, zo moet je niet doen', zei Jesse.

'Heeft mijn vader dat gezegd? "Emily, zo moet je niet doen?"'

Jesse leunde zwaar tegen de deurpost. De vrouw voor hem had niets meer van die kanonskogel die daar in de steeg door de deur gevlogen was en boven op hem terechtgekomen was. En ze leek ook in niets meer op die eigenwijze verslaggeefster aan boord van de *Tippecanoe*. En de vrouw in de kamer had evenmin iets gemeen met de stralende schoonheid die met Jesse over de Brooklynbrug gewandeld had. Weggedoken in haar stoel was ze niet meer dan een pruilend kind dat haar zin niet krijgt.

'Ik doe helemaal niets', zei Emily. 'Lees dat telegram nu maar voor.'

Zonder naar het papier in zijn hand te kijken, vertelde Jesse haar de boodschap. 'Je vader is blij dat je in veiligheid bent. Hij stuurt één van zijn agenten om je terug te brengen naar New York. Die agent komt hier over een dag of twee, drie aan.'

Emily kreeg een achterdochtige trek op haar gezicht. 'Zei mijn vader dat hij blij was dat ik in veiligheid was?'

Jesse haalde zijn schouders op. 'Dat bedoelt hij in ieder geval.'

'Hoe heeft hij dat dan precies gezegd?'

Jesse slaakte een wanhopige zucht. 'Oké, hij heeft het niet letterlijk gezegd. Maar daar ga ik vanuit; hij is je vader, nietwaar?'

Emily kroop nog dieper in haar stoel. 'Jij kent mijn vader niet', zei ze.

Een poosje zeiden ze geen van beiden iets. Jesse voelde wel dat hij iets moest zeggen, maar hij kon de woorden niet over zijn lippen krijgen; ze bleven in zijn keel steken.

'Als je verder niet nog meer goed nieuws voor mij hebt...', zei Emily.

Jesse schuifelde wat en keerde zich toen om om weg te gaan. Hij draaide zich weer om. 'Emily...'

Emily sprong van haar stoel op. 'Welterusten, meneer Morgan', zei ze.

'Wacht nou even', pleitte Jesse.

Emily vouwde boos haar armen over elkaar.

'Misschien is dit wel de laatste avond dat we samen zijn', zei Jesse zacht. 'Morgenmiddag vertrekt er een transportwagen naar Dodge City. De kolonel heeft gezegd dat ik dan wel mee kan.'

'Dodge City... nou, dat is dan fijn voor je.'

Jesse sloeg geen acht op haar sarcasme en vervolgde: 'Misschien zien we elkaar niet terug... maar we kunnen toch wel met elkaar praten? De maan komt op. Ik dacht dat we samen best een eindje zouden kunnen gaan wandelen.'

'Nee, bedankt', zei Emily vastberaden. 'Je hebt maar al te duidelijk laten merken hoe je over mij denkt. Ik moet er maar eens mee ophouden me zo dwaas aan te stellen.'

'Maar sinds die nacht bij de rivier heb ik nog geen woord tegen je gezegd over mijn gevoelens voor jou!', protesteerde Jesse.

'Ja, dat is het nou juist!'

Emily deed de deur achter hem dicht.

Jesse zag Tykas het eerst. De agent reed met een vierwielig wagentje het fort binnen. Jesse kreeg gemengde gevoelens toen hij Tykas weer zag. Hij had Tykas voor het laatst gezien toen de *Tippecanoe* explodeerde. En hoewel Jesse blij was dat de man niet verdronken was, had hij er tegelijkertijd moeite mee dat Tykas de man zou zijn die Emily thuis zou brengen. Maar het klopte natuurlijk allemaal precies. Tykas was al op weg geweest om Emily op te sporen, dus het was logisch dat hij al dicht in hun buurt was – zelfs dichterbij dan Austin vermoedde toen hij zijn telegram stuurde, want de agent kwam een dag nadat het telegram ontvangen was, op het fort aan.

'Meneer Tykas!', riep Jesse.

De agent bracht zijn paard tot staan en draaide zich abrupt om naar Jesse. Toen de agent zag wie hem aangeroepen had, greep hij naar iets onder zijn jas.

'Ik wil u mijn verontschuldigingen aanbieden', zei Jesse snel. 'Aan boord van de *Tippecanoe* wist ik niet dat u voor meneer Austin werkte.'

Tykas keek hem achterdochtig aan, maar zei niets.

'Ik begrijp nu dat u alleen uw werk maar deed', legde Jesse uit.

'Dat begrijp je nu dus', herhaalde Tykas.

Jesse grinnikte en knikte schaapachtig. 'Ik weet nog maar een paar dagen dat Emily van huis is weggelopen. Ik wist zelfs niet dat ze een dochter van Franklin Austin was. Ik dacht dat ze Barnes heette.'

'Ja, ja. Je wilt mij dan nu wel naar haar toebrengen?'

'Natuurlijk!', riep Jesse uit. 'Ze zit daar.' Hij wees naar Emily's kamer aan de andere kant van de binnenplaats. 'Maar ik neem aan dat u eerst met de kolonel zult willen spreken. Bovendien zal Emily wel even tijd nodig hebben om zich klaar te maken – ze heeft trouwens niets anders bij zich dan de kleren die ze draagt, dus dat zal niet lang duren. U komt echter wel erg onverwachts. In het telegram van meneer Austin stond dat u pas over een paar dagen zou komen.'

'Laten we gaan', zei Tykas.

Op het kantoor van de kolonel stelde Jesse Tykas voor als de agent van Austin die Emily kwam halen om haar thuis te brengen. De kolonel stuurde iemand naar Emily's kamer om haar te gaan halen en terwijl ze op haar komst wachtten, sprak Tykas met kennis van zaken over de gezinssituatie van de Austins. Hij vertelde ook hoe hij met haar zou terugreizen.

'Ik neem de jongedame mee naar Great Bend. Daar nemen we de trein naar het Oosten. We zullen natuurlijk gepaste kleding voor haar kopen.'

Emily werd op kantoor gebracht en het was duidelijk dat ze inderdaad andere kleren nodig had. Ze droeg nog steeds de laarzen, de broek en het hemd die haar voor Slate moesten laten doorgaan. Toen ze Tykas zag, deinsde ze even achteruit, maar herstelde zich snel. Terwijl de kolonel en Tykas met elkaar praatten, stond Emily er gelaten bij als een gevangene die haar lot afwacht.

Het wagentje verliet het fort twee uur voordat Jesse naar Dodge City zou vertrekken. Tykas stelde nadrukkelijk dat meneer Austin erop zou staan dat ze onmiddellijk zouden vertrekken. Met een beetje geluk, zo zei hij, zouden ze de trein die laat in de middag uit Great Bend vertrok, nog kunnen halen.

Door alle haast kreeg Jesse niet de kans om persoonlijk afscheid van Emily te nemen. Hij zag hoe Tykas haar in het wagentje hielp. Net voordat het wagentje in beweging kwam, keek Emily op en keken ze elkaar aan.

Jesse glimlachte. 'Het ga je goed, Emily.'

Emily glimlachte niet terug en zei niets. Terwijl ze gelaten naast Tykas zat, draaide ze haar hoofd terug en staarde voor zich uit. Jesse zag hoe de wagen in een wolk van stof door de poort van het fort verdween.

Toen Emily vertrokken was, werd Jesse overvallen door een grijze neerslachtigheid. Het was een stemming die vergelijkbaar was met die dagen waarop de zon niet schijnt, maar het ook niet regent; zo'n dag waarop de lucht egaal grijs is en de lucht kil, en de tijd zich voortsleept omdat het onmogelijk is het ene uur van het andere te onderscheiden en de morgen precies op de middag lijkt.

Jesse probeerde zijn neerslachtige stemming kwijt te raken door druk aan het werk te gaan. Om de tijd te doden deed Jesse allerlei karweitjes binnen het fort tot de bevoorradingswagen naar Dodge City zou vertrekken. Hoewel hij het zichzelf niet wilde toegeven, hinderde het hem dat Emily vertrokken was zonder hem gedag te zeggen. En het hinderde hem ook dat het Tykas was die haar naar New York zou terugbrengen, hoewel hij niet wist waarom. Het zou gemakkelijker voor hem zijn geweest als de agent iemand was geweest die hij nog niet eerder ontmoet had.

De bevoorradingswagen vertrok op tijd uit het fort. Er zaten twee soldaten op de bok. De ene mende de paarden terwijl de andere als bewaker meeging. De wagen werd bovendien door twee soldaten te paard begeleid. Jesse zat alleen op de lege laadvloer.

Ze waren nog maar een kwartier onderweg toen Jesse zag dat iemand die hen achterop reed hen probeerde in te halen. Hij waarschuwde de twee soldaten die naast de wagen reden. Uit voorzorg bleven ze staan en richtten hun geweren op de naderende ruiter.

Toen de ruiter dichterbij gekomen was en ze zagen wie het was, lieten ze hun geweren zakken. Het was een soldaat van het fort.

'De kolonel heeft mij gestuurd om Morgan terug te brengen', zei de soldaat.

Alle ogen werden achterdochtig op Jesse gericht. 'Wij allemaal of alleen Morgan?', vroeg de voerman.

'Jullie kunnen doorrijden naar Dodge City. Alleen Morgan rijdt met mij terug.'

'Waar gaat het om?', vroeg Jesse.

'Daar kan ik geen antwoord op geven', zei de soldaat. 'Alles wat ik weet is dat de kolonel mij gezegd heeft dat ik je naar het fort terug moest brengen.'

Jesse keek naar de achterdochtige gezichten om hem heen. Hij had geen keus. Hij klom van de wagen af, greep de uitgestoken hand van de soldaat en werd op het paard getrokken. Terwijl de soldaten bij de wagen toekeken, keerden de ruiter en zijn passagier terug naar Fort Larned.

'Morgan!' De kolonel stond dreigend op en liep naar de voorkant van zijn bureau toen Jesse werd binnengebracht. Terwijl de kolonel op de rand van zijn bureau zat, wees hij op een stoel. Jesse ging zitten. De kolonel

overhandigde hem een stuk papier.
'Een paar minuten nadat je vertrokken was, hebben wij dit telegram gekregen', zei de kolonel. 'Ik zou graag een verklaring van je willen horen.'
Jesse las het telegram.

KOLONEL,
IK BEN AAN U VERPLICHT VOOR DE VEILIGE TERUGKEER VAN MIJN DOCHTER. EEN VAN MIJN AGENTEN, MENEER NELSON MERIWEATHER, ZAL OVERMORGEN OP FORT LARNED AANKOMEN. HIJ ZAL MIJN DOCHTER NAAR NEW YORK BEGELEIDEN. MENEER MERIWEATHER IS BEVOEGD ALLE ONKOSTEN DIE U TEN AANZIEN VAN MIJN DOCHTER TIJDENS HAAR VERBLIJF HEEFT GEMAAKT, TE VERGOEDEN.
FRANKLIN AUSTIN

Terwijl Jesse het telegram las, bekroop hem een onbehaaglijk gevoel.
Met over elkaar geslagen armen en op een toon waaruit gezag klonk, zei de kolonel: 'Vertel mij eens, meneer Morgan, wie is die Tykas eigenlijk die je naar mijn bureau bracht? En wat is hij met Emily Austin van plan?'
Uit zijn toon en de onderzoekende manier waarop hij Jesse aankeek, bleek dat de kolonel een complot vermoedde waarbij Jesse betrokken was. Om de achterdocht van de kolonel te ontzenuwen, vertelde Jesse alles wat hij over Tykas wist - zijn ontmoeting met de man aan boord van de *Tippecanoe* en alles wat Emily over hem verteld had. 'Het is Emily die mij verteld heeft dat Tykas voor haar vader werkt', zei Jesse, 'en dat hij erop uit gestuurd is om Emily terug te brengen naar New York!'
Terwijl hij over Jesse's woorden nadacht, wreef de kolonel over zijn ogen. 'We kunnen dit slechts op één manier oplossen', zei hij. De kolonel riep een klerk binnen en dicteerde hem een telegram aan Franklin Austin, waarin hij hem vroeg hem inlichtingen te sturen over zowel Tykas als Jesse Morgan. 'Intussen', zei de kolonel tegen Jesse, 'blijf jij hier in het fort.'
Een paar uur later werd Jesse weer binnengeroepen.
'Franklin Austin heeft nog nooit van jou gehoord', vertelde de kolonel hem. De roodharige bevelhebber hield een net ontvangen telegram in zijn hand. 'Wat Tykas betreft... de man is een *gewezen* agent van Austin.'
'Een gewezen agent?'
De kolonel knikte. 'Austin heeft hem ontslagen.'
Jesse zat op het randje van zijn stoel en draaide zenuwachtig de pet in zijn handen rond. 'Wat wil Richard Tykas dan van Emily?'

'Dat is precies wat ik van plan ben hem te gaan vragen!' De kolonel beval zijn paard te zadelen en een afdeling soldaten samen te stellen om hem te vergezellen naar Great Bend. Toen liet hij een telegram sturen aan het treinstation, waarin hij opdroeg de passagiers Tykas en Austin vast te houden tot hij aangekomen was.

'Laat mij met u meegaan, kolonel!', smeekte Jesse.

De kolonel keek hem wantrouwend aan.

'Ik voel mij verantwoordelijk!', zei Jesse. 'Ik heb Emily aan de verkeerde man toevertrouwd!'

'Soldaat!', schreeuwde de kolonel, 'zadel een extra paard voor meneer Morgan!'

HOOFDSTUK 28

De stationschef van Great Bend had geen passagiers die Tykas of Austin heetten op zijn lijst staan. Op aandringen van de kolonel controleerde hij twee keer de passagierslijst. Geen Tykas. Geen Austin. Ook had hij geen man met een jonge vrouw gezien die aan de gegeven beschrijving beantwoordden. De kolonel ondervroeg iedereen op het station – de kruiers, de kaartjesverkopers, zelfs passagiers die op de volgende trein zaten te wachten. Niemand had Emily of Tykas gezien.

Na een bezoek aan de sheriff, besloot de kolonel dat hij weinig meer kon doen. 'Ik denk dat Tykas helemaal niet van plan was haar naar Great Bend te brengen. Misschien is hij omgekeerd en naar Dodge City gegaan. Hij kan ook naar het zuiden, naar Texas, zijn gegaan, of naar het noorden om de trein te nemen van de Kansas Pacific Railroad.'

'U geeft het toch niet op?', vroeg Jesse.

'Hoezeer het mij ook spijt, er zit niets anders op dan dat ik meneer Austin vertel dat ik zijn dochter aan de verkeerde man heb meegegeven. Ik zie niet in wat ik verder nog kan doen.'

'Kunt u dan geen troep soldaten achter hen aansturen?'

'En welke richting moet ik ze dan uitsturen?', vroeg de kolonel.

Daar wist Jesse ook geen antwoord op.

'Kijk eens hier, jongen, ik zal alle patrouilles opdragen naar ze uit te kijken. Ook zal ik naar alle plaatsen in de buurt en naar de stations langs de spoorbaan een telegram sturen. Maar wat ik verder nog kan doen, weet ik niet.'

Jesse knikte droevig. 'Ik denk dat ik hier maar blijf', zei hij. 'Ik kijk hier nog een poosje rond en ga vragen of iemand ze misschien gezien heeft.'

'Laat het mij horen als je iets ontdekt', zei de kolonel.

De roodharige kolonel met zijn afdeling van Fort Larned vertrok uit Great Bend en liet Jesse daar achter.

Voor de tweede keer binnen twee dagen zag Jesse Tykas het eerst. De vroegere agent van Austin kwam uit een hotel en stak de straat over naar een bar. Jesse stond op het trottoir tegen de pui van een gesloten kappers-zaak aangedrukt. Hij hield zich gedekt en stond in de schaduw. Tykas zag hem niet. Jesse was de rest van die middag van straat naar straat en van winkel naar winkel gegaan en hij had overal gevraagd of iemand Tykas en Emily gezien had. Hij had nergens succes gehad. Tot nu toe.

Nadat Tykas de bar was binnengegaan, bleef Jesse nog even wachten in de schaduw. Hij wilde er zeker van zijn dat de man niet zomaar even binnengelopen was en er meteen weer uit zou komen. Zoveel mogelijk in de schaduw blijvend, liep Jesse naar het hotel.

De foyer was niet veel meer dan een gang met een balie. Als er mensen hadden gezeten, zouden ze hun benen hebben moeten intrekken om iemand te laten passeren. Er was geen enkele poging gedaan om de foyer wat te verfraaien. Zowel de muren als de vloer waren kaal. Aan het einde van de foyer voerde een trap naar de gastenkamers. Achter de balie stond een vrouw met zilverwit haar. Terwijl ze wat papieren doorkeek, rookte ze een sigaar.

'Kunt u mij het kamernummer van juffrouw Austin geven?', vroeg Jesse haar.

De vrouw trok aan haar sigaar, maar keek niet op. 'Ik geef geen kamernummers', zei ze.

'Ik ben een vriend van haar', zei Jesse. 'Ik ben de hele dag al naar haar op zoek.'

'Waarom denk je dat ze hier is?', vroeg de vrouw nog steeds zonder op te kijken.

'Ik zag zojuist de man met wie ze samen reist, naar buiten komen', zei Jesse. 'Dus ze moet hier wel zijn.'

Nu keek de vrouw op. Ze staarde Jesse aan en blies een rookwolk in zijn gezicht. 'Waarom vraag je *hem* dan niet in welke kamer ze zit?', vroeg de vrouw met een grijns, waardoor haar gele tanden zichtbaar werden.

Daar had Jesse zo gauw geen antwoord op.

'Je verspert hier de doorgang', zei de vrouw.

Jesse keek naar de trap.

'Eruit!', schreeuwde de vrouw. 'Eruit of ik roep de sheriff!'

Jesse liep de foyer uit en stond weer op het trottoir. Terwijl hij de bar in de gaten hield, overwoog hij zijn mogelijkheden. Hij dacht erover om Emily gewoon te roepen zodat ze hem zou kunnen horen. Maar als zij hem zou kunnen horen, was de kans groot dat Tykas hem eveneens zou horen. Hij moest Emily in alle stilte vinden en door de foyer heen kon hij niet bij de kamers komen. Wat zou hij nu kunnen doen?

Jesse liep naar het midden van de straat, keerde zich om en keek naar het hotel. Boven de uitgebouwde ingang waren ramen. Hij zou op het afdak van het portaal moeten klimmen. Dat zou erg verdacht zijn. Daarom liep hij naar de achterkant van het hotel.

Het eerste wat hij zag verbaasde hem zeer – Tykas' vierwielige wagentje. De paarden stonden er nog ingespannen voor en waren aan een stang vastgebonden. Óf Emily en Tykas moesten nog maar net zijn aangekomen, óf ze stonden op het punt te vertrekken. Jesse moest snel te werk gaan. Er zou spoedig iemand komen om voor die paarden te zorgen, zeer waarschijnlijk Tykas zelf.

Er was een andere trap die naar een kleine overloop voerde en een achterdeur. Langs de hele achterkant was een rij ramen, maar je kon niet naar binnen kijken. Tenzij...

Jesse liep de trap op. Hij probeerde de achterdeur. Op slot. Hij verwachtte niet dat het zo gemakkelijk zou gaan, maar hij moest het proberen. Hij gebruikte de trapleuning als ladder en klom op het dak van het gebouw. Toen liep hij over de rand tot hij vlak bij het eerste raam was, althans naar hij vermoedde. Hij ging op zijn buik liggen en stak zijn hoofd en schouders centimeter voor centimeter over de hellende dakrand. Zijn hoofd begon te bonzen toen het bloed erheen stroomde. Hij hield zich vast aan de rand en gluurde de eerste kamer binnen. Die was volkomen donker. Hij kon niets zien. Hij trok zichzelf weer omhoog en ging naar het volgende raam. Het was een vervelend karwei, maar Jesse werkte één voor één de ramen op die manier af. Tegen de tijd dat hij de helft van de ramen gezien had, begon hij ontmoedigd te worden. Sommige kamers waren donker en hij kon maar weinig zien, maar dat wilde niet zeggen dat Emily niet in een van die kamers zou kunnen zijn. Voor andere ramen waren de gordijnen dichtgetrokken en kon Jesse helemaal niets zien. Emily zou ook in een kamer met gesloten gordijnen kunnen zitten. In één van de kamers zag Jesse een vrouw voor een kaptafel haar haar borstelen. In een andere kamer zag hij een man die nauwgezet zijn pyjama op de rand van het bed legde. In weer een andere kamer stond een man met ontbloot bovenlijf voor de spiegel zijn dikke middel te bekijken. Maar in geen enkele kamer zag hij Emily.

Jesse's handen en buik gingen zeer doen van de schaafplekken die hij door zijn onderzoek op het dak opliep. Maar hij moest doorzetten. Hij moest in ieder geval proberen Emily te vinden. Eindelijk zag hij iets.

Op het voeteneind van een bed zag hij een paar laarzen liggen. Hij kon niet verder kijken dan de bovenkant van de laarzen. Maar wat zijn aandacht trok, was het feit dat beide laarzen aan elkaar gebonden waren.

'Emily, ben jij dat?'

De laarzen bewogen niet.

Jesse ging gevaarlijk ver over de dakrand hangen. Hij strekte zich zo ver mogelijk uit en zag kans op de ruit te tikken. 'Emily! Emily! Kun je mij horen?'

De laarzen schokten en rolden toen van de ene naar de andere kant.

'Emily, als jij het bent, til je voeten dan op en laat ze drie keer achter elkaar op het bed zakken.' Jesse keek naar de laarzen. Die gingen omhoog en zakten weer terug op het bed. Eén keer, twee, drie keer!

'Ik kom eraan!', zei Jesse.

Jesse hees zich weer op het dak, ging dan met zijn voeten naar beneden over de dakrand hangen en liet zich langzaam zakken. Toen hij half op het dak en half in de lucht hing, begon hij eraan te twijfelen of dit wel zo'n goed idee was. Hij probeerde voor zijn voeten een houvast te zoeken, maar hij kon niets vinden.

Terwijl hij nog een eindje verder naar beneden schoof, slipte hij plotseling weg en zijn hele lichaam gleed over de dakrand. Alleen zijn vingers hielden hem nog vast en hij klemde ze wanhopig om de daklijst. Daar bungelde hij boven de steeg.

Wat nu?

Hij trappelde met zijn benen alsof hij op een onzichtbare fiets reed. Hij probeerde voor zijn voeten ergens houvast te vinden, maar hij vond niets. Een paar keer slaagde hij erin het raam te raken, waardoor hij heen en weer slingerde. Dat bracht hem op een idee.

Hij zwaaide heen en weer. Met één trap trapte hij de ruit in. Weer zwaaide hij naar voren en trapte de rest van het glas weg. Nu moest hij harder zwaaien om voldoende vaart te krijgen om door het raam heen te springen.

Jesse kreeg kramp in zijn vingers, ze bloedden en deden zeer. Maar als hij los zou laten, zou hij in de steeg vallen en zou hij Emily niet kunnen bevrijden. Ook zijn armen gingen door het gewicht dat eraan hing steeds zeerder doen.

Ik tel tot drie, zei Jesse bij zichzelf.

Eén.

Jesse zette zich van de muur van het hotel af.

Twee.

Het leek wel of zijn vingers zouden breken.

Drie.

Hij zwaaide naar het raam en liet los. Zijn voet raakte de vensterbank, waardoor zijn zwaai werd gebroken. Hij begon te vallen.

Wild om zich heen grijpend, slaagde Jesse er op de een of andere manier in zijn arm binnen het raam te krijgen. Hij klemde zich met zijn arm vast aan de vensterbank en zag toen kans ook zijn andere arm over de vensterbank te krijgen. In plaats van aan de dakrand, hing hij nu uit het raam. Maar zijn voeten hadden nu in ieder geval steun gevonden.

Jesse's schoenen schraapten tegen de muur van het hotel en hij slaagde erin door het raam de hotelkamer binnen te kruipen. Doordat hij op de glasscherven viel liep hij wat snijwonden op. Hij was zich nauwelijks bewust van de pijn en het bloed dat even daarna tevoorschijn kwam. Hij sprong overeind en keek naar de persoon op het bed.

Het was Emily.

Jesse maakte zo vlug mogelijk haar armen en benen los. Emily trok daarna zelf de prop uit haar mond. Ze begon te huilen.

'O Jesse!', riep ze. 'Hij wilde mij ontvoeren!'

'Laten we maken dat we wegkomen!' Jesse trok haar van het bed af.

'Hij wilde een losprijs', snikte Emily. 'Hij wilde mij ontvoeren om een losprijs te krijgen!'

'Daar hebben we het later nog wel over', fluisterde Jesse. 'Laten we nu maken dat we wegkomen!'

Emily snikte toen hij haar naar de deur bracht. Ze liep moeilijk.

Aan de andere kant van de deur hoorde Jesse voetstappen. Het waren zware voetstappen. Een man. Tykas?

Jesse schoof Emily naar een kant van de deur. Zelf ging hij aan de andere kant staan. Als het Tykas was, zou hij, zodra hij de deur opende, bovenop hem springen. Hij keek rond om te zien of hij iets als wapen kon gebruiken, maar hij kon niets geschikts vinden.

De voetstappen werden luider en toen langzamer.

Jesse hield zijn adem in. Tykas was groter en zwaarder dan hij. Hij had ook meer ervaring met zulke dingen. Wat voor kans had Jesse tegen hem?

De voetstappen gingen nu weer sneller, ze gingen de deur voorbij en liepen de gang verder op. Even later hoorde Jesse een deur open en dicht gaan.

Jesse boog zijn hoofd en haalde opgelucht adem. 'Laten we gaan!', zei hij tegen Emily.

Op Emily's gezicht was een spoor van teleurstelling te zien, alsof ze gehoopt had dat het Tykas zou zijn zodat ze wraak kon nemen.

Jesse stak zijn hoofd om de deur en keek de gang af voordat hij de kamer uitliep. Er was niemand te zien. Hij greep Emily bij de hand en trok haar achter zich aan. Ze liepen snel door de gang heen.

Aan het einde van de gang kwamen op dezelfde overloop twee trappen bij elkaar. De ene trap voerde naar de foyer en de andere lag net achter een gesloten deur die naar de trap naar de steeg leidde. Jesse probeerde eerst de trap naar de steeg in de hoop dat hij alleen vanaf de buitenkant op slot was. Hij vertrok zijn gezicht toen hij ontdekte dat de deur ook van de binnenkant op slot zat.

Op het moment dat zij zich omdraaiden naar de andere trap, zag hij Tykas. Ook nu weer zag Jesse hem eerder dan hij Jesse zag. De man klom de trap op en zocht met zijn ene hand in zijn broekzak naar zijn kamersleutel. Toen keek hij op en zag Jesse. Maar toen was het te laat.

Jesse duwde met alle macht met zijn schouder tegen de man met het gevolg dat Tykas de trap aftuimelde. Daarna draaide Jesse zich onmiddellijk om en probeerde dezelfde tactiek op de deur. Hij ramde met zijn schouder tegen de deur. De deur kraakte maar bleef dicht.

'Wat is daar allemaal aan de hand?'

Jesse herkende de stem van de vrouw met de sigaar achter de balie. Tykas krabbelde intussen overeind om weer naar boven te gaan.

Weer een dreun tegen de deur en weer gekraak. Maar de deur ging niet open.

'Samen', zei Emily.

Jesse knikte. 'Eén, twee, drie!'

Samen smakten ze tegen de deur aan. Die vloog open.

Terwijl Tykas langs de ene trap omhoog rende, renden Emily en Jesse langs de andere naar beneden.

Naast de wagen stond een stalknecht met de teugels in de hand. Hij stond op het punt de paarden uit te spannen.

Jesse rukte de teugels uit zijn hand en sprong op de wagen. Emily sprong er van de andere kant op.

'Houd ze tegen!', schreeuwde Tykas vanaf de trap.

De verschrikte stalknecht wist niet wat hij moest doen. Hij stond hulpeloos toe te kijken.

Jesse spoorde de paarden aan, terwijl Tykas de achterkant van het wagentje bereikte. Hij greep zich vast aan de achterklep.

'Vort!', schreeuwde Jesse.

Tykas werd meegesleurd, maar hij weigerde los te laten. Maar uiteindelijk moest hij wel loslaten. Terwijl Tykas door het vuil van de steeg gleed en rolde, ontvluchtten Jesse en Emily de stad.

HOOFDSTUK 29

Wat de emigrantentreinen ontbeerden aan comfort werd ruimschoots gecompenseerd door ongemanierdheid. De conducteurs liepen alleen door de trein heen om bevelen te geven. Vragen die hun gesteld werden, werden niet beantwoord en ze knoopten ook geen gesprek met de passagiers aan. Zelfs de krantenjongens gedroegen zich onbeschoft. Iedere keer als de trein stopte, wat zo ongeveer om de vijftig mijl gebeurde, kwam een hele zwerm jongens de trein in om kranten, boeken, fruit, lollies, sigaren, zeep, handdoeken, tinnen waskommen, koffie, thee, suiker en ingeblikte eetwaren – meestal hachee of bonen – te verkopen. Ze leurden met hun waren met een onbeschaamdheid die ze bij de eerste en tweede klas passagiers niet aan de dag legden.

Tijdens de momenten dat de trein stopte voor het gebruiken van een maaltijd, was er sprake van complete chaos. De passagiers kregen twintig minuten de tijd terwijl de trein voorzien werd van brandstof en water. Bijgevolg was er voortdurend sprake van een wedren op het dichtstbijzijnde restaurant. Om er zeker van te zijn dat je iets te eten kreeg, was het zaak om, terwijl je het restaurant binnenrende, tegelijkertijd een maaltijd te bestellen en een tafel in beslag te nemen. De eters werkten dan haastig hun voedsel naar binnen en probeerden een tweede kop koffie te krijgen van de obers die met volle dienbladen hun weg door de menigte zochten. Ze moesten daarvoor één dollar betalen – vijfenzeventig cent als de betaling met zilveren munt in plaats van met papiergeld werd gedaan.

In het algemeen gesproken namen de treinconducteurs van de emigrantentreinen nooit de moeite om het vertrek aan te kondigen met de bekende kreet: *Iedereen instappen*. Als de toegestane twintig minuten verstreken waren, liet de machinist de stoomfluit gaan en reed de trein het station uit. Dit betekende dat de eters, terwijl ze zaten te eten, de trein voortdurend in het oog moesten houden en het instappen was dan ook steeds weer net zo'n chaos als bij het oorspronkelijke vertrek.

Al na een dag besefte Clara dat een mens het comfort van de beschaving maar node kan missen. Het was nacht en de ramen waren inktzwart. Er hingen geen gordijnen voor; er was geen maan en het feit dat er niets van het landschap te zien was, wekte de indruk dat ze zich door een eindeloze tunnel voortbewogen. Een aantal olielampen aan de wand gaven een zwak schijnsel en de bewegingen binnen de wagon werden in de ramen gereflecteerd.

De conducteur liep door het gangpad en schreeuwde: 'Slaapplanken! Twee dollar!'

Clara boog zich naar Woodhull Logan. 'Wat zijn slaapplanken?', vroeg ze.

'De banken kunnen tegenover elkaar geplaatst worden', legde Logan uit. 'Een slaapplank is een plank die op de twee tegenover elkaar geplaatste banken gelegd wordt, zodat er een soort bed ontstaat.'

Het idee te kunnen gaan liggen en zich tijdens de nacht te kunnen uitstrekken, klonk erg aanlokkelijk. Clara had kramp gekregen en ze voelde zich smerig en uitgeput. Ze stak haar hand uit en hield de conducteur tegen door zijn arm te grijpen. 'Is er een vrouwenrijtuig waar ik heen kan gaan om te gaan slapen?', vroeg ze.

De conducteur, een dikke man met hangwangen en een snor die zover over zijn bovenlip hing dat zijn mond niet te zien was, zei: 'Wil je een slaapplank?'

'Ik denk het wel', zei Clara. 'Maar ik moet natuurlijk naar het vrouwenrijtuig om een plank met iemand te delen...'

'Als je in het vrouwenrijtuig had willen zitten, had je daarheen moeten gaan toen je in de trein stapte', zei de man. Hij sprak tegen haar op een toon zoals een boze en teleurgestelde ouder tegen een kind zou praten.

'Dat wist ik toen niet...'

'Wil je een slaapplank of niet?', vroeg de conducteur.

Logan zei: 'Ja, ik wil er een', en hij gaf de conducteur het geld.

De conducteur stak het geld in zijn zak en liep verder. Een andere man die achter hem aan liep, gaf de slaapplank. De voorste bank werd omgekeerd en de plank werd op de beide banken gelegd. Clara stond in het gangpad hulpeloos toe te kijken. Overal in het rijtuig maakten de passagiers zich klaar voor de nacht door zich op een slaapplank uit te strekken of door op de bank tegen het raam aan te leunen. Bijna iedere centimeter op de vloer werd in beslag genomen. Slechts hier en daar kon je nog een voet neerzetten om door het gangpad te lopen of te gaan staan.

Clara keek naar de slaapplank, de enige plaats die in het rijtuig overgebleven was. Ze was moe en gespannen en ze begon ook boos te worden. 'En waar moet ik nu slapen?', vroeg ze.

'Hier', zei Logan.

'Ik kan toch niet naast u gaan slapen!'

Logan grinnikte. 'Dat bedoel ik ook niet. U ziet er erg moe uit en u moet gaan liggen. Die slaapplank is voor u.'

'En waar moet u dan...'

'Ik ben veiligheidsagent geweest. Ik kan overal slapen, als het moet zelfs staande. Ik red mij wel. U moet gaan slapen.'

Clara keek naar de slaapplank. Wat zou ze graag gaan liggen. Toch aarzelde ze nog. 'Meneer Logan, dit is erg aardig van u, maar ik kan niet...'

'Mevrouw Morgan', viel hij haar in de rede, 'ik wil dat graag voor u doen. Dit is wel het minste wat ik voor u kan doen na alles wat uw man voor mij gedaan heeft.' Hij draaide zich om en liep naar de houtkachel. Omdat hij met zorg zijn weg moest kiezen en over de lichamen op de vloer moest heenstappen, was het net of hij van rotsblok op rotsblok stappend een rivier overstak.

Opnieuw aarzelde Clara. Ze was er niet aan gewend iets van anderen aan te nemen. Ze kon wel voor zichzelf zorgen. Maar het verlangen om eindelijk te kunnen slapen was te groot en won het van haar trots.

Toen ze eenmaal was gaan liggen, schoot haar plotseling iets te binnen. Ze richtte zich wat op en wenkte Logan. Met een vragend gezicht kwam hij, weer behoedzaam tussen de banken lopend, terug.

'Meneer Logan', zei Clara, 'ik heb u nog niet voor uw vriendelijkheid bedankt.'

'Dat is ook niet nodig', zei hij.

'Enne... als u... eh... deze plank is breed genoeg voor twee personen. Als u moe bent kunt u op de rand van de plank gaan zitten.'

Logan grinnikte. 'Dat is erg aardig van u', zei hij oprecht.

'Welterusten, meneer Logan.'

'Welterusten, mevrouw Morgan.'

Clara draaide zich naar het raam. Ze voelde hoe de plank een beetje doorboog toen Logan op de rand ging zitten. Ze keek over haar schouder naar hem. Hij zat met zijn armen over elkaar stijf rechtop. Ze keerde zich weer om en ging goed liggen. Toen ze in slaap viel, had ze een glimlach om haar lippen.

Toen ze twee volle dagen gereisd hadden, voelde Clara zich op haar gemak bij de man met wie ze de bank deelde. Ze kwam erachter dat hij een edelmoedig mens was. Hij gaf haar 's nachts niet alleen een slaapplank, maar hij kocht ook andere dingen die hij met haar deelde – een tinnen waskom en een stukje zeep. Hij kocht twee handdoeken, één voor zichzelf en één voor haar. Hij liet zich door haar bezwaren niet tegenhouden.

Tijdens hun lange gesprekken kreeg Clara te horen dat Logan, toen hij voor het eerst in New York was aangekomen, erg arm was en dat hij zwaar dronk. Op zekere avond was hij de evangelisatiepost van de Heritage Kerk binnengestrompeld om te zien of hij daar wat te eten kon krijgen. Hij kreeg er niet alleen een warme maaltijd, maar hij vond er in Benjamin Morgan ook een vriend die hem van de drank afhielp en een baan voor hem vond in de Austinfabriek.

Ze kwam er ook achter dat Logan de neiging had in het goede van de mens te geloven en dat hij graag in een plaats wilde wonen waar de mensen als familie met elkaar omgingen, zoals dat ook op de evangeliesatiepost bij Ben het geval was geweest, maar dan op een grotere schaal. Ze kreeg te horen dat Logan bij de brand betrokken was geweest, waarin haar man omgekomen was; dat hij, toen hij door een neerstortende balk getroffen werd en bewusteloos geraakt was, door Ben in veiligheid gebracht was.

'Hoe weet u dat het Ben was die u gered heeft?', vroeg Clara.

'Toen ik bijkwam, heeft één van de brandweermannen mij dat verteld.' Terwijl hij sprak, trok hij zenuwachtig aan de manchetten van zijn mouwen. 'Daarom zei ik dat Ben mij twee keer gered heeft. Hij heeft mij ervoor bewaard mijzelf te vernietigen en hij heeft mij bij die brand gered.'

Logan kwam op Clara over als een oprecht en eerlijk man. Hij had twee dagen lang in alle openheid over zijn moeizaam verlopen leven gepraat. Toen hij echter een beschrijving gaf van de brand die de aanleiding was geweest van Bens dood, kon ze niet ontkomen aan het gevoel dat hij iets achterhield.

'Heeft u bij die fabrieksbrand ook uw handen verbrand?', vroeg Clara.

In verlegenheid gebracht keek Logan naar zijn handen met de littekens van de brandwonden. Hij probeerde de ene hand met de andere te bedekken. Het was duidelijk dat hij zich niet op zijn gemak voelde. 'Nee', zei hij, 'dat gebeurde lang voor die brand in de fabriek.'

'Dus u heeft nog een andere brand meegemaakt?'

Logan trok aan zijn manchetten en knikte.

'Wat erg!'

Hij knipperde onzeker met zijn ogen en vertrok zijn gezicht toen de beelden van het verleden hem weer voor de geest kwamen. 'Ik was toen nog een kind', zei hij.

Clara legde geruststellend haar hand op zijn arm. 'Dit is pijnlijk voor u, hè? U hoeft het mij niet te vertellen. Laten we ergens anders over praten.'

Hij keek haar met zijn vriendelijke, bruine ogen aan. 'Ik heb hierover maar met weinig mensen gepraat', zei hij. 'Maar u heeft iets... iets wat uw man ook had... waardoor ik het gevoel heb dat ik u dit moet vertellen.'

Nu voelde Clara zich in verlegenheid gebracht. Het was lang geleden dat iemand haar met Ben vergeleken had en haar medelijdend had genoemd. Er was een tijd geweest dat mensen dat wel deden. Maar sinds de dood van haar echtgenoot had Clara zich van mensen teruggetrokken. Ze wilde met niemand praten en wilde naar niemand luisteren. Het leek wel of ze alle medegevoel kwijt was geraakt en alsof ze alleen nog maar gevoel voor zichzelf en haar zoon had overgehouden. Maar op de een of andere manier voelde Clara dat ze, evenals het oliekruikje van de weduwe te Sarfath in het Oude Testament, met de man die naast haar zat, zou kunnen meevoelen zonder dat de voorraad zou verminderen.

'Ik ben mijn familie kwijtgeraakt tijdens een brand toen ik zeven jaar was', zei Logan zachtjes. Toen Clara hem met gebogen hoofd zag zitten, vermoedde ze dat dat minstens zo'n veertig jaar geleden moest zijn.

'En hebt u toen uw handen verbrand?'

Sinds de eerste keer dat zij hem ontmoet had, strekte hij zijn handen uit zodat de littekens duidelijk te zien waren. De littekens zaten ook op zijn polsen. 'Mijn armen zien er ook zo uit', zei hij. 'En mijn benen en voeten en mijn hele lichaam. Zelfs mijn gezicht en wangen. Daarom draag ik een baard.' Hij lachte wat verlegen. 'Ik heb een grote hekel aan die baard. Hij kriebelt, maar hij verbergt de littekens.' Hij hief zijn armen op, zodat zijn handen zijn neus en ogen bedekten, alsof hij ze beschermde. 'Om uit het huis te komen, moest ik door een muur van vlammen rennen. Daarom ben ik helemaal verbrand, behalve het bovenste gedeelte van mijn gezicht.'

'Wat vind ik dat erg voor u', zei Clara. 'Dat wist ik natuurlijk niet. Ik kon het niet zien.'

Logan vatte haar opmerking als een compliment op. 'In de loop der tijd heb ik geleerd hoe ik het moest verbergen. Bovendien heb ik er al lang geleden mee leren leven. Die brand heeft mij veel dieper geraakt.'

'Het verlies van uw ouders', zei Clara.

Logan knikte. 'En een oudere broer en een zusje dat nog een baby was. Maar dat was nog niet het ergste van alles.'

Hij was nu zeer geëmotioneerd en zijn gezicht vertrok in pijn.

'Ik kreeg de schuld van die brand.'

'O, wat erg', zei Clara. 'Maar het was uw schuld niet?'

Zijn al jaren tegengehouden tranen sprongen hem nu in de ogen.

'Weet u wie de brand veroorzaakt had?'

Logan knikte. 'Mijn oudere broer, Brett. Hij ging met de pijp van mijn vader naar de schuur. Hij zei dat hij ook wel eens een pijp wilde roken. Zo is de brand ontstaan. We probeerden de brand te blussen, maar die sloeg te snel om zich heen. Kort daarop zag ook mijn vader het vuur en ook hij probeerde de brand te blussen. Maar plotseling draaide de wind en vatte ook het huis vlam. Mijn moeder en de kleine Christie bevonden zich in het huis. Mijn vader ging als eerste naar binnen om hen te redden. Toen hij niet terugkwam, ging Brett naar binnen. En toen Brett niet terugkwam, ben ik naar binnen gegaan. Maar ik kwam te laat. Ze waren allemaal dood. Toen de buren de rook zagen, kwamen ze ons natuurlijk te hulp. Ze zagen mij op de grond zitten terwijl ik de pijp vasthield.'

'Waarom hebt u hun niet verteld dat het uw broer was die de brand veroorzaakt had?'

Logan schudde zijn hoofd. 'Dat kon ik niet. Ik aanbad mijn broer. Iedereen in het dorp hield van Brett. Hij was slim, knap en sterk. Die pijp roken... dat was helemaal niets voor hem. Hij maakte één keer een domme vergissing! En ik wist dat, als ik iedereen zou vertellen dat Brett die brand veroorzaakt had, iedereen hem alleen maar als de brandstichter zou herinneren. Ik wilde dat ze aan al die goede eigenschappen van hem zouden terugdenken.'

'En u hebt al die jaren met dat geheim geleefd?'

'Ik heb dat besluit nu eenmaal genomen', zei Logan, 'en ik ben niet van plan daarop nu terug te komen.'

'Bedankt dat u mij dit verteld hebt.'

'Ik heb het slechts aan twee mensen verteld. Eerst aan Ben en nu aan u.'

'Hebt u nooit een vrouw gehad aan wie u dit kon vertellen?', vroeg Clara.

Logan spotte: 'Trouwen? Wie zou er nu ooit willen trouwen met een monster zoals ik ben? De eerste keer dat ik mijn hemd uit zou trekken, zou ze flauw vallen.'

Clara stak haar hand uit en raakte Logans hand aan. Instinctmatig verstrakte hij en trok bijna zijn hand terug. Maar de onvergelijkbare sensatie van een menselijke aanraking, die hij sinds zijn kindertijd niet meer gevoeld had, zorgde ervoor dat hij zijn hand niet terugtrok. Clara legde haar hand op zijn hand.

'Meneer Logan', zei ze, 'van nu af aan behoort u te weten dat iemands waarde niet afhangt van een gave huid.'

In een eentonige cadans stak de trein de prairies van Kansas over. Hij stond regelmatig stil, waardoor de passagiers de gelegenheid kregen hun verstijfde benen en pijnlijke rug te strekken. Maar steeds moest de trein in het oog gehouden worden, want zonder voorafgaande waarschuwing kon hij weer in beweging komen.

'U zei dat u familie had in Santa Fe, hè?', vroeg Logan terwijl ze weer in de trein stapten bij een halte die zo klein was dat er zelfs geen naam op stond. Sommige haltes zoals Topeka hadden stationsgebouwen die uit twee verdiepingen bestonden. Mensen uit de hele stad kwamen naar het station om familieleden of vrienden weg te brengen of op te halen of ze kwamen alleen maar even kijken. Bij sommige stations lag een klein dorp, en dan waren er ook haltes zoals deze. Water en kolen en niets anders dan de uitgestrekte vlakte.

Clara deed haar best een grimas te onderdrukken. Vriendelijk zijn en naar iemands verhaal luisteren was nog heel iets anders dan je eigen verhaal vertellen. En Clara was er niet zeker van of ze Logan haar problemen wel wilde voorleggen.

'Ik hoop dat ik mijn zoon daar zal vinden', zei ze. Toen keek ze, terwijl de trein sneller ging rijden, uit het raam. Ze hoopte dat dit het eind van het gesprek zou zijn.

'Woont hij daar?'

Er hing een gespannen stilte die ook Logan opviel.

'Het is niet mijn bedoeling nieuwsgierig te zijn', zei hij en hij draaide zijn hoofd zodanig dat hij evenals Clara uit het raam staarde, zonder iets te zien.

Even later zei Clara: 'Jesse is van huis weggelopen. Ik weet niet waarom. Maar ik heb redenen om aan te nemen dat hij in Santa Fe is. Ik hoop hem daar te vinden.'

Logan keek haar medelijdend aan. 'Dit moet een erg moeilijke reis voor u zijn', zei hij. 'Als ik u misschien ergens mee helpen kan?'

Deze keer legde Logan zijn hand op die van haar. Het was een eenvoudig gebaar. Maar de warmte van zijn aanraking deed een dam die al vijftien jaar haar persoonlijke gedachten en gevoelens had tegengehouden, instorten. En voor de eerste keer sinds de dood van haar man praatte Clara Morgan met iemand over haar persoonlijke problemen.

Ze vertelde Logan over Jesse's geheimzinnige verdwijning, Sageans informatie over dat meisje van Austin, Jesse's boek dat was aangespoeld in de omgeving van Cincinnatti, haar redenen om aan te nemen dat Jesse in Santa Fe zou zijn.

'Ik heb dat meisje van Austin één keer bij haar thuis gezien', zei Logan. 'Dat was mijn laatste avond als werknemer van de Austinfabriek.'

'Wat heeft zij te maken met...'

Logan wuifde de vraag weg voordat deze helemaal was uitgesproken. 'Ze had niets te maken met mijn ontslag. Het was heel toevallig dat ik haar die avond in het huis zag.' Hij aarzelde even en voegde er toen aan toe:

'Ik kan het u maar beter vertellen.'

'Wat?', vroeg Clara.

Logan slaakte een diepe zucht voor hij begon. 'Ik werd gedwongen de beveiligingsdienst van Austin te verlaten', zei hij. 'Ik moest òf weggaan, òf ik zou aangeklaagd worden als degene die de brand in de fabriek had aangestoken, waarbij Ben om het leven gekomen is.'

Clara schudde bedroefd haar hoofd. 'Dat spijt me', zei ze.

'Gaat u mij niet vragen of ik die brand aangestoken heb?'

Clara keek hem aan alsof ze wilde zeggen: *Dat is de domste vraag die ik ooit in mijn leven gehoord heb*. Ze zei: 'Ik weet dat u die brand niet aangestoken hebt.'

'Hoe weet u dat?', vroeg Logan.

'Ik heb de laatste twee dagen niets anders kunnen doen dan u leren kennen. U bent niet iemand die anderen kwaad zou doen. U kunt gewoon die brand niet aangestoken hebben.'

'Dankuwel', zei Logan. 'Ik heb het ook niet gedaan. In het rapport stond dat het een ongeluk was: een paar vonken van een elektrische bedrading. Maar juist een paar maanden geleden gingen er in de beveiligingsdienst van de Austinfabriek geruchten rond dat Austin zelf opdracht had gegeven die brand aan te steken en dat hij dat toen met een vals rapport had geprobeerd te verbergen.'

'Gelooft u werkelijk dat Austin dat gedaan heeft?'

'Nee, eerst wel, maar nu niet meer. Ik ben er echter wel van overtuigd dat de brand opzettelijk aangestoken is. Ik werd ontslagen voordat ik dat kon bewijzen.'

'Weet u wie de brand aangestoken heeft?'

Logan knikte. 'Ik denk het wel, maar ik kan het niet bewijzen. Maar laten we terugkomen op Jesse. U zei dat u er geen idee van hebt wat het verband is tussen hem en dat meisje van Austin?'

'Ik wist zelfs niet dat Jesse haar kende.'

'Hebt u haar ooit ontmoet?'

'Nee, ik heb dat meisje nooit gezien.'

Logan kneep zijn ogen wat toe en dacht na. 'Vreemd', zei hij. 'En u zei dat Jesse door familie in Ohio is gezien?'

'Hij was in hun huis. Toen ging hij er vandoor voordat zij wisten wie hij in werkelijkheid was.'

'Wist hij wie *zij* waren?'

'Nee', zei Clara, 'ik denk het niet. Jesse was nog erg jong toen hij hen voor het laatst gezien heeft. Te jong om zich hen nog te kunnen herinneren.'

Logan schudde nadenkend zijn hoofd. 'Het verbaast mij dat de Morgans niet aanboden u te helpen bij uw speurtocht naar Jesse.'

Clara keek hem achterdochtig aan. 'Waarom zegt u dat?'

'Ben sprak voortdurend over zijn familie. Hij heeft mij dat vreemde verhaal verteld hoe hij erachter kwam dat hij een Morgan was, na al die jaren dat hij hen zo gehaat had. Ik heb nooit iemand met zoveel liefde en bewondering over zijn familie horen praten. Dat heeft grote indruk op mij gemaakt. Ik moet bekennen dat ik eigenlijk nogal jaloers was. Zoals Ben het vertelde, waren de Morgans een familie zoals ik altijd graag gehad zou hebben. En daarom verbaast het mij dat ze u niet hebben aangeboden u te helpen om Jesse te vinden.' Logans ogen lichtten plotseling op toen hij zich iets herinnerde. 'Ja... en dat des te meer daar hij de volgende persoon zal zijn die de familiebijbel van de Morgans zal ontvangen. Dat is toch zo?'

Clara wilde daar niet over praten. Ze had haar redenen om de Morgans niet te mogen en hun hulp te weigeren. En het waren goede redenen ook. Dat had ze tenminste altijd gedacht. Maar nu ze haar boosheid voor Logan wilde rechtvaardigen, leken al haar ijzeren argumenten strohalmen te zijn.

'Ik zie aan je gezicht dat je erg verbitterd bent, Clara', sprak Logan kalmerend. 'Ik ken dat. Jarenlang is bitterheid ook mijn metgezel geweest. Ik was verbitterd over het feit dat iedereen familie had, behalve ik. Ik was verbitterd omdat ik van mijn goede naam en een normaal lichaam beroofd was. Weet je wat ik geleerd heb, Clara? Ik heb geleerd dat bitterheid net een parasiet is. Het vreet iedere dag iets van je weg tot er uiteindelijk niets meer over is en dan word je iemand zonder gevoelens en vrienden en is er geen sprake meer van leven. En wil je weten wat het vreemdste ervan is? Al die tijd dat het aan mij vrat, verdedigde ik die bitterheid! Omdat ik dacht dat ik alle reden had om verbitterd te zijn.'

Clara wilde zich verdedigen. Ze was helemaal niet verbitterd, maar realistisch. Het leven is wreed. Je kunt op niets en niemand vertrouwen. En wat de Morgans betreft, ze had het volste recht om... *Al die tijd dat het aan mij vrat, verdedigde ik die bitterheid!* Haar man was van haar weggenomen en ze moest haar zoon zonder hulp van anderen opvoeden, ze had het recht om... *Al die tijd dat het aan mij vrat, verdedigde ik die bitterheid!*

'Laat ik je deze vraag stellen, Clara', zei Logan. 'Voel je je tegenover God net zo als tegenover de Morgans?'

'Laten we God erbuiten houden', zei Clara.

Logan begon te lachen, wat Clara niet lekker zat.

'Lach je mij nu uit?'

'Nee... nee, helemaal niet', zei Logan nog steeds lachend. 'Maar weet je, dat waren precies dezelfde woorden die ik tegen Ben zei.'

Clara keek hem sceptisch aan.

'Weet je wat hij voor antwoord gaf? Hij vertelde mij een verhaal.'

Logan ging wat verzitten om zijn verhaal te gaan vertellen. Hij trok zijn schouders recht en keek haar aan. 'Er was eens een vrouw', zo begon hij, 'die vanuit het dorp met paard en wagen naar huis reed. Ze was naar het dorp geweest om wat voorraden op te halen en ze had langer met vrienden gepraat dan ze eigenlijk van plan was geweest. De zon stond al laag en ze zou pas thuiskomen als het al donker zou zijn, iets wat ze graag had willen voorkomen.

Ze liet het dorp achter zich en reed verder naar huis. Toen ze een paar minuten op weg was, keek ze achter zich. Ze werd door een ruiter gevolgd. Er was niemand anders op de weg, alleen zij en de ruiter, en dat maakte haar bang. Daarom spoorde ze de paarden aan. Ze wachtte een paar minuten en waagde het toen opnieuw achterom te kijken. De ruiter volgde haar nog steeds. Hij reed even snel als zij. Om de zaak nog erger te maken, het was nu ook donker geworden.

De vrouw dacht wanhopig na. Wat kon ze doen? Ze was nog ver van huis en er was niemand anders te zien. Even verder op de weg was een tweesprong. De weg links liep naar het volgende dorp, de weg rechts liep over een brug naar haar huis. Ze kwam bij de tweesprong aan en reed de brug over. Toen ze omkeek, hoopte ze dat de ruiter de linkerweg zou nemen. Maar dat deed hij niet. Hij kwam over de brug achter haar aan.

De vrouw was nu vreselijk bang. Ze dacht wanhopig na. Ze sloeg van de hoofdweg af de eerste oprit in naar een boerderij die ze zag. De ruiter volgde haar. Tot nu toe kon het allemaal toeval zijn geweest, maar nu wist ze zeker dat de ruiter haar achtervolgde. Ze spoorde de paarden tot volle galop aan en reed met grote snelheid in de richting van de lichten van de nabijgelegen boerderij. Ook de ruiter spoorde zijn paard tot galop aan. De afstand tussen hen werd kleiner.

De vrouw was nu bijna gek van angst en ze bereikte de boerderij juist op het moment dat de ruiter haar had ingehaald. Ze bracht de paarden tot stilstand en sprong van de wagen af. De ruiter sprong ook van zijn paard en rende naar haar toe. Terwijl de vrouw naar het huis rende, gilde ze om hulp. Maar de ruiter volgde haar niet. Hij bleef bij haar wagen staan en trok het dekzeil terug. Onder het dekzeil zat een man met een mes. De ruiter had de man onder het dekzeil zien kruipen precies op het moment dat de vrouw uit het dorp wilde vertrekken. Al die tijd was de vrouw op de vlucht geweest voor de man die haar juist wilde redden.'

Logan leunde weer tegen de leuning om aan te geven dat zijn verhaal uit was. Toen zei hij: 'Clara, jij bent die vrouw uit het verhaal. Je vlucht weg voor God, God die je juist wil redden.'

HOOFDSTUK 30

Terwijl ze in Tykas' eigen wagen wegvluchtten, maakte Jesse een grote omtrekkende beweging. Zijn plan was eenvoudig: eerst naar het noorden, dan met een boog naar het zuiden en vervolgens weer naar het noorden, zodat ze achter hun vervolger zouden komen. Dan zouden ze een statio opzoeken en zou Emily per trein naar het oosten kunnen reizen. Details - zoals waar ze het geld vandaan zouden moeten halen voor een treinkaartje - zouden ze later wel uitwerken. Jesse ging ervan uit dat hij nog altijd voo een kaartje zou kunnen werken.

Hij nam nog een besluit. Hij zou zijn plannen voorlopig niet aan Emily vertellen.

'Tykas was helemaal niet van plan mij naar New York terug te brengen', zei Emily. Haar stem beefde en dat kwam niet door het hotsen van he wagentje.

'Hij is niet langer in dienst van de Austinfabrieken', zei Jesse. 'Je vade heeft hem ontslagen. Daar kwamen we achter toen jij al vertrokken was.

'Die man is krankzinnig!', riep Emily uit. 'Hij wilde mij vasthoude voor een losprijs... ergens in Illinois. Hij zei dat ik het startkapitaal zo opleveren dat hij nodig had om een of andere utopische gemeenschap o te richten.'

Jesse keek over zijn schouder. Ze werden niet gevolgd.

'Illinois!', riep Emily. 'Nu begrijp ik het allemaal.'

'Wat begrijp je allemaal?'

'Aan boord van de *Tippecanoe*. Tykas kwam in Louisville aan boord e hij vertelde mij meteen dat hij erop uitgestuurd was om mij thuis t brengen. Maar toen deed hij niets. Hij wilde kennelijk wachten tot we i Cairo zouden aankomen. Maar de boot is nooit zover gekomen.'

Het wagentje reed met grote snelheid voort. Bij een nog grotere snelhei zou het niet meer te besturen zijn. Jesse keek weer achterom. Nog steed niemand te zien. Toen hij weer voor zich keek, zag hij dat Emily hen aanstaarde.

Hij voelde een huivering langs zijn ruggengraat trekken, een gevoel da hij altijd kreeg als iets waarvan hij te voren gedroomd had, uitkwam. E trok een glimlach over zijn gezicht. *Ik ben in het Westen en ik rijd me grote snelheid in een wagen over de weg. En nu ik een jonge vrouw uit een groot gevaar gered heb, word ik nagezeten door een slechte man. Net als Truly Noble!*

'Bedankt dat je mij bent nagekomen', zei Emily, waarmee ze de woorden zei die ook zijn held altijd te horen kreeg.

Terwijl het wagentje naar het noorden hotste en slingerde, maakte Jesse met iedereen die ze tegenkwamen een praatje. Het waren er slechts een paar, een paar reizigers en een echtpaar dat in een plaggenhut langs de weg woonde. Hij stelde hen dezelfde vraag: 'Hoe ver moeten we nog naar het noorden trekken om het dichtstbijzijnde station van de Kansas Pacific Railway te bereiken?' Als Tykas hen inderdaad zou volgen, zou hij waarschijnlijk de mensen die hij tegenkwam, vragen of ze een man en een vrouw gezien hadden die in een vierwielig wagentje naar het noorden trokken. De mensen zouden Tykas dan natuurlijk precies vertellen wat Jesse wilde dat ze zouden zeggen.

Net toen Jesse dacht dat het tijd werd om terug te gaan, kwamen ze bij een groot meer. Dat was precies wat ze nodig hadden. Hij gebruikte het meer als het keerpunt. Als ze om het meer heentrokken, zouden ze op hun weg naar het zuiden aan het oog onttrokken zijn.

'Waar gaan we heen?', riep Emily.

Ze begreep niet waarom ze van richting veranderden. Nu moest hij het haar wel vertellen en hij legde haar zijn plan uit.

'Dus dat gepraat over die trein was niet alleen maar een afleidingsmanoeuvre', zei ze nijdig. 'Je brengt mij werkelijk naar een station?'

Jesse knikte. 'Maar niet naar een station van de Kansas Pacific Railway.'

'O, wat ben je toch slim, meneer Morgan. Vertel mij eens, waarom vertel je mij dat nu pas?'

'De plannen zijn sinds Fort Larned niet veranderd', zei Jesse ter verdediging. 'Tykas heeft ze alleen maar onderbroken.'

'Ja, ja.'

Emily sloeg haar armen over elkaar. Van de warmte die even daarvoor nog in haar ogen te lezen was, viel geen spoor meer te ontdekken. Vanaf dat moment zei Emily geen woord meer.

Toen het te donker werd om nog verder te rijden, reed Jesse de weg af. Omdat er in de omtrek nergens een lichtje te zien was, stelde hij voor dat ze maar onder de wagen zouden gaan slapen. Emily reageerde niet op zijn voorstel. Ze bleef met haar armen over elkaar geslagen zitten. Jesse zag geen kans haar van de bok af te krijgen. Ze zei geen woord en deed net of hij niet bestond. Hij kroop dus alleen onder de wagen om te gaan slapen.

Het duurde bijna twee uur voor hij in slaap viel en al die tijd schudde, piepte en kraakte het wagentje boven hem.

De volgende morgen trokken ze verder in zuidelijke richting tot ze op het Santa Fe Spoor kwamen. Ze reden nu naar het oosten en volgde de wagensporen tot er een klein dorp in zicht kwam. Langs de weg stond een bord waarop te lezen stond:

REDEMPTION
Waar iedereen een tweede kans krijgt

Redemption was niet veel meer dan een paar gebouwen die midden tussen het prairiegras stonden. De eenvoudige gebouwtjes stonden aan weerszijde van de enige straat van het dorp.

Het ene eind van de straat kwam uit op het stationnetje. Het was een klein, roodgeschilderd gebouw met een lang platform dat evenwijdig met de spoorbaan liep. Er was een loket, maar dat was gesloten en er was verder ook niemand te zien.

'Waar zou iedereen zijn?', vroeg Jesse zich hardop af, want het leek wel of het hele dorp verlaten was.

Emily antwoordde niet. Jesse had dat ook niet verwacht.

Ze stonden op het platform en keken naar het dorp. Het andere einde van de straat kwam op de open prairie uit, waarop boerderijen te zien waren.

'Laten we eens gaan kijken of er iemand thuis is', zei Jesse.

Terwijl ze naar het andere einde van de straat reden, werd het hoefgetrappel van het paard door de gebouwen aan weerskanten weerkaatst. Met-de-hand-geschilderde uithangborden gaven de verschillende winkels aan – Curtiss Richart, Lederwaren; Daltons Restaurant; G.S. Nichols, Bar en koffiehuis; Hosea Milburn, Vrederechter; Charles Woolcott, Algemene winkel en Postkantoor; Humphrey's Kledingmagazijn; en Kate Coffee's Hotel.

Er was geen sterveling te zien. De straat was verlaten. Op de trottoirs langs de winkels liep niemand. Alle deuren waren gesloten en achter de ramen was niet één gezicht te zien.

Jesse stopte bij het hotel en zei: 'Wacht hier even.' Hij sprong van de wagen af en probeerde de deur. Die was niet op slot, maar toen hij naar binnen liep, was er niemand te vinden. Op de toonbank stond een bel. Jesse belde, maar er verscheen niemand. Hij riep: 'Hé, is daar iemand?' Niemand antwoordde.

Toen hij weer buiten kwam, haalde hij zijn schouders op en zei tegen Emily: 'Het lijkt erop dat iedereen vertrokken is. Ik zal de volgende deur nog eens proberen.'

De volgende deur was de Algemene winkel. Ook deze deur was niet op slot. En evenals in het hotel was ook hier niemand aanwezig. Verder zag alles er normaal uit. Op de schappen stonden blikken fruit en kisten met groenten. Op de vloer stonden zakken aardappelen, knollen, kolen, pompoenen en flessen limonade. Voor de toonbank stonden tonnen met spijkers en tegen de wand vaten met meel. Het enige wat ontbrak waren de eigenaar en de klanten.

Jesse liep de straat door en probeerde een kapperswinkel en het kantoor van de sheriff. Maar ook daar was niemand te vinden. De kappersstoel was leeg en zelfs in de gevangenis was niemand te vinden.

'Het ziet er allemaal nogal spookachtig uit', zei Jesse.

'Zeg dat wel', beaamde Emily.

Wat ook nogal spookachtig was, was dat dit de eerste woorden waren die Emily sprak sinds de vorige middag.

Langzaam reden de twee naar het uiteinde van de straat die naar de open prairie voerde. Toen ze bijna aan het eind waren, hoorde Emily iets.

'Luister eens!', zei ze.

Jesse trok aan de teugels en het paard bleef staan. Hij luisterde ingespannen.

'Hoor je het ook?'

'Ja, ik hoor ook iets.'

Voor hen ruiste het prairiegras in de wind. Het was een zwak geluid, nauwelijks waarneembaar. En vreemd, erg vreemd, het was net of het prairiegras zong.

'Ik hoor muziek', zei hij. 'Maar waar komt het vandaan?'

'Ik weet het niet. Rijd eens een eindje verder.'

Jesse gaf een ruk aan de teugels. Toen de wagen aan het einde van de straat kwam, werd de muziek luider en werd ook duidelijk uit welke richting ze kwam. Toen ze het laatste gebouw in de straat gepasseerd waren, zonden ze het zien. Ongeveer een halve kilometer van het dorp stond op een open plek naast een eenzame boom een wit kerkje. Om de kerk heen stonden paarden met wagens en karren.

'Daar zit iedereen dus!', riep Jesse uit. 'Het is zondag!'

Ze keken elkaar glimlachend aan, blij dat het mysterie was opgelost. Jesse reed naar de kerk toe.

Toen Jesse van de wagen wilde springen, zei Emily: 'Ik ga niet naar binnen.'

'Waarom niet?'

'Waarom niet?', herhaalde Emily. 'Kijk eens hoe ik eruit zie.'

Ze droeg nog steeds de kleren van Slate Pickens.

'We zijn hier niet om indruk te maken', zei Jesse. 'We komen hulp vragen.'

'Dat kan mij niet schelen', zei Emily. 'Ik ga in deze kleren niet naar binnen!'

'Nou, dan niet. Dan ga ik wel alleen naar binnen en kan jij...'

'... als een hondje op de wagen blijven wachten?'

Die opmerking was wel passend. In de wagens die om de kerk heenstonden, zaten allerlei honden te wachten, die allemaal naar de kerkdeuren keken om te zien of hun baas er al aan kwam.

'Nou, vooruit dan maar. Ik blijf hier wel bij je wachten tot de dienst afgelopen is', gaf Jesse toe. 'Ben je nu gelukkig?'

Emily was niet gelukkig, maar in ieder geval minder boos nu Jesse bij haar bleef wachten en niet zonder haar de kerk inging.

Ze behoefden niet lang te wachten. De kerkdeuren zwaaiden open en de inwoners van Redemption stroomden de kerk uit, het zonlicht in. De eerste persoon die naar hen toe kwam, was een wat oudere man. Hij had een vrolijk meisje aan de hand met pijpenkrullen en een rode jurk aan.

'Neemt u mij niet kwalijk, meneer', zei Jesse. 'Kunt u mij vertellen wanneer de volgende trein wordt verwacht?'

De man bleef staan en vroeg: 'Naar het oosten of het westen?'

Het meisje dat met het oponthoud niet blij was, trok aan zijn hand. 'Kom mee, opa!' Ze greep met haar ene hand zijn wijsvinger en met haar andere zijn pink en trok uit alle macht. Maar opa bleef staan.

'Naar het oosten', zei Jesse. 'We moeten de trein naar het oosten hebben.'

De man kreeg een grijns op zijn gezicht waardoor hij nog meer rimpels kreeg dan hij normaal al had. 'De trein naar het oosten komt pas donderdag. Toen ik jullie zo zag, dacht ik dat jullie naar het westen zouden gaan. Die trein komt dinsdag.'

'Opa!' Het meisje had zijn hand losgelaten en stond nu met haar handen op de heupen op de grond te stampen.

'Donderdag dus', zei Jesse.

'Als je zolang ergens onderdak moet hebben, kun je in Kate Coffee's hotel logeren. Kate is een hele goede gastvrouw.'

'Opa!'

Jesse wreef over zijn kin. 'We hebben eigenlijk geen geld voor een hotel', zei hij.

De oude man nam Jesse en Emily eens goed op. Hij keek naar hun wagen en zag dat die leeg was. 'Ik denk dat je maar beter eens met onze dominee kunt praten', zei hij.

Voordat Jesse kon antwoorden, draaide de man zich om en floot. Het was een schel gefluit waardoor alle gesprekken gestaakt werden. Alle hoofden werden in hun richting gedraaid.

'We hebben een dominee nodig!', schreeuwde de man.

De menigte scheidde zich uiteen om een lange man door te laten. De man had een zware bruine hangsnor en zijn haar viel op zijn boord. Hij liep zelfbewust op hen toe. Een aantal omstanders volgden hem op afstand.

'Dit is de dominee', zei de oude man. 'Hij is tevens de sheriff.' Na deze introductie liep de man een eindje weg en trok het meisje met zich mee. Hij bleef echter dicht genoeg in de buurt om te kunnen horen wat er gezegd werd.

De dominee keek hen glimlachend aan. Hij stak zijn hand uit en Jesse kreeg een stevige handdruk. Bepaald geen slap handje van een dominee.

'Ik ben Sheriff Clark', zei de dominee hartelijk. 'Wat kan ik voor jullie doen?'

'Ja, we vroegen wat informatie over de trein... de trein naar het oosten', zei Jesse, zichzelf corrigerend voordat de oude man het zou doen. 'En we hoorden dat die pas donderdag aankomt...'

'En ze hebben geen geld om ergens te logeren', maakte de oude man de zin van Jesse af.

'Wonen jullie hier in de buurt?', vroeg de sheriff aan Jesse.

'Nee, meneer. We komen beiden uit New York.'

'New York!', riep de sheriff uit. 'Wat doen jullie helemaal hier zonder geld en voedsel?'

Jesse wist niet precies waar hij beginnen moest, te meer niet omdat hij gedacht had met een dominee te maken te krijgen en nu de vragen van een sheriff moest beantwoorden. 'Ik..., wij...' stamelde Jesse. Hij keek achterom naar Emily. '... werden achtergelaten door twee gezinnen die met ossenwagens naar het westen trokken. We werden door hen gehuurd om hen te helpen in ruil voor voedsel.'

'Hebben jullie hen bestolen?' De toon van Clark werd scherper. De sheriff in hem kreeg de overhand boven de dominee.

'Nee, meneer', antwoordde Jesse.

'Heb je hen bedreigd?'

'Nee, meneer.'

'Waarom hebben ze jullie dan achtergelaten?'

Jesse keek weer naar Emily die zenuwachtig naar de mensen om haar heen stond te kijken. Het was duidelijk dat ze niet wilde dat iedereen op de hoogte gebracht werd van de ervaringen die ze met McFarland had opgedaan. Hij zei: 'Het was iets persoonlijks, maar we hebben niets verkeerds gedaan.'

De blauwe ogen van de sheriff keken hem doordringend aan.

'Is dat paard en die wagen van hen?'

'Eh...', Jesse schraapte zijn keel, 'nee...'

'Heb je die gestolen?'

'Dat is een beetje moeilijker uit te leggen', zei Jesse.

Sheriff Clark schudde zijn hoofd. 'Ik denk dat ik jullie twee jongens maar beter mee naar kantoor kan nemen. Het lijkt erop dat het een lang verhaal gaat worden.'

Jesse lachte. Hij probeerde zich te beheersen, maar hij slaagde er niet in. Emily vond het helemaal niet amusant dat de sheriff zich vergiste in haar geslacht en dat Jesse daar zo om moest lachen.

'Waar lach je om?', vroeg de sheriff.

'Neem mij niet kwalijk, sheriff. Maar dit is Emily. Ze is een meisje.'

Er klonk een heldere vrouwenstem achter de sheriff op. 'Natuurlijk is het een meisje!' Er kwam een dikke vrouw in een lichtgele japon tevoorschijn. Uit haar sprankelende ogen en brede glimlach was duidelijk dat de persoonlijkheid van de vrouw net zo zonnig was als haar kleding. 'Iedere dwaas kan toch zien dat ze een meisje is', wees ze de sheriff terecht.

De sheriff kreeg een kleur. 'Neemt u mij niet kwalijk, juffrouw', zei hij tegen Emily. 'Ik had het zo druk...'

De dikke vrouw viel hem in de rede. 'Hij had het zo druk om de sheriff uit te hangen dat hij geen tijd had om eens goed naar je te kijken', zei ze. De vrouw liep naar de kant van de wagen waar Emily zat, nam Emily's hand en zei: 'Neem het mijn broer maar niet kwalijk. Hij is een goede man. Maar hij komt niet altijd zo over.' Ze keerde zich om naar de sheriff en zei: 'Oliver, laten we deze jonge mensen uit de zon brengen. Het is niet nodig dat ze een schouwspel voor het hele dorp worden. En zo te zien zijn ze uitgehongerd.'

De sheriff bracht Jesse en Emily terug naar het dorp en naar zijn kantoor. De vrouw in de gele jurk liep met hen mee.

Op het bureau van de sheriff werd het hele verhaal verteld. De Watermans. McFarland. Zelfs Fort Larned en Tykas.

'Arm kind', riep de vrouw in het geel, die probeerde Emily te troosten.

'Vandaag valt er weinig meer te doen', besloot de sheriff. 'Morgenochtend zal ik je vader per telegram op de hoogte brengen.'

'We kunnen vandaag nog een heleboel doen', zei de vrouw in het geel tegen haar broer. 'Deze twee jonge mensen hebben heel wat doorgemaakt. We kunnen ze in ieder geval laten zien wat gastvrijheid op de prairies betekent.'

Jesse vroeg zich af hoe oud de vrouw zou wezen. Ze had het steeds maar over 'die jongelui', maar volgens Jesse was ze niet veel ouder dan zij waren.

'Molly', zei de sheriff wat geërgerd, 'je denk toch niet dat ik helemaal gek ben. Ik zal ze heus niet in de gevangenis gooien.'

Zijn zuster luisterde niet naar hem. Ze hielp Emily overeind en zei: 'Het eerste wat we zullen gaan doen, is Charles Woolcotts zondagsmaal onderbreken. Hij is de eigenaar van de Algemene winkel. Charles zal wel mopperen, maar daar trekken we ons niets van aan. Hij is best aardig. Maar soms vergeet hij dat wel eens.'

Molly nam Emily mee de straat op. Jesse volgde.

'En dan gaan we naar Ann Humphrey om te zeggen dat ze haar winkel moet openen', vervolgde Molly. 'We zullen ervoor zorgen dat je iets beters krijgt om aan te trekken.'

Sheriff Clark deed de deur van zijn kantoor achter hen dicht. Hij riep zijn zuster na: 'Molly, ik heb honger. Mag ik nu naar huis?'

Molly draaide zich om. Ze begreep wel dat haar broer haar alleen maar wilde plagen. Ze zei: 'Oliver, in de eerste plaats moet je begrijpen dat we dit ook allemaal wel zonder jou gekund hadden.' Toen keek ze naar zijn middel en voegde eraan toe: 'Nou, eet je maar dik en rond. Maar volgens mij zou je best een paar maaltijden kunnen overslaan zonder dat dat je zou schaden!'

Als de sheriff zich al beledigd voelde, dan liet hij dat niet merken. Zijn voetstappen weerklonken op het trottoir toen hij de straat doorliep.

Molly en Emily liepen arm in arm naar de algemene winkel. 'Op de sabbat zijn onze winkels normaal gesproken dicht', legde ze uit. 'Maar dit is een bijzonder geval. Dit is werk van barmhartigheid.'

Charles Woolcott, de eigenaar van de algemene winkel mopperde inderdaad, maar hij verzamelde wel alles wat Molly hem opdroeg. Ze zag erop toe dat Emily en Jesse alles kregen wat ze nodig hadden om zich te wassen en op te frissen. Toen ze de winkel uitliepen, bedankte Molly Woolcott voor zijn edelmoedigheid en zei tegen hem dat God hem zou belonen voor zijn goedgeefsheid ten aanzien van twee arme vreemdelingen op aarde. Woolcott gromde en keerde terug naar zijn zondagse maal.

'Heeft hij ons dit allemaal gegeven?', vroeg Emily.

Molly glimlachte en knikte. 'Het is vandaag zondag.' zei ze. 'Het zou verkeerd zijn als hij vandaag dingen zou verkopen. Ik ken echter geen bijbelvers waarin staat dat het verkeerd zou zijn om iets weg te geven op de sabbat.'

In de kledingwinkel hielp Molly Emily met het passen van kleren. De eigenares van de winkel, Ann Humphrey, een lange vrouw met rood haar, bood zonodig hulp en als haar assistentie niet nodig was, praatte ze met Jesse.

'Wat denk je van onze Molly?', vroeg Ann hem.

'Ze is erg aardig voor ons', antwoordde Jesse.

'Ze is voor iedereen aardig.'

Terwijl Emily ronddraaide in een wijduitstaande zomerjurk, knikte Jesse.

'We noemen Molly onze prairie-heilige', vervolgde Ann. 'Heb je de naam van het dorp gelezen toen je hier kwam?'

'Verzoening.'

'Juist ja. Het was Molly's idee om de naam van het dorp te veranderen. Weet je hoe het dorp vroeger genoemd werd?'

Jesse schudde zijn hoofd.

'Kwaaiehoek.'

Jesse glimlachte flauwtjes. Hij wist niet of Ann hem voor de gek hield of niet.

'Echt waar! Kwaaiehoek in Kansas. En dat was een passende naam. Het was een slechte plaats. Tot die tijd deden de boeren niet anders dan ruzie maken over waterrechten. Het was een nare tijd. Tijdens vechtpartijen werden soms hele gezinnen doodgeschoten.'

Emily fluisterde iets in Molly's oor. De twee meisjes keken naar Jesse en giechelden.

'Oliver Clark kwam naar ons dorp om het ambt van predikant op zich te nemen. Toen we hoorden dat hij, voordat hij tot de bediening geroepen werd, sheriff was geweest, vroegen we hem of hij tevens sheriff wilde zijn. En dat is het dorp zeer ten goede gekomen', verklaarde Ann. 'Omdat we hem nu twee armzalige salarissen geven, kan hij er bijna van leven.'

Molly riep van de andere kant van de winkel: 'Ann, ik denk dat we een keus uit deze vier jurken maken.'

'O, neem gerust de tijd', zei Ann. 'Cyrus doet zijn middagslaapje. Hij weet niet eens dat ik weg ben.'

Molly en Emily keerden weer terug naar de jurken. Emily bekeek voor de laatste keer de zomerjurk en Jesse hoopte in stilte dat ze die zou kiezen.

'Op zekere dag liet sheriff Clark zijn kleine zus halen', vervolgde Ann haar verhaal. 'Sinds die tijd is het een heel ander dorp geworden. Ze was toen natuurlijk nog maar een kleine turf.'

Jesse keek naar Molly. Hij kon haar maar moeilijk als klein en mager voorstellen. Hij kende haar nog maar een uur, maar hij vond haar heel spontaan en aardig.

'Het begon allemaal met de kerk', zei Ann. 'Het fundament was wel gelegd, maar het waren moeilijke tijden en de bouw werd gestaakt. De aannemer liet er beslag op leggen en onze kerk zou geveild worden. Toen greep Molly in. Ze ging met een mandje het hele dorp rond en vroeg de mensen om vrijwillige bijdragen voor de kerk. Niet in geld, maar in materialen. Ze zei: 'Je kunt vast wel een paar spijkers geven', of 'Je kunt vast nog wel wat timmerhout missen voor de goede zaak.' Nou ja, de mensen gingen beseffen dat ze, hoewel ze wel geen geld hadden om de bouw af te maken, samen wel de materialen hadden die we ook gebruiken in onze stallen en schuren. Als Molly er niet geweest was, zou onze kerk nooit afgebouwd zijn. We hebben er op kerstavond de eerste dienst in gehouden. Sinds die tijd is het dorp nooit meer hetzelfde geweest.'

Jesse keek naar Molly. Die was geen klein meisje meer. Om de een of andere reden kon hij haar maar moeilijk voorstellen als een meisje dat met een mandje door het dorp liep om mensen ertoe over te halen iets aardigs te doen.

'Ik heb mij nooit kunnen voorstellen dat ik nog eens in een dorp zou wonen waar je 's nachts de deur niet op slot hoeft te doen', zei Ann. 'In het bijzonder dit dorp. Molly heeft iets bijzonders. Ze houdt zoveel van de Heere dat het aanstekelijk is; en het hele dorp is er door beïnvloed.'

'Wat denk je van deze twee, Ann?' Molly hield twee jurken omhoog. De eerste was een eenvoudige, blauwkatoenen jurk; de andere was de wijde zomerjurk.

Ann glimlachte. 'Een goede keus. Weet je, Emily, die zomerjurk is door Molly genaaid.'

'Ze is prachtig', zei Emily.

Ann antwoordde: 'Je mag ze van mij alle twee hebben.' Tegen Molly zei ze: 'Neem je hen mee naar huis?' Ze bedoelde Jesse en Emily.

Molly straalde. Ze zei: 'De Heere heeft mij twee nieuwe vrienden gegeven en in plaats van vanmiddag alleen te zijn, krijg ik nu de gelegenheid om alles over hen te weten te komen.'

Na een langdurig afscheid bij de kledingwinkel - Emily bedankte Ann steeds weer opnieuw voor de jurken - reden ze naar Molly's huis. Molly mende zelf, want zij wist de weg; Emily zat naast haar en Jesse zat op de laadbak met de dozen van het kledingmagazijn en de algemene winkel. De twee meisjes raakten aan de praat en waren vrijwel vergeten dat Jesse achterin zat. Het was goed om Emily weer te horen praten en te zien glimlachen, zelfs al was dat niet tegen hem. Maar toen ze bij het huis waren aangekomen, was Jesse blij dat de rit voorbij was. Hij vond het maar niets dat Emily zich zo goed vermaakte zonder hem.

Molly's huis was ongeveer een kilometer van het dorp gelegen. Het was een wit, uit twee verdiepingen bestaand huis met een ruime veranda waarop een schommelbank stond. Nadat Molly Emily en Jesse hun kamers gewezen had, maakte ze het middagmaal klaar, terwijl de beide reizigers zich wat opknapten.

De slaapkamer die Jesse kreeg was klein, maar gezellig. De kamer zag er zo goed uit dat het wel leek of Molly geweten had dat ze zouden komen. Op het bed lagen schone lakens; er waren schone handdoeken; op de wastafel lagen borstels en kammen. Toen hij de kamer voor het eerst zag, dacht hij dat het iemands slaapkamer was en hij zei dat hij niemand tot last wilde zijn. Molly lachte. Het was de logeerkamer en hij kon alles gebruiken wat er in de kamer was.

Toen Jesse zich gewassen had, ging hij naar beneden naar Molly. Toen hij door de zitkamer liep, was hij verbaasd over het grote aantal kussens dat hij daar zag. Ronde kussens. Vierkante kussens. Rechthoekige kussens. Kussens in allerlei maten en kleuren. Hij vond het nogal raar, maar hoe zou iemand zo'n aardige en edelmoedige vrouw als Molly iets kwalijk kunnen nemen?

Het was niet moeilijk om zijn gastvrouw te vinden. Terwijl ze in de keuken de maaltijd aan het klaarmaken was, zong ze het hoogste lied. Omdat het sabbat was, had ze zaterdag al gekookt. Molly hoefde alleen de tafel maar te dekken en het eten op te dienen.

Even later kwam Emily beneden. Onder het zachte geruis van haar zomerjurk daalde ze de trap af. Volgens Jesse had ze er nog nooit zo mooi uitgezien. De jurk was gebroken wit met grijze tinten, zodat het net leek of ze in een wolk liep. Molly had bijna vijf minuten nodig om haar te bewonderen.

Het middagmaal bestond uit ham en kip, die beide koud opgediend werden, brood, vers gekarnde boter, groene bonen, maïs, aardappelen, melk, en een uit drie lagen bestaande taart. Jesse kon zich niet herinneren dat hij ooit zo'n maaltijd genoten had.

De verdere middag en het begin van de avond zaten ze op de veranda te praten. Molly en Emily zaten samen op de schommelbank. Jesse zat in een schommelstoel. De prairie strekte zich eindeloos voor hen uit en ze zagen de zon langzaam achter de westelijke horizon zakken. Zodra het donker begon te worden, stak er een koele bries op die verfrissend aandeed.

'Jullie komen uit New York, nietwaar?', zei Molly. 'Tijdens mijn jeugd heb ik ook in New York gewoond tot het moment dat Oliver mij liet halen.' Ze ging in gedachten terug naar de tijd dat ze in de stad woonde. 'Wat ik mij nog het beste herinner, zijn al die hoge gebouwen', zei ze peinzend, 'en de grote kerken met hun hoge torens. En al die paarden en wagens. En de stoomtrein die over de spoorbaan reed, die naar mijn idee wel een kilometer boven de stad uitstak. Missen jullie de stad?'

Jesse haalde zijn schouders op. 'Ik niet. Voor zolang ik mij heugen kan, heb ik de stad willen verlaten om naar het Westen te trekken.'

'Er zijn wel een paar dingen die ik mis', zei Emily. 'Sommige gemakken die we in de stad hebben. Waterleiding en elektriciteit. Kranten, ik heb al in geen weken een krant gezien.'

'Ik denk dat onze kleine krant nogal teleurstellend voor je zal zijn', zei Molly. 'De kleine man en zijn vrouw die hem uitgeven, bedoelen het goed, maar het is meer geroddel dan nieuws. Hun drukpers kan niet op tegen de snelheid van de roddelpraat.'

'Nu ik eraan denk', zei Jesse, 'ik mis de boeken. Voor ik naar het Westen kwam, las ik veel.'

'O ja? Houd je van verhalen?', vroeg Molly.

'Hij is gek op verhalen', zei Emily.

'Heb je *Ben Hur* gelezen?', vroeg Molly. 'Het is een prachtig verhaal over doorzettingsvermogen en liefde in de tijd van de Bijbel.'

'Meestal las ik vijfstuiverromans', antwoordde Jesse. 'In het bijzonder boeken van Sarah Morgan Cooper. Ze is mijn tante.'

'Sarah Morgan Cooper is je tante? Wat interessant! Ik heb een paar boeken van haar gelezen. Dat gaat over Truly Noble, hè? En de naam van dat meisje is Faith... nee, Hope...'

'Charity!' corrigeerde Jesse haar lachend. 'Hoe vond je haar verhalen?'

Molly glimlachte. 'Ze zijn wel een beetje simpel, maar mevrouw Cooper ziet altijd kans om er een morele les in te leggen. En dat stel ik erg op prijs.'

'Ik houd meer van Nellie Bly en een goed artikel waaruit gedegen onderzoek blijkt', zei Emily, haar neus ophalend. 'Ze schrijft over werkelijke gebeurtenissen en zonodig schept ze die zelf. Verzonnen verhalen boeien mij niet zo erg.'

'In welk deel van de stad woonden jullie?', vroeg Molly.

Jesse gaf als eerste antwoord. 'In het oostelijke deel.'

'Werkelijk? Daar ben ik zelf ook opgegroeid. In welke straat?'

'De Hester Street.'

Molly leunde achterover en probeerde zich de straten van New York voor de geest te halen. 'Ik kan mij de Hester Street niet herinneren', zei ze.

'Vlak bij de Grand Street', kwam Jesse haar te hulp.

'De straat met al die paarden en wagens!' riep Molly opgewonden uit.

Jesse glimlachte. De vrouw in het kledingmagazijn had gelijk gehad over Molly. Haar enthousiasme en vrolijkheid werkten aanstekelijk. Tot nu toe had hij nooit gedacht dat hij een mollige vrouw aantrekkelijk zou kunnen vinden. Maar Molly bleek een uitzondering te zijn. Hij kon zich niet voorstellen dat hij ooit genoeg zou krijgen van de twinkeling in haar ogen, haar gulle lach en de manier waarop ze het beste in mensen opriep. Het was aangenaam om in haar gezelschap te zijn. Hij had er plezier in haar aan het lachen te maken. Hij wilde iets doen wat haar blij zou maken, iets terug doen voor alle blijdschap die zij anderen bezorgde.

Op dat moment zag Jesse dat Emily naar hem zat te kijken. In haar ogen stonden tranen.

'Je bent dus familie van Sarah Morgan Cooper', zei Molly. Betekent dat dat jouw achternaam ook Cooper is?'

Jesse schudde zijn hoofd. 'Zij is een zuster van mijn vader. Haar middelste naam is haar familienaam. Ik ben een Morgan.'

'Morgan?', zei Molly nogal verschrikt. Ze keerde zich tot Emily en vroeg: 'En wat is jouw achternaam?'

'Austin', zei Emily, 'mijn vader is de eigenaar van...'

'... al die fabrieken', zei Molly.

De gastvrouw keek of ze zowel door de ene als de andere naam van haar stuk gebracht was.

'Is er iets?', vroeg Emily.

'Die twee namen brengen herinneringen bij mij boven', zei Molly, terwijl ze keek of ze diep in gedachten was. 'Nare herinneringen.'

Het werd stil op de veranda. Jesse en Emily keken elkaar aan en wisten niet of zij iets zeggen moesten of dat Molly het woord weer zou nemen. Voor de eerste keer dat ze haar ontmoet hadden, was de twinkeling uit Molly's ogen verdwenen. Zonder iets te zien, staarde zij voor zich uit.

Toen herstelde ze zich. 'Neem mij niet kwalijk', zei ze. 'Die dingen zijn nu eenmaal voorbij. Ik heb er jaren niet meer aan gedacht.'

Emily boog zich naar haar toe en legde troostend haar hand op haar arm. 'Laten we over aangenamere dingen praten', stelde ze voor. Maar Molly zat weer in gedachten verzonken. Emily's woorden drongen niet door de herinneringen heen die door Molly's hoofd tolden.

Het duurde even voor hun gastvrouw kans zag haar herinneringen onder woorden te brengen. 'De Heere werkt inderdaad op een mysterieuze manier', zei ze. 'Wie had dat nu kunnen denken na al die jaren?'

'Molly... is alles goed met je?', vroeg Jesse.

'Ik ben zo in de war gebracht', zei ze met haar hand op haar borst.

'Misschien is het beter als je het vertelt', opperde Jesse.

Molly zuchtte een paar keer diep. Ze zag erg bleek. Ondanks de koele bries van de prairies transpireerde ze. 'Toen ik een klein meisje was', begon ze, 'werkte ik op een fabriek van Austin. Het was een moeilijke tijd voor ons. Alletwee mijn ouders waren ziek en konden niet werken. Mijn verdienste was het enige inkomen. Ik werkte veertien tot zestien uur per dag. Toch verdiende ik niet genoeg om het eten en de medicijnen te kopen die we nodig hadden. Eerst stierf mama en toen papa. Toen mijn vader stierf, werd ik uit huis gezet.' Ze glimlachte even. 'Oliver was natuurlijk al naar het Westen vertrokken. Hij zond ons geld en toen hij hoorde dat papa en mama ziek waren, wilde hij dat we allemaal naar het Westen zouden trekken om bij hem te komen.'

Molly begon te huilen. Op een gezicht dat anders altijd zo vrolijk stond, waren tranen en verdriet een dubbele tragedie.

'Ik leefde een poosje op straat. Toen kreeg ik te horen dat er in de buurt een evangelisatiepost was. Ze namen mij op, gaven mij te eten en een plaats om te slapen.' Ze keek naar Jesse en zei: 'De evangelisatiepost werd beheerd door een zekere meneer Morgan.'

'Mijn vader', zei Jesse.

Molly bracht een hand naar haar borst. Ze huilde nu openlijk. 'Na al die jaren', zei ze. 'Hij was zo'n goede man. Zo vriendelijk..., zo...' Molly kon door haar gesnik niet verder.

'Wat is er?', vroeg Emily. 'Molly, wat is er aan de hand?'

'Jesse..., weet je hoe je vader gestorven is?'

'Hij is omgekomen tijdens een brand in de fabriek.'

Molly knikte. 'Dat is waar. Hij was in de fabriek tijdens die brand. Maar hij is niet in de brand omgekomen.'

'Wat zeg je?'

'Jesse..., het spijt mij zo erg dat ik degene ben die je dit moet vertellen. Je vader werd vermoord.'

'Vermoord?!'

'Ik was erbij.'

'Het kleine meisje', zei Emily. 'In het rapport staat dat er één ongeluk met dodelijke afloop was. Benjamin Morgan. En dat hij stierf nadat hij een man en een meisje gered had.'

Molly knikte. 'Meneer Morgan haalde mij uit de vlammen. En toen hij terugging om te kijken of er nog meer mensen in de fabriek waren...' Haar stem brak. Ze herstelde zich en vervolgde: 'Toen hij weer terugging, werd hij vermoord door de man die de brand aangestoken had.'

'Heb je gezien wie de brand aangestoken heeft?', vroeg Emily.

Molly knikte. 'En hij zag mij ook. Hij kwam achter mij aan, maar toen hij zag dat ik klem kwam te zitten door een omlaagstortende balk, liet hij mij aan mijn lot over met de gedachte dat ik in de brand wel zou omkomen.'

Jesse staarde zwijgend naar de grond.

'Wie heeft het gedaan?', vroeg Emily. 'Weet je wie het gedaan heeft?'

'Ik weet niet hoe de man heet, maar ik zal nooit vergeten hoe hij eruit ziet. Hij was groot en zwaar. Hij had harde, zwarte ogen. Hij had ook zwart haar - glad gekamd en vettig. Hij had een snor en...' ze wees met haar wijsvinger naar haar kin, '... een sik.'

'Tykas!', mompelde Jesse.

'Tykas!', beaamde Emily.

De volgende dag werden er twee telegrammen naar New York gezonden. Eén naar Franklin Austin, waarin hem verteld werd dat Emily veilig was en dat ze donderdag zou vertrekken. Het tweede werd naar Clara Morgan gestuurd. Het recente nieuws over de dood van zijn vader bracht Jesse ertoe om haar in ieder geval te vertellen waar hij zich bevond. Hij vertelde haar dat hij het meisje ontmoet had dat zijn vader destijds gered had bij de brand in de fabriek en dat hij spoedig een uitvoerige brief zou schrijven. Hij vermeldde niet dat zijn vader vermoord was. Hij vond het maar beter haar dat in zijn eigen bewoordingen per brief mee te delen.

Jesse vertelde sheriff Clark hoe hij er Tykas toe gebracht had om aan te nemen dat ze naar het noorden waren gevlucht. De sheriff schreef Jesse's beschrijving van de man op met de bedoeling de omliggende plaatsen op de hoogte te brengen van de aanwezigheid van de moordenaar in het gebied.

Tegen de middag was de spanning wat afgenomen. Molly had haar gebruikelijke opgewektheid weer terug en ze leidde Jesse en Emily in het dorp rond, waarbij ze hen vrijwel aan iedereen voorstelde.

Jesse vond alles in Redemption in Kansas even aardig. Het was een dorp in het Westen zoals hij zich dat had voorgesteld, alleen viel hier van het wilde Westen weinig meer te bespeuren. De mensen waren hartelijk en vriendelijk. En voor het eerst sinds hij New York verlaten had, dacht hij erover zich hier te vestigen.

En Molly Morgan paste ook wel in die plannen.

Hij kende haar nog maar kort, maar met ieder uur werd ze aantrekkelijker voor hem. En als hij zich niet vergiste, mocht zij hem ook wel. Als ze naar hem keek, kreeg ze iets dromerigs. Ze greep iedere gelegenheid aan om hem aan te raken. Ze moest vaak lachen om de dingen die hij zei. Jesse kon het niet helpen soms te denken dat zijn vader haar uit de brand gered had voor hem.

Sommige dorpelingen bemerkten de verandering in haar eveneens.

Toen ze Ann Humphrey weer opzochten, fluisterde de gezette roodharige dame Jesse in het oor: 'Je roept iets op in Molly wat ik nog nooit eerder gezien heb. Ik heb altijd gedacht dat er een bijzondere man nodig zou zijn om haar gelukkig te maken.' Ze deed een stap terug en gaf hem een knipoog van verstandhouding. 'Een woord tot de wijze gesproken...', zei ze.

In de winkel van Woolcott kreeg Jesse hetzelfde advies: 'Kijk uit wat je doet, jongen', zei de norse winkelier hem. 'Als je die jonge dame verdriet doet, hebben we je sneller opgeknoopt dan een paardendief.'

Ook Emily scheen door te hebben dat er iets tussen hen gaande was. Als zij en Molly samen waren, gingen ze goed met elkaar om. Maar als Jesse en Molly samen waren, zag Jesse hoe Emily hen van een afstand nauwlettend in het oog hield. En als ze met z'n drieën bij elkaar waren, was Emily opvallend stil.

De eerste maandag van iedere maand was er muziekavond in Redemption. Het hele dorp kwam bij de schuur van Zimmerman bij elkaar voor een avondje muziek en plezier. Voor die gelegenheid veranderde de oude Elijah Zimmerman zijn schuur in een soort schouwburg. Aan de ene kant van de schuur had hij een paar grote deuren aangebracht die via een geleidingsrail openzwaaiden. Aan de binnenkant van de deuren hingen hoeden van allerlei maat, vorm, kleur en nationaliteit: cowboyhoeden, brandweerhelmen, bolhoeden, hoge hoeden en allerlei petten met pompoenen, kwastjes of veren.

Gezinnen vanuit de verre omtrek verzamelden zich voor de schuur – sommigen zaten in hun wagens en anderen zaten op dekens op de grond – voor een avondje zingen en plezier. Zimmerman luisterde de gebeurtenis op met zijn banjo, harmonica en viool. Samen met anderen vormde hij een kleine muziekgroep. En iedereen was welkom om te zingen of om op het instrument van zijn of haar keuze te spelen. De feestvreugde werd nog verhoogd door het feit dat Zimmerman bij ieder lied een andere hoed uitkoos.

Bij ieder lied liep de kale Zimmerman met gespeelde ernst voor de hoeden en petten op en neer en koos hij een hoofddeksel uit. Dan keerde hij zich naar het publiek en wachtte op hun reactie. Pas als hij voldoende bijval gekregen had voor zijn keus werd de muziek voortgezet.

'Het is altijd erg leuk', zei Molly toen ze in het vierwielig wagentje naar het feest reden. Jesse mende en Molly zat naast hem. Emily zat alleen achterin.

'Van wat voor soort muziek houd jij, Emily?', vroeg Molly, terwijl ze over haar schouder naar Emily keek.

'Populaire liedjes', zei Emily weinig enthousiast. '"Frankie en Johnny" en "Luister naar de spotvogel" en dat soort liedjes.'

'En jij, Jesse?', vroeg Molly. 'Van welke muziek houd jij?'

Jesse haalde zijn schouders op. 'Ik geloof niet dat ik aan bepaalde muziek de voorkeur geef. Ik ken niet veel muziek. Truly Noble houdt van westerse muziek', zei Jesse. 'Als ik dus moet kiezen, zou ik zeggen westerse liedjes. En waar houd jij van?'

'Christelijke liederen', zei Molly. 'Ik krijg er nooit genoeg van.'

'Wat een verrassing', spotte Emily, een beetje scherper dan ze bedoeld had.

Iets wat Jesse gezegd had, was Molly opgevallen. 'Als je het over Truly Noble hebt, dan krijg je bijna iets van ontzag in je stem. Is je dat wel eens opgevallen?'

Jesse haalde zijn schouders op. 'Dat kan best, ja. Hij is het soort figuur op wie ik wil lijken.'

'O ja?'

'Natuurlijk', riep Jesse uit. 'Hij bestrijdt het kwaad en leeft om het goede te doen. Eigenlijk...' Hij zweeg even.

Beide meisjes keken hem strak aan. Molly draaide zich een beetje naar hem toe en Emily leunde op één hand om zijn gezicht te kunnen zien. Jesse moest eraan denken hoe meisjes vroeger de gek met hem staken over zijn bewondering voor de niet-bestaande Truly Noble.

'Eigenlijk... wat?', drong Molly aan.

'Niets', zei Jesse. 'Laat maar zitten.'

'Vertel op', zei Molly.

Jesse keek naar de vrouw die naast hem zat. Uit niets bleek dat ze hem voor de gek wilde houden. Jesse wist dat hij haar alles zou kunnen vertellen.

Het duurde echter even voor hij zei: 'Steeds als ik met een moeilijke situatie te maken krijg, vraag ik mij af: 'Wat zou Truly Noble doen?''

Hij verwachtte een spottend gelach zoals hij dat altijd te horen kreeg.

'Hmmm.' Molly dacht over de woorden na alsof wat gezegd was van diep filosofisch inzicht getuigde.

Emily keek hem met een begrijpende blik aan alsof ze het laatste stukje van een puzzel gevonden had.

'En welke plaats neemt Jezus in dit alles in?', vroeg Molly.

Jesse en Emily staarden haar beiden aan. Het was een vraag die ze van haar broer, de predikant-sheriff, verwacht zouden hebben.

'Jezus is Iemand voor zondagmorgen', zei Jesse, 'in de kerk.'

'Hmmm', reageerde Molly opnieuw. 'Ga je dikwijls naar de kerk, Jesse?'

Jesse schudde zijn hoofd. 'We gingen natuurlijk naar de kerk toen mijn vader nog op de evangelisatiepost preekte. Maar dat kan ik mij nog nauwelijks herinneren.'

'Dus sinds je vader gestorven is, gingen je moeder en jij niet meer naar de kerk?', vroeg Molly.

'Alleen op feestdagen. Waarom vraag je dat?'

'Het is de vraag die je jezelf stelt', zei Molly. 'Het is dezelfde vraag die ik een predikant in Topeka eens heb horen stellen. Met een paar vrouwen gingen we daar naar een christelijke vrouwenbijeenkomst. 's Zondags gingen we naar de kerk. Na de dienst praatte de dominee een poosje met ons. Hij stelde dezelfde vraag, maar net even anders. Hij vroeg zich af hoe de wereld eruit zou zien als iedereen die een beslissing moest nemen, zich zou afvragen: "Wat zou Jezus in deze situatie doen?" Je hebt dus wel het juiste idee, maar de verkeerde man.'

Jesse schudde zijn hoofd om aan te geven dat hij het er niet mee eens was. Deze keer had Molly het bij het verkeerde eind. 'Die twee kun je toch niet met elkaar vergelijken?', zei hij.

'Daar ben ik het mee eens', zei Molly.

Jesse lachte. 'Nee, ik bedoel Truly Noble is een held. Jezus was dat niet.'

'Hoe kan je dat nu zeggen?' Molly was duidelijk verontwaardigd.

'O, begrijp mij niet verkeerd', zei Jesse verontschuldigend. 'Jezus genas mensen en gaf ons al die goede bijbelteksten. Maar Hij was geen held.'

Molly moest zich duidelijk inhouden. 'Hoe bedoel je dat?', vroeg ze.

'Gewoon. Hij heeft toch verloren. Hij werd door zijn vijanden verslagen. Ze hebben Hem aan het kruis gedood. Truly Noble verliest nooit. Hij verslaat de slechte vijand altijd.' Jesse's stem beefde nu een beetje. 'En hij redt Charity uit elke situatie.'

Molly's verontwaardiging zakte wat en maakte plaats voor begripvol medelijden. 'En als Jezus werkelijk een held zou zijn', zo besloot Molly zijn gedachtegang, 'zou Hij je vader wel uit die brand gered hebben en zou Hij ervoor gezorgd hebben dat Tykas was omgekomen.'

Jesse veegde haastig een traan weg.

Toen Molly weer sprak, was haar stem nauwelijks te horen. 'Ik begrijp je wel', zei ze, 'en ik weet hoe je je voelt. Maar wat Jezus betreft zit je er helemaal naast. Zeker, Zijn vijanden hebben Hem gedood, maar dat kwam niet omdat ze sterker waren dan Hij. Door te sterven behaalde Jezus de overwinning op twee veel grotere vijanden – zonde en dood. Het kruis was niet Jezus' afgang, maar Zijn weg tot overwinning. De Farizeeën vormden geen blijvende bedreiging voor Hem. Wil je weten met welke grotere bedreiging Jezus op aarde te maken kreeg? Hij werd daarmee geconfronteerd in de woestijn toen de satan tot Hem kwam met de verleiding Zichzelf te dienen. Als Jezus toen gefaald had, zou Hij later nooit de overwinning hebben kunnen behalen. Zie je, Jesse, sterven is niet het ergste wat ons kan overkomen. Uitsluitend voor onszelf leven is veel erger dan de dood, omdat het leven dat God ons gegeven heeft, verkwist wordt. Als Jezus van het kruis afgekomen was en Zijn vijanden verslagen zou hebben, zou Hij uitsluitend voor Zichzelf de overwinning behaald hebben en zou de rest van ons verloren zijn. Je vader wist dat. Weet je Jesse, ik ben vandaag die ik ben omdat twee mannen hun leven voor mij gegeven hebben – Jezus aan het kruis en je vader bij die brand in de fabriek. In mijn boek zijn dat twee helden.'

'Je lijkt wel een dominee', spotte Jesse.

Molly lachte niet. 'Ik ga mij niet verontschuldigen voor de dingen die ik geloof.'

Achter in het wagentje luisterde Emily en ze staarde over de donkere prairie.

Elijah Zimmerman was goed in vorm. Tegen de tijd dat Jesse, Molly en Emily aankwamen, waren er al zo'n twintig gezinnen. Iedereen, zonder uitzondering, zwaaide en lachte naar Molly en ze werd door alle gezinnen begroet. Als je de begroeting zag, zou je gaan denken dat de koningin zelf was aangekomen.

'Hé, weten jullie nog', riep Zimmerman met gemaakte verontwaardiging over de onderbreking die Molly's komst veroorzaakte, 'ik sta hier een voorstelling te geven!'

'Neem mij niet kwalijk, meneer Zimmerman', schreeuwde Molly vrolijk terug.

Over de prairie klonk overal gelach op.

Zimmerman stond op het podium. Hij droeg een overal, een geruit hemd met lange mouwen en hij had een vilten hoed op. Naast hem stond een korte, dikke man, ook in overal. Hij was kalend en droeg geen hoed.

'Hé, zeg, wat doe jij nou?', riep de dikkerd naast hem.

Zimmerman stond op een komische manier met zijn armen en benen te zwaaien. 'Ik ben aan het loskomen!', zei hij.

'Doe je dat altijd op die manier?'

'Ja... nu wel.'

'Waarom nu?'

'Omdat ik inmiddels een paar jaartjes ouder ben dan toen ik met dit zaakje begon.'

Een grote boer in het publiek stond op en riep: 'Je bent heel wat ouder geworden, Zimmerman!'

Iedereen lachte.

Zimmerman kwam even uit zijn rol. 'Wil je het misschien overnemen, Jim?', riep hij goedmoedig naar de man.

De man lachte nu ook.

Zimmerman begon zijn rare bewegingen weer te maken. 'Zoals ik al zei, voordat ik zo grof in de rede gevallen werd...' – weer gelach – 'ben ik een beetje ouder dan toen ik hiermee begon...' Hij kwam opnieuw uit zijn rol en keek of Jim reageerde. Er kwam echter geen commentaar en hij vervolgde: '... en mijn benen zijn een beetje stijf geworden, weet je.'

'Dat kan ik mij voorstellen', grinnikte de dikkerd naast hem.

'Ik weet nog dat ik in ieder been een knoop kon leggen zonder iets te breken!', riep Zimmerman. 'Maar dat is niet meer het geval!'

De dikke man liep nu van het podium af en de oude Zimmerman wrong zich in allerlei bóchten, terwijl de leden van het muziekgroepje dat achter op het podium zat, op hun instrumenten bliezen, streken of sloegen.

Het publiek vond het allemaal prachtig.

Nadat Zimmerman zelf een paar liederen gezongen had, riep hij vrijwilligers op om op het podium te komen en iets ten gehore te brengen. Een veeboer van middelbare leeftijd kwam op het podium en speelde een lied op een zaag. Een meisje van een jaar of achttien speelde een muziekstuk van Beethoven. Ze maakte veel fouten, maar het publiek trok zich daar niets van aan en werd alleen maar vrolijker.

'Molly, vooruit, het podium op!'

Het was Jim die de opening onderbroken had. Hij kreeg veel bijval en er werd geroepen dat Molly moest gaan zingen. Ze probeerde er onderuit te komen, maar eindelijk gaf ze toe en ging blozend naar het podium toe.

'Hoed! Hoed! Hoed! Hoed!', schreeuwde de menigte.

Terwijl Molly wat verlegen op het podium stond, pakte Zimmerman achter haar een hoed die hij paste.

Een brandweerhelm.

'Neeeee!', gilde het gehoor.

De bolhoed.

'Neeee!'

Zimmerman zette een koloniale kanten muts op. Hij strikte de linten onder zijn kin, waarbij hij koket probeerde te kijken.

Uit de bijval uit het publiek bleek dat hij deze keer het juiste hoofddeksel voor Molly gevonden had.

Ze keerde zich tot Zimmerman en de muziekgroep en vertelde hun welk lied ze wilde zingen.

Met de viool in zijn hand keerde Zimmerman zich tot het muziekgroepje en vroeg: 'Kent iedereen de wijs?' Ze schudden allemaal hun hoofd.

Eerst dacht Molly dat ze haar wilden plagen. Zimmerman die er in zijn overal belachelijk uitzag met zijn viool in de hand en de kanten muts op zijn hoofd, zei dat hij het lied ook niet kende. 'Maar dat maakt niet uit', stelde hij haar gerust. 'Begin maar te zingen en wij vallen wel in.'

'Ik kan maar beter weer gaan zitten', zei Molly en ze probeerde van het podium af te stappen. Zimmerman trok haar terug en dat was maar beter ook. Uit de reactie van het publiek bleek dat ze haar niet naar haar plaats lieten terugkeren zonder dat ze gezongen had.

Molly stond midden op het podium. Ze boog haar hoofd enigszins om tot bedaren te komen. Toen hief ze haar hoofd op en begon te zingen. Haar altstem had een melancholieke, lieflijke klank.

'Ik heb de vaste grond gevonden,
Waarin mijn anker eeuwig hecht.
De grond in Jezus' bloed en wonden,
Voor 's werelds aanvang reeds gelegd,
Die grond zal onverwrikt bestaan,
Schoon aard' en hemel ondergaan.'

Haar stem, haar houding en de vurigheid waarmee ze de woorden uitsprak, brachten haar publiek tot zwijgen. Bij het tweede vers kenden Zimmerman en zijn muziekgroep de wijs en vielen ze in. Toen ze bij het laatste vers gekomen was, straalde haar gezicht als de zon en ze zong:

'Die grond is eindeloos erbarmen,
Dat al ons denken overtreft,
Van Hem die met zijn Vaderarmen
Ons, arme zondaars, opwaarts heft,
Die op ons diep meedogend ziet,
Al achten wij zijn roepstem niet.'

Toen haar stem en de muziek weerklonken waren, bleef het geruime tijd stil. Toen klonk er gejuich en applaus en hier en daar: 'Amen.'

Toen Molly van het trapje dat naar het podium voerde afliep, riep Zimmerman nog meer vrijwilligers op. Niemand stak een hand op.

'We weten allemaal dat de enige hier in de verre omtrek die wijs kan houden Molly is!', riep hij. 'Maar dat is geen excuus. We hebben nu eenmaal geen operazanger in ons midden. We zijn maar gewone mensen. Kom op dus en zingen!'

'Hoe staat het met die gasten van Molly?' Weer was het Jim die de vraag stelde.

Jesse keek naar Emily. Daar had hij niet op gerekend en naar Emily's verschrikte gezicht te oordelen, zij ook niet. 'Jij eerst', zei Jesse.

'O nee', riep Emily. 'Ik kan helemaal niet zingen! Ga jij maar!'

'Je krijgt mij er met geen tien paarden heen!'

Zimmerman riep vanaf het podium: 'Hé jongedame, ik bedoel jou!'

Emily wees op zichzelf. 'Ik?' Ze keek naar Jesse. 'Bedoelt hij mij?'

'Ja, jij!', antwoordde Zimmerman voor Jesse. 'Kom maar hierheen!' Hij wees naast zich op het podium.

Emily probeerde er onderuit te komen. 'Nee, ik niet. Dankuwel!', riep ze.

'Kom op! Ik zal je niet dwingen iets te doen wat je niet wilt.'

Jesse grinnikte. 'Nou, schiet op Emily. Ik zou er maar heengaan!'

Zimmerman zette zijn handen op zijn heupen. Hij droeg nog steeds de kanten muts en was niet bepaald het toppunt van autoriteit. 'Moet ik een paar knappe kerels sturen om je hierheen te brengen?'

Er klonken een paar mannenstemmen op die zich wel in dit voorstel konden vinden.

Molly kwam weer bij hen en fluisterde: 'Vooruit Emily, het is alleen maar voor de grap.'

Emily stond met grote tegenzin op en liep naar het podium. Terwijl ze erheen liep, werd ze toegejuicht.

Toen ze naast Zimmerman stond, legde hij zijn arm om haar heen. 'Nou, vertel mij eens jongedame - en eerlijk zijn, hoor - kun je zingen?'

'Nee', zei Emily.

'Kun je een muziekinstrument bespelen?'

'Nee.'

'Wat kun je dan eigenlijk wel?'

Emily keek naar Jesse. 'Ik ben schrijfster', zei ze.

'Zo, zo, een schrijfster! Dat is mooi.' Zimmerman wendde zich tot het publiek en zei: 'Is dat niet mooi?'

Het publiek applaudisseerde en joelde.

'Nog een vraag, lieve kind', zei Zimmerman. 'Hoe schrijf je? Met een potlood, een pen of een typemachine?'

'Meestal schrijf ik met een potlood, maar ik geef de voorkeur aan een typemachine.'

'Een typemachine!', riep Zimmerman enthousiast. Terwijl het publiek applaudisseerde, boog Zimmerman zich naar Emily toe en fluisterde: 'Ik hoopte al dat je dat zou zeggen.' En tot het publiek: 'Toevallig ken ik een lied over een typiste!'

'Hoed! Hoed! Hoed! Hoed!'

Nadat hij verschillende hoeden had opgezet die door het publiek allemaal afgekeurd werden, werden ze het tenslotte eens over een Franse baret. Emily probeerde van het podium af te sluipen, maar Zimmerman trok haar terug en wilde dat ze naast hem bleef staan terwijl hij zong.

Terwijl hij zichzelf begeleidde op de banjo zong de gastheer met een Frans accent een droevig lied. Het lied had de titel: 'Sinds mijn dochter met de typemachine speelt.' In het liedje ging het over een vader die zijn beklag over zijn dochter deed. Sinds ze had leren typen, werd ze verwaand, begon laat thuis te komen van kantoor, liep verwaand rond en voelde zich boven haar moeder verheven. En dat alles omdat zijn dochter met een typemachine kon omgaan.

Het publiek vond het schitterend. Zelfs Emily moest erom lachen.

Later op die avond, toen Jesse al naar boven was gegaan, zaten Molly en Emily alleen op de schommelbank op de veranda. Molly had thee ingeschonken. Het enige geluid dat er behalve hun stemmen te horen was, was het gepiep van de schommelbank en het gesjirp van de krekels.

'Emily?'

'Hmmm.'

'Ik hoop dat je dit niet te persoonlijk vindt', zei Molly, 'maar wat zijn je gevoelens voor Jesse?'

'Wat bedoel je?', vroeg Emily zedig.

'Het spijt me', zei Molly zenuwachtig. 'Ik had dit eigenlijk niet moeten vragen.'

Nu werd Emily zenuwachtig. Molly had een onderwerp aangeroerd dat besproken moest worden. 'Je hebt alle recht om dat te vragen', zei Emily. Ze zuchtte, nam een slokje thee en zei: 'Ik ben hem hierheen gevolgd. Eigenlijk moet ik zeggen dat ik *achter hem aangezeten heb*.'

'Ja ja, ik begrijp je', zei Molly.

'Ik vraag mij af of je mij begrijpt', zei Emily. 'Jesse voelt helemaal niets voor mij. Op zijn aandrang ga ik terug naar New York.'

'Dat spijt me', zei Molly.

'Mij ook', antwoordde Emily.

Ze nam weer een slokje thee.

'En hoe staat het met jou?', vroeg Emily. 'Het is nogal duidelijk dat Jesse veel voor je voelt. En als ik mij niet vergis dan zijn die gevoelens wederkerig.'

Molly bloosde en giechelde zenuwachtig. 'Laat ik dat zo goed merken?'

'Zoiets kun je moeilijk verbergen', lachte Emily met haar mee. 'Geloof mij maar, ik weet waar ik over praat.'

Molly zei zachtjes: 'Eerst zei ik tegen mijzelf dat Jesse en jij bij elkaar hoorden. Maar daardoor werden mijn gevoelens niet anders. En dat hinderde mij. Dat wil zeggen tot vanavond.'

'O ja? Wat is er vanavond dan gebeurd?'

Molly nam een slokje thee. Haar stem was vast en resoluut toen ze zei: 'Zoals de dingen er nu voor staan, kan er geen sprake zijn van een toekomst voor Jesse en mij.'

Emily dacht terug aan de gebeurtenissen van die avond. Ze zag geen verband.

'Hij is geen christen', zei Molly. 'Jezus betekent niets voor hem en voor mij betekent Hij alles.'

'Je bedoelt dat je niet met Jesse wilt trouwen omdat hij niet zoals jij gelooft?'

'Daar kan geen sprake van zijn', zei Molly. 'Mijn geloof betekent alles voor mij. Ik kan nooit aan een man verbonden worden die dat geloof niet met mij deelt.'

Emily wilde een kreet van blijdschap laten horen. Molly had werkelijk alle belangstelling voor Jesse verloren. Maar tegelijkertijd kon ze het niet nalaten zich af te vragen waarom dit zo was. Het was duidelijk dat Molly's gevoelens diep en oprecht waren. Maar ze begreep niet hoe een vrouw een man van wie ze hield zomaar kon laten schieten voor een profeet die zo lang geleden geleefd had.

'Molly?'

'Ja.'

'Vertel mij eens over Jezus. Ik heb wel eens over Hem gehoord tijdens de kerkdiensten met kerst en pasen enzo. Vertel mij eens iets over *jouw* Jezus.'

Tot diep in de nacht vertelde Molly Clark Emily over de bron van haar geloof. Het was een eenvoudig verhaal, zonder veel omhaal en zonder allerlei theologische begrippen. Voor Emily klonk het als een liefdesgeschiedenis. En voor de nacht voorbij was, ging ook Emily van de Jezus van Molly houden.

Terwijl het geratel van de wielen op de rails een constante cadans op de achtergrond vormde, las Logan Clara een gedicht uit een boek voor. In elkaar gedoken op haar zitplaats luisterde Clara met gesloten ogen naar de tedere, zachte stem van de man die haar reisgenoot was geworden.

'Ik vluchtte voor Hem, nachten en dagen;
ik ontvluchtte Hem al die jaren;
ik vluchtte voor Hem over al die kronkelwegen
van mijn eigen gedachten; en in een mist van tranen
en onder hoongelach verschool ik mij voor Hem.
Ik haastte mij naar vergezichten
en stortte van de steilte neer
naar afgronden van somberheid en vrees.
Ver van die naderende, sterke Voeten achter mij.
Maar met hun onverstoorbare, gestage tred,
gingen zij koninklijk hun weg –
een Stem klonk, dringender nog dan de Voeten:
"Alle dingen verraden je, als je Mij verraadt."

Je bent de liefde niet erg waardig!
Wie zal jou liefhebben in je kleinheid,
behalve Ik, Ik alleen?
Wat Ik je heb afgenomen
was niet om jou verdriet te doen
maar om je te omarmen.
Alles wat je verloren waande,
heb Ik gereedliggen in Mijn huis.
Sta op, grijp Mijn hand en kom!'

Er gleed een eenzame traan over Clara's wang. Zonder haar ogen te openen glimlachte ze. 'Wat is dat een toepasselijk gedicht', zei ze. 'Wie heeft het geschreven?'

'Een Engelsman met de naam Francis Thompson', antwoordde Logan.

'Luister maar...' Logan las de biografische gegevens voor die onder het gedicht stonden. 'Hier staat dat Thompson drie keer geprobeerd heeft een medische graad te behalen en dat hij drie keer gezakt is. Hij verviel daarna tot grote armoede en had zelfs geen geld om papier en inkt te kopen om te schrijven. Van een schoenmaker kreeg hij toen een kasboek en daarin heeft hij zijn gedichten geschreven.' Logan grinnikte zachtjes. 'Grote armoede... dat zou op mij kunnen slaan... behalve dat dichten dan. Maar ik heb nog steeds hoop dat ik ook nog eens iets in het leven zal bereiken.'

'Als je het mij vraagt', zei Clara op slaperige toon, 'gaat het wel goed met jou. Je mag dan wel geen zakenimperium opgebouwd hebben, maar je hebt vrede gevonden en dat kunnen maar weinig mensen zeggen.'

Logan keek met grote tederheid naar de vrouw naast hem.

De trein minderde vaart.

'We naderen een dorp', zei Logan. 'Kijk nu toch eens! De naam van het dorp is Redemption.'

Emily en Molly reden naar het dorp. Als iemand een terloopse blik op hen geworpen had, zou hij hebben kunnen denken dat ze al jarenlang vriendinnen waren, die elkaar een tijd niet gezien hadden. Ze voelden beiden de gevolgen van een slapeloze nacht.

Op zeker moment tijdens het nachtelijke gesprek, toen de dageraad al aanbrak, had Molly tegen Emily gezegd: 'Nou kind, het wordt nu echt tijd dat je nog een poosje gaat slapen.'

Voor Emily was het de dageraad van een nieuw leven. Terwijl ze naar het dorp reden, zat Emily voortdurend te glimlachen. Ze had nooit gedacht dat ze zich zo nauw verbonden zou kunnen voelen met een andere vrouw. En hoe heerlijk dat ook was, het was slechts een deel van haar blijdschap. Ze was de hele wereld plotseling in een ander perspectief gaan zien. Ze had nooit kunnen denken dat een rit naar het dorp zo bezielend kon zijn. Nog nooit tevoren had de lucht zo fris geroken en was de hemel zo blauw geweest en had ze zich zo vol leven gevoeld.

Ze parkeerden hun wagentje voor de kledingzaak. 'Ik moet deze jurken bij Ann afleveren', zei Molly. 'Ze klom van de wagen en haalde een groot pak uit de achterbak. 'Ga vast naar Woolcott en zoek de dingen uit die je nodig hebt. Ik zie je daar zo wel weer.'

Emily knikte. Toen ze de straat overstak naar de winkel van Woolcott, snoof ze diep de prairielucht op. Ze glimlachte bij de gedachte dat ze zo ver had gereisd om de liefde te vinden en dat ze nu iets gevonden had wat daar nog ver bovenuit ging: geloof.

Logan stapte uit de trein en draaide zich om om Clara te helpen uitstappen. Op het perron stonden hier en daar wat mensen bij elkaar; sommigen om vrienden of familieleden te begroeten die waren aangekomen, anderen om afscheid te nemen van mensen die vertrokken. En zoals gewoonlijk wanneer de trein aankwam, waren er ook mensen die alleen maar kwamen kijken. De mechanische monsters hadden nog steeds iets wat het Amerikaanse publiek fascineerde.

Clara en Logan stonden naast het kleine, rode station en keken de enige straat van het dorp in. Voor Redemption was het een gewone werkdag.

'Na zolang in New York gewoond te hebben', merkte Logan op, 'krijg ik, als ik zo'n dorp zie, het gevoel dat ik teruggegaan ben in de tijd en mij ergens in een gehucht in Engeland bevind.'

'Ja, erg rustig, hè?', antwoordde Clara. 'Weet je, ik heb nooit het verlangen gehad om naar het Westen te verhuizen. Maar nu ik dit hier zo zie, zou ik dat best willen. Als ik kon kiezen, zou ik liever in zo'n dorp gaan wonen dan terug te keren naar die flats in New York.'

Logan wees naar de straat. 'Kijk daar aan de linkerkant, halverwege de straat.' Hij las het hand-beschilderde uithangbord: 'Charles Woolcott, Algemene winkel en Postkantoor.'

'Dat komt goed uit', zei Clara. 'Ik moet toch een paar dingen kopen.'

Ze liepen van het perron de straat in. Toen ze een eindje gelopen had, realiseerde ze zich plotseling dat Logan niet naast haar liep. Ze keerde terug. Hij werd door iets opgehouden, dat zich achter het stationsgebouwtje bevond, zodat ze niet kon zien wat het was.

'Ga maar vast', zei Logan tegen haar. 'Ik kom zo.'

Hij keek naar het perron en verdween achter het station. Hoewel Clara nieuwsgierig was, besteedde ze er verder geen aandacht aan. Het ging haar tenslotte niet aan. Ze volgde een aantal andere reizigers de straat in en liep naar de algemene winkel.

Jesse had zijn hemd uitgetrokken en over een boomtak gehangen. Hij zwaaide de bijl omhoog. Gekraak en een plof. Er vielen twee stukken hout op de grond naast het hakblok. Hij voelde de zon op zijn rug branden. Hij ademde zwaar en was nat van het zweet. Nadat hij zoveel hout gehakt had voor Edwards in Brownsville, had Jesse gedacht dat hij nooit meer met plezier hout zou hakken, maar nu gaf het hem toch een goed gevoel. Het was een volmaakte dag. Het werk vereiste weinig nadenken en het was goed zijn spieren weer eens te gebruiken.

Toen hij 's morgens vroeg naar beneden was gekomen, hadden Molly en Emily het ontbijt al klaar. Hij vond het maar vreemd dat ze beiden nog dezelfde kleren aan hadden als de vorige avond. En toen hij hoorde dat ze de hele nacht hadden zitten praten, vond hij dat maar gek, vooral toen hij hoorde dat ze de hele nacht over godsdienstige dingen hadden gepraat. Toen hij er echter nog eens verder over nadacht, vond hij het niet zo vreemd meer.

Op de een of andere manier zag Molly altijd kans om de godsdienst erbij te betrekken. Maar in tegenstelling tot sommige andere mensen drong ze die nooit op. Het was voor Molly heel natuurlijk om over Jezus te praten, zoals het voor een schoenmaker vanzelfsprekend is dat hij over schoenen praat en een matroos scheepvaarttermen gebruikt. Zonder geloof zou Molly Molly niet zijn.

Deze morgen waren de meisjes door gebrek aan slaap, of om wat voor reden dan ook, zo met zichzelf bezig geweest dat Jesse blij was dat ze naar het dorp gegaan waren. Hij had de tijd om tot zichzelf te komen. Hij nam zich voor om tijdens zijn werk eens goed na te denken - over Molly... en Emily... en zijn toekomst. Hij kon het gevoel dat hij in Redemption moest blijven maar niet kwijtraken. Na hun gesprek op weg naar de schuur van Zimmerman voelde hij zich wat minder aangetrokken tot Molly. Hij mocht Molly graag, maar hij vroeg zich af of hij zijn leven wilde delen met een vrouw die zo godsdienstig was. En dan was er bovendien Emily nog. Nu ze weer een jurk droeg, leek ze in niets meer op Slate Pickens. Voor haar eigen veiligheid was het maar beter dat ze naar New York zou teruggaan. Maar hoe meer hij erover nadacht dat ze zou vertrekken, hoe minder hij bereid was haar te laten gaan.

Jesse was nu bijna klaar met houthakken en nog steeds was hij niet tot een besluit gekomen. Niet ten aanzien van de meisjes en niet ten aanzien van het dorp.

'Tykas! Wat doe jij hier?'

De man met het vette haar maakte een sprongetje van schrik toen hij zijn naam hoorde noemen. Toen hij zich omkeerde en zag wie hem aangesproken had, kwam er een brede grijns op zijn gezicht. Logan glimlachte niet.

'Logan! Wat doe jij in deze uithoek?'

'Dat vraag ik juist aan jou.'

Tykas keek om zich heen. Hij zag hoe aan het eind van het perron de sheriff de passagiers die uitstapten gadesloeg. 'Niet hier', zei hij. 'Kom met mij mee.'

Zonder op antwoord te wachten liep Tykas zonder door de sheriff gezien te worden, om het station heen naar het weggetje dat achter de winkels van Redemption liep.

Logan volgde hem met tegenzin. Als het aan hem lag, wilde hij niets met Tykas te maken hebben. Maar de aanwezigheid van de vroegere agent in het Westen was niet opgelost. Het was maar beter om te proberen erachter te komen wat de man van plan was. Logan liep dus maar achter hem aan.

Tussen de winkels door kon Logan aan de overzijde van de straat de voordeur van algemene winkel in de gaten houden. Hij ging zo staan dat Tykas met zijn rug naar de winkel toe stond. Logan wist niet of Tykas Clara Morgan ooit ontmoet had, maar hij nam het zekere maar voor het onzekere.

'Vertel mij eens Tykas, wat is er allemaal aan de hand?'

Tykas gaf niet direct antwoord. Hij nam Logan grijnzend op en zei: 'Ik weet dat we in het verleden onenigheid hebben gehad, maar we hebben samen toch ook een goede tijd doorgemaakt, of niet soms? Weet je nog hoe we vroeger urenlang met elkaar gepraat hebben?'

Dat herinnerde Logan zich nog wel. Toen hij bij de Austinfabrieken in dienst getreden was, was Tykas aangewezen om de nieuwe veiligheidsagent in te werken. Tijdens hun samenwerking hadden beide mannen volop de gelegenheid gehad om over allerlei dingen te praten. Ze kwamen erachter dat ze beiden van een geordende maatschappij droomden, een maatschappij zonder conflicten en verwarring. Hun gemeenschappelijke droom had aanvankelijk een band tussen beide mannen gesmeed. Tot het Logan na verloop van tijd duidelijk werd dat Tykas' utopische idee een wereld was waarin hijzelf boven een ieder verheven was en iedereen precies moest doen wat hij zei. Vanaf dat moment had Logan zich van de man gedistantieerd.

'Ik sta op het punt onze zo lang gekoesterde droom in vervulling te doen gaan!', riep Tykas uit. Hij zag er opgewonden uit.

'Heb je hier iemand gevonden die bereid is de gemeenschap te financieren?'

Tykas lachte. 'Niemand heeft hier geld. De gemeenschap wordt gefinancierd met geld uit New York.'

'Wat doe je dan in Redemption?' Het leek erop dat Tykas blij was dat Logan hem vragen stelde. Logan vermoedde dat Tykas dacht dat hij zijn vragen uit belangstelling voor de utopische gemeenschap stelde.

'Het lokaas loopt hier ergens rond', zei Tykas.

'Lokaas?'

Tykas knikte. 'Het lokaas dat ons het geld zal opleveren.' Toen hij Logans verbazing zag, vervolgde hij: 'Je zult het gaan begrijpen als je weet wie de bron van de financiering is. Raad eens wie onze droom gaat betalen?'

'Vertel het mij maar', zei Logan.
Tykas sloeg zijn armen over elkaar. 'Nee, raad eens!'
'Ik zou niet weten waar ik moet beginnen', zei Logan.
'Franklin Austin!', riep Tykas vrolijk uit. Toen hij zag hoe verbaasd Logan was, knikte hij enthousiast. 'Ja, je hebt het goed gehoord. De oude baas zelf!'
'En het lokaas is...?'
'De dochter van Austin!'
'Austins dochter Emily? Wat doet die hier?'
'Die is van huis weggelopen', lachte Tykas. 'Ik zou het zelf niet beter gepland kunnen hebben, vind je ook niet?' Hij bedaarde een beetje en zei: 'Ik had haar te pakken, maar ze is mij door de vingers geglipt. Ze deed net of ze naar het noorden trok. Maar ik weet toevallig dat ze hier in de buurt is en ik zal haar wel vinden. En dan zal ik een telegram naar haar vader sturen.'
Deze ideeën vervulde Logan met afschuw voor Tykas. 'Je wilt het meisje dus vasthouden om een losgeld te krijgen', zei Logan.
Tykas gaf hem een knipoog. 'Juist ja. Wat vind je van mijn idee. Doe je mee?'

Clara zocht in een kist een paar appels uit. Op het kaartje boven de kist stond te lezen dat de appels uit Missouri kwamen. Ze had al twee mooie appels uitgezocht en ze wilde er nog twee. Toen verscheen er nog een hand in de kist. Clara keek op. De hand was van een jonge vrouw met kortgeknipt, bruin haar en onschuldige, grote ogen. Ze zei: 'Hebt u ooit zulke rode appels gezien?'
'Ze zien er heerlijk uit', zei Clara.
De twee vrouwen zochten verder naar een paar mooie appels.
'Ik vind uw dorp prachtig!', riep de jonge vrouw uit. 'Ik denk dat ik er verliefd op geworden ben.'
Clara werd in verwarring gebracht en wist niet wat ze moest antwoorden. Toen begreep ze dat de jonge vrouw haar voor een bewoonster van het dorp aanzag. 'O, maar ik woon hier niet, hoor', zei Clara glimlachend. 'Ik ben net uit de trein gestapt.'
De jonge vrouw bloosde. 'O, neem me niet kwalijk', giechelde ze. 'Ik ben hier zelf pas zondag aangekomen en ik ken hier nog niet zoveel mensen.'
Clara lachte. 'Ik dacht dat u hier woonde. Maar ik ben het met u eens. Het is werkelijk een alleraardigst dorp.'
'Waar komt u vandaan?', vroeg de jongedame.

'New York.'
'New York! Werkelijk? Wat toevallig. Ik kom ook uit New York! Ik heet Emily. En wie bent u?'
'Emily...' Clara herhaalde de naam. 'Leuk je te ontmoeten. Ik heet...'
Op dat moment stak de gebaarde passagier die het zo leuk vond om allerlei treinongelukken te vertellen, zijn hoofd om de deur en riep: 'DE TREIN VERTREKT'
'O Emily, ik moet gaan!', riep Clara.
'Ik heb helemaal geen fluit gehoord', zei Emily.
Clara lachte opnieuw. 'Het lijkt erop dat onze machinist een hekel aan fluiten heeft', zei ze, terwijl ze naar de toonbank rende. Ze betaalde meneer Woolcott haastig voor de appels en rende toen de deur uit.
'Een goede reis', riep Emily haar na.
Terwijl ze de straat doorrende, keek Clara uit naar Logan. Ze begon zich bezorgd te maken. Logan was niet naar de winkel gekomen zoals hij gezegd had. Hoewel ze hem pas een paar dagen kende, kende ze hem voldoende om te weten dat dit niets voor hem was. Ze herinnerde zich hoe hij keek toen hij haar zei zonder hem naar de winkel te gaan. Wat had hij achter het station gezien dat hij zo gekeken had?
De trein voor haar schokte en kwam toen langzaam in beweging. Clara keek nog eens snel om zich heen, maar Logan was nergens te zien. Ze hoopte dat hij al ingestapt was. Ze trok haar jurk iets op om niet te struikelen en holde het perron op. Toen stapte ze op de treeplank van de al rijdende trein en ging naar binnen.
Met bonzend hart liep Clara door het gangpad naar de bank waar zij en Logan al die tijd gezeten hadden. Alleen de gedichtenbundel van Logan lag op de bank.
Clara boog zich naar voren om uit het raam te kijken. Ze moest over en langs de mensen heenkijken die al eerder in de trein gestapt waren en nu hun bagage weglegden en hun plaatsen weer innamen voor de volgende etappe van de reis.
Achter de ramen van de trein schoven de gebouwen van Redemption langzaam voorbij. In de straat liepen mensen. Emily stond in de straat en zag de trein vertrekken. Op het perron stonden mensen te wuiven en hun tranen af te vegen. Koetsiers die langs de rails stonden, spoorden hun paarden aan, keerden hun wagens en reden naar huis.
Clara's hart begon opnieuw te bonzen, maar deze keer niet van het rennen. Logan was niet in de trein en hij was nergens te zien.

Vanaf het pad dat achter de winkels liep zag Logan Clara uit de winkel rennen. Hij hoorde ook het zware gepuf van de stoomtrein die op het punt stond weer te vertrekken. Toen, tot zijn grote verbazing, zag hij haar – de dochter van Austin.

Tykas zag haar niet. Hij stond met zijn rug naar de straat. 'Begrijp je het niet?', riep hij. 'Dit is onze grote kans waarop we zolang gewacht hebben! De gemeenschap waarvan we gedroomd hebben, ligt binnen handbereik. Wie kent Austin uiteindelijk beter dan wij? Ja toch? We kunnen ieder een bedrag vragen en hij zal betalen! Dus wat doe je? Doe je mee?'

De dochter van Austin stond midden in de straat. Als Tykas maar even over zijn schouder zou kijken, zou hij haar zien. Dat mocht niet gebeuren.

Het gepuf van de locomotief nam toe. Hij dacht aan Clara. 'Als we dat meisje eenmaal te pakken hebben, waar verbergen we haar dan?', vroeg hij.

De sik van Tykas ging opgewonden op en neer. 'Ik heb een plaats in Illinois', zei hij. 'Daar brengen we haar heen.'

'Je bent toch niet van plan haar iets te doen, hè?'

Er was even iets van teleurstelling in Tykas' ogen te zien. Veel minder opgetogen zei hij: 'Dood hebben we niets aan haar.'

Logan keek langs Tykas heen in de hoop dat het meisje doorgelopen zou zijn.

Ze keek hem recht in het gezicht! Haar hand vloog naar haar mond. Ze liet de tas die zij in haar hand hield, vallen en rende in de richting van het station.

De gedachten maalden door Logans hoofd als een wervelstorm. Hij moest Tykas afleiden, Emily waarschuwen en Clara weer inhalen. Dat leek onmogelijk, maar hij moest het proberen. Dat meisje van Austin was de sleutel. Ze was naar het station gerend. Misschien zou het werken.

'Luister', zei Logan. Hij sprak vlug: 'Ik wil hier meer over horen, maar de trein vertrekt en mijn spullen zijn nog in die trein. Ik wil die nog even halen en dan ontmoeten we elkaar weer...' Hij zag aan het andere eind van het dorp in de verte de kerk staan. '... onder de boom bij de kerk.' Hij wees naar de kerk voor het geval dat Tykas niet wist waar de kerk stond. Tegelijkertijd begon hij naar de spoorbaan te lopen.

Het geluid dat de trein maakte, begon zwakker te worden.

'Je hebt die spullen niet nodig', zei Tykas. 'We zullen spoedig genoeg geld hebben om alles te kopen wat je nodig hebt.'

'Het zijn persoonlijke dingen', zei Logan. 'Dingen uit de familie die niet te vervangen zijn. Die boom bij de kerk. Geef mij een paar minuten...' Hij keerde zich weer naar de spoorbaan.

Tykas staarde hem met toegeknepen ogen na. 'Ik zal onder die boom op je wachten', zei hij.

Voor Logan betekenden zijn woorden het begin van een wedren. Hij liep zo hard als hij kon.

Toen hij het gebouw dat het dichtst bij het station stond, gepasseerd was, kwam de trein in zicht. Logan wist niet of hij in staat was hem in te halen. Uit de pijp kwamen grote zwarte rookwolken, die er op wezen dat de trein vaart kreeg.

Waarom juist nu?, zei Logan bij zich zelf.

Als de trein een station uitreed, kroop hij soms een uur lang met een slakkengang voort zonder dat de passagiers wisten waarom. Deze keer wees het steeds sneller op elkaar volgende gepuf erop dat de trein gauw op volle snelheid zou zijn.

Logan begon nog harder te rennen.

Hij was helemaal niet van plan zich bij Tykas aan te sluiten. Hij wilde de man juist van Emily weghouden en haar waarschuwen; dan Clara inhalen, de trein laten stoppen en weer terug naar het dorp gaan. Hopelijk kon hij er Clara van overtuigen met hem mee terug te gaan.

Hij wist vrijwel zeker dat dit alles bij elkaar onmogelijk was, maar hij wilde het proberen. Het was absoluut onmogelijk voor hem om met de trein weg te rijden en dat meisje aan de genade van een man als Tykas over te laten.

Toen hij het perron bereikte, zag hij Emily. Zij zag hem ook. Ze had haar hand op de arm gelegd van een lange man met een snor en een insigne op zijn borst.

'Daar is hij!', riep Emily, terwijl ze op Logan wees. 'Hij is één van de twee!'

Toen Emily de winkel uitgelopen was, stond ze op straat naar het vertrek van de trein te kijken. Ze keek naar de vrouw die ze in de winkel ontmoet had. Ze zag sheriff Clark en verscheidene mensen die de trein stonden na te wuiven. Emily kon de vrouw niet ontdekken, wat waarschijnlijk betekende dat ze de trein gehaald had.

Emily vroeg zich af waarom Molly nog niet was komen opdagen. Kennelijk duurde haar gesprek met Ann langer dan ze gedacht had. Emily draaide zich om om naar de kledingwinkel te gaan.

Haar hart sloeg een slag over toen ze plotseling de twee mannen achter de rij winkels zag staan.

Ze herkende Tykas niet onmiddellijk. Hij stond met zijn rug naar haar toe. Maar die andere man had iets bekends wat haar aandacht trok. Een volle bruine baard... dun haar... rustige, bijna droevige ogen... die haar aankeken.

Toen herinnerde zij het zich weer, en de herinnering deed haar hart bonzen en een huivering over haar rug lopen. Ze had hem in haar huis gezien. Onderaan de trap in het portaal. Het was die avond geweest toen haar vader haar erop betrapt had dat ze het huis wilde binnensluipen. Er waren twee mannen uit de studeerkamer van haar vader gekomen. Tykas en zijn partner!

En de man die met zijn rug naar haar toe stond? Tykas! Nu herkende ze zijn vette haar.

Emily had maar één gedachte. Onmiddellijk naar sheriff Clark rennen!

De sheriff zag haar komen en aan haar gezicht zag hij dat ze bang was. Juist toen ze hem bereikt had, zag ze aan het eind van het gebouw de partner van Tykas tevoorschijn komen. Hij rende recht op haar af!

'Daar is hij!', riep Emily. 'Hij is één van de twee!'

Sheriff Clark ging tussen Emily en de naderbijkomende man in staan.

'Hij is Tykas' partner!', schreeuwde Emily. Ze keek angstig rond of ze Tykas zag in de verwachting dat hij van een andere kant op haar toe zou rennen. Ze zag hem echter niet.

'Blijf daar staan!', riep de sheriff.

De man bleef naar hen toerennen. De sheriff trok zijn pistool.

De man schreeuwde: 'Sheriff, ik heb geen tijd om het uit te leggen. Emily is in gevaar. Houd haar bij u tot ik terug ben. Ik moet die trein halen!'

Niets wees erop dat de man zou blijven staan.

'Ik zei: Blijf daar staan!', waarschuwde de sheriff opnieuw.

De man was nu van richting veranderd en liep niet meer recht op hen toe. Hij rende nu achter de trein aan. Sheriff Clark zorgde ervoor dat hij tussen Emily en de man in bleef staan.

'Ik zei: Blijf staan!', schreeuwde de sheriff.

De handen van de man waren goed zichtbaar. Hij droeg geen wapen.

'Ik zal het over een paar minuten uitleggen!', schreeuwde hij. 'I *moet* die trein halen!'

De man liep de sheriff en Emily voorbij en kwam dichter bij de trein. Het was duidelijk dat hij, als hij het volhield zo hard te rennen, de trein zou halen.

'Blijf staan of ik schiet!', schreeuwde de sheriff.

De man bleef door rennen.

BENG!

Het pistoolschot weerkaatste tegen de wand van het rode station. Uit de loop van het pistool, dat omhoog gericht was, kringelde rook op. Het geluid was voldoende om de man tot staan te brengen.

Hij stond aan het eind van het perron. Met afhangende schouders zag hij hoe de trein met steeds grotere snelheid wegreed.

Verscholen achter de hoek van Curtis Richard's winkel in lederwaren zag Tykas met gemengde gevoelens hoe Logan op het perron gearresteerd werd. Enerzijds was hij woedend toen hij besefte dat Logan niet van plan was zich bij hem aan te sluiten; anderzijds wist hij nu precies waar Emily was.

'Dwaas!', mompelde hij voor zich heen toen hij zag hoe Logan door de sheriff werd weggeleid.

Toen er geen hout meer te hakken was, had Jesse zich gewassen en zat nu op de schommelbank op de terugkomst van de meisjes te wachten. Na een poosje werd hij moe van het wachten en van het nadenken. In plaats van tot een besluit te komen ten aanzien van Molly, Emily en het plaatsje Redemption, was alles een onontwarbare knoop geworden.

Omdat het dorp nog geen mijl verderop lag, besloot hij erheen te lopen. Als hij de meisjes onderweg zou tegenkomen, zou hij met hen mee terugrijden. In het dorp had hij uiteindelijk niets te zoeken; hij verlangde alleen naar gezelschap.

Hij zette zijn pet recht, die hij al die tijd dat hij uit New York vertrokken was, gedragen had, en ging op weg naar Redemption.

'Sheriff, ik begrijp hoe dit alles op u moet overkomen', smeekte Logan, 'maar ik ben geen bondgenoot van Richard Tykas. Ik wilde Emily juist voor hem waarschuwen!'

Logan was naar het bureau van de sheriff gebracht. Achter het kantoor bevonden zich twee cellen. Uit niets bleek dat de sheriff naar hem wilde luisteren. Pas toen de deur van één van de cellen achter hem dichtsloeg, veranderde zijn houding.

De sheriff zei: 'Volgens mij wilde u via die trein ontsnappen.'

Logan knikte en zei: 'Ja, ik probeerde die trein te halen. Ik wilde mij spullen halen die nog steeds in de trein liggen. Maar ik zou teruggekome zijn. God is mijn getuige, ik was echt van plan terug te komen.'

De sheriff keerde zich tot Emily die hen gevolgd was. 'Je zei toch d dit Tykas' partner is?'

Emily knikte. 'Die twee hebben vroeger voor mijn vader gewerkt. I zag ze op zekere avond in de studeerkamer van mijn vader.'

'*Vroeger* hebben we samengewerkt', legde Logan uit. 'Toen we beide voor meneer Austin werkten zijn we een poosje partners geweest. Maa nu ben ik Tykas' partner niet.'

'Ik zag die twee achter de winkels met elkaar staan praten', zei Emily

De sheriff keek naar Logan voor een verklaring.

'Ja, ze heeft ons daar gezien. Maar het is vandaag voor het eerst sinc maanden dat ik de man zag! Toen ik uit de trein stapte, zag ik hem. H probeerde mij over te halen hem te helpen. Dat is juist waarvoor ik u wild waarschuwen.'

'Waarmee moest u hem helpen?', vroeg de sheriff.

Logan zuchtte. Hij keek bedroefd naar Emily. 'Tykas wil Emily kic nappen en voor een losprijs weer vrijlaten. Hij wil het geld gebruiken o daarmee een nieuwe utopische gemeenschap op te richten.'

'Dat is ook wat Tykas mij vertelde toen hij mij uit Fort Larned ontvoer had!' zei Emily.

'Dat is *zijn* plan, niet dat van *mij*', stelde Logan nadrukkelijk.

Nu slaakte de sheriff een zucht. 'Meneer Logan, is er iets wat u mij ku zeggen of laten zien waardoor u mij van de waarheid van uw verhaal ku overtuigen?'

Logan keek naar het plafond van de cel terwijl hij nadacht over ee tastbaar bewijs voor de waarheid van zijn verhaal. 'Er is iemand in de trei die kan bevestigen dat ik de waarheid spreek', zei hij.

'Ik ben bang dat u daar momenteel niet zoveel aan hebt. Heeft u nie anders te bieden?', antwoordde de sheriff.

Logan haalde met tegenzin zijn schouders op.

'Dan ben ik bang dat ik u hier zal moeten vasthouden tot ik die Tyk gevonden heb en zijn verhaal gehoord heb.'

Clara staarde afwezig uit het raam. Haar handen streelden de gedichtenbu del van Logan die op haar schoot lag. Ze sloeg het boek voorzichtig ope Haar ogen vielen op het gedicht van Francis Thompson:

'Ik vluchtte voor Hem, nachten en dagen;
ik ontvluchtte Hem al die jaren;
ik vluchtte voor Hem over al die kronkelwegen
van mijn eigen gedachten; en in een mist van tranen
en onder hoongelach verschool ik mij voor Hem.'

In een mist van tranen... Clara's ogen werden vochtig bij de gedachte aan de eigenaar van de bundel. Na al die jaren van bitterheid was het hem gelukt haar ogen weer te openen voor de goede dingen van het leven. Door zijn woorden en houding was ze weer aan God gaan denken.

Het was nog maar een paar minuten geleden dat ze Logan voor het laatst gezien had, maar ze miste hem al. Ze vroeg zich af of ze ooit de kans zou krijgen hem te bedanken voor alles wat hij voor haar gedaan had.

Er viel een traan op het gedicht van Thompson; en voor de eerste keer sinds de dood van haar man bad Clara weer.

Toen ze haar ogen opendeed, kostte het even tijd om aan het heldere zonlicht te wennen. Toen keek ze uit het raam en was dankbaar dat God naar haar wilde luisteren. In de verte liep een eenzame figuur door het hoge prairiegras.

Lang. Slungelachtig en met een gang die haar bekend voorkwam. En een pet, net als die van...

Jesse? Clara drukte haar gezicht tegen het raam en durfde niet te geloven dat het haar zoon was.

De jongeman nam de pet van zijn hoofd om met zijn mouw zijn voorhoofd af te vegen. Bruin haar dat in het heldere zonlicht een rossige gloed had.

Hij was het!

'Jesse!', schreeuwde Clara. Haar stem kaatste tegen het raam terug. Ze keek om zich heen of ze de conducteur zag en riep: 'Laat de trein stoppen! Laat de trein stoppen!'

Aangezien de conducteur niet aanwezig was, zei de gebaarde verteller van treinongelukken: 'Mevrouw, wat is er? Bent u ziek?'

'Daar buiten loopt mijn zoon', schreeuwde Clara terwijl de tranen langs haar wangen stroomden. 'Ik moet eruit!'

De man keek over het gangpad heen door het raam. Hij zag de jongen ook.

'Ik ben helemaal uit New York gekomen om hem te zoeken!', jammerde Clara.

'Dus dit is een noodgeval?', vroeg de man.

'Ja! Ik moet de trein uit!'

De gebaarde man grijnsde. 'Dit heb ik altijd al willen doen', zei hij. Hij strekte zijn hand uit naar het koord van de noodrem en trok.

Het gepiep van de remmen van de trein was op grote afstand te horen. Jesse keerde zich om en kneep zijn ogen een beetje dicht tegen het felle zonlicht.

Vreemd, dacht hij. Voor zover hij kon zien was er geen enkele reden om de trein zo plotseling tot stilstand te brengen. Hij kon geen enkel obstakel op de rails zien liggen.

Toen kwam er een vrouw uit één van de middelste rijtuigen tevoorschijn. Ze rende zo hard alsof iemand haar nazat. Achter haar verscheen een gebaarde man op de treeplank, maar hij volgde haar niet.

De vrouw rende en zwaaide met haar armen. En ze riep iets.

Nog voordat hij zijn naam hoorde, herkende hij haar.

'Moeder? Moeder!', schreeuwde hij. Hij rende naar haar toe.

Op een paar honderd meter van de Santa Fe Spoorbaan vond Clara Morgan haar zoon terug. Terwijl de passagiers in de trein hun gezichten tegen de ramen drukten en toekeken, omarmden moeder en zoon elkaar, en huilden, en omarmden elkaar opnieuw.

'Jesse! Jesse! God zij gedankt dat ik je gevonden heb!'

HOOFDSTUK 35

Emily stormde de deur van de kledingwinkel binnen en botste pardoes tegen Molly op die nog net niet viel.

'Nou, nou', riep Molly, 'heb je mij zo erg gemist?'

'Tykas is hier!', schreeuwde Emily.

De naam was genoeg om alle vrolijkheid bij Molly te doen verdwijnen. 'Heb je hem gezien?', vroeg ze.

'Ja, en ook zijn compagnon', zei Emily. 'Je broer heeft zijn compagnon opgesloten en is nu op zoek naar Tykas.'

Ann liep naar de twee vrouwen toe. 'Molly, wat is er aan de hand?', vroeg ze. 'Het lijkt wel of je een spook gezien hebt.'

'Zoiets', zei Molly. 'Ik word door het verleden achtervolgd.'

'Het is allemaal mijn schuld', zei Emily. 'Ik heb hem hier heengebracht.'

'Emily, dat is onzin. Je moet jezelf niet de schuld geven voor iets wat een ander doet', zei Molly. 'Heeft mijn broer gezegd wat wij nu moeten doen?'

'We moeten direct naar zijn bureau gaan en daar op hem wachten', antwoordde Emily.

'Laten we dan gaan', zei Molly.

'Kan ik iets voor jullie doen?', vroeg Ann.

'Bidden', antwoordde Molly. 'Bidden zonder ophouden.'

De twee vrouwen liepen gearmd de winkel uit. Ze keken zenuwachtig de straat af. Voor Molly leek het een dag als alle andere dagen in Redemption. Aan het eind van de straat zagen ze sheriff Clark. Hij keek een steeg in, liep toen naar het station en verdween achter het gebouw.

Zonder een woord te zeggen, liepen Emily en Molly langzaam naar het bureau van de sheriff. Ze hoefden de straat niet over te steken. Ze moesten over het trottoir langs drie winkels lopen om er te komen. Ze hielden beiden de straat goed in de gaten. Emily vroeg zich af wat ze zouden doen als ze Tykas zouden zien. Ze zou wel willen dat ze haar politiefluitje bij zich had.

Plotseling dook er iemand van tussen twee gebouwen op. Emily voelde dat er iets tegen haar rug werd geduwd. Ze draaide zich verschrikt om en zag dat ze slechts een paar centimeter van de zwarte sik van Tykas verwijderd was.

'Eén geluid en je bent er geweest', mompelde hij.

Molly draaide zich om om te zien waarom Emily was blijven staan. Toen ze Tykas zag, zei ze vol walging: 'Jij!'

Tykas wist niet wat hij met Molly of haar opmerking aan moest. Hij verspilde geen tijd om daar achter te komen. 'Alle twee deze kant op.' Hij greep Emily bij de arm en trok haar tussen de winkels. 'Als je niet rustig meekomt', zei Tykas tegen Molly, 'is het met haar gebeurd. Eén geluidje en ze is dood. Begrepen?'

Gezien haar ervaring in het verleden met deze man twijfelde Molly er niet aan dat hij zijn bedreiging zou uitvoeren. Uit vrees voor Emily's leven verdween Molly met Emily en Tykas tussen de twee winkels.

'Hij kende je vader', zei Clara.

Clara liep gearmd met Jesse en zag er erg gelukkig uit. De trein was zonder haar verder gereden, maar Clara vond het niet erg. Terwijl anderen naar het Westen kwamen om een nieuw begin te maken of in één klap rijk te worden, had Clara gevonden wat ze zocht. Nu haar reis ten einde was, liep ze in grote tevredenheid naar het dorp Redemption. Ze vertelde hem over haar reisgenoot.

Jesse vond het maar moeilijk om te aanvaarden dat zijn moeder nu aan zijn arm liep. Plotseling was ze weer in zijn leven opgedoken. Ze leek gelukkiger en gezonder dan Jesse haar ooit gezien had. En ze was helemaal weg van die man die Logan heette.

'Een man die aardiger is dan hij bestaat er niet', zei ze. 'En hij weet ook heel veel. Hij moet nog in het dorp zijn. Ik kijk ernaar uit dat jullie kennis zullen maken.'

Toen ze nog een paar honderd meter van de enige straat van het dorp verwijderd waren, kwam er plotseling een wagen van achter de gebouwen tevoorschijn. De wagen reed met een grote stofwolk achter zich aan in de richting van de kerk. Jesse herkende de koetsier.

'Molly!', riep hij. Achter op de wagen zaten nog twee personen dicht naast elkaar. *Emily en Tykas!*

Tykas had zijn arm om haar nek geslagen en zijn andere arm was wat gebogen, wat erop zou kunnen wijzen dat hij een wapen op haar rug gericht had.

Clara wist niet wat ze met de ontsteltenis van haar zoon aan moest. 'Dat meisje', zei ze, 'heb ik in de algemene winkel ontmoet.'

Jesse hoorde haar niet. Hij rukte zich van haar los en liep schreeuwend achter de wagen aan. Emily hoorde zijn geschreeuw. Haar lippen vormden zijn naam. Tykas zag hem ook. Hij zei iets wat Jesse niet helemaal duidelijk werd, maar hij scheen zich geen zorgen te maken. Het was voor iedereen duidelijk dat Jesse de wagen nooit zou kunnen inhalen.

Toen Jesse daar uiteindelijk ook zelf achter kwam, rende hij naar zijn moeder terug. 'Ze worden ontvoerd!', legde hij uit. 'We moeten ogenblikkelijk de sheriff waarschuwen!'

Hij rende naar het dorp en Clara holde achter hem aan.

Jesse stormde het bureau van de sheriff binnen. 'Sheriff Clark!', schreeuwde hij.

Niemand antwoordde. Het bureau leek verlaten. De deur die toegang gaf tot de cellen stond op een kier.

'Hij moet op straat zijn', meende Jesse. 'Ik moet hem vinden! Moeder, blijf jij maar hier. Ik ben zo weer terug.'

'O nee', zei Clara. 'Ik heb niet de halve wereld afgereisd om je hier weer kwijt te raken. Ik ga met je mee!'

'Clara?' De stem kwam vanachter de deur die toegang gaf naar de cellen. 'Clara? Clara, ben jij dat?'

Er kwam een verbaasde trek op Clara's gezicht. 'Logan?' Clara liep weifelend door de deur. 'Logan! Ben jij het? Wat doe jij in de gevangenis?'

'Wat doe jij hier?', riep Logan. 'Waarom zit je niet in de trein?'

'Ik heb Jesse gevonden!' Door de tralies heen greep ze Logans handen. 'Ik heb Jesse gevonden!'

Jesse stak zijn hoofd weer om de deur om te zien met wie zijn moeder praatte. De man achter de tralies leek vriendelijk en oprecht blij te zijn met het geluk dat Clara ten deel was gevallen.

'Moeder, is alles goed met u?', vroeg Jesse terwijl hij naar de man in de cel keek en tegelijkertijd weer onmiddellijk weg wilde rennen.

Clara merkte zijn haast en zei: 'Ga jij de sheriff maar zoeken. Maar kom daarna meteen weer terug. Ga nergens zonder mij heen!' Ze sprak met moederlijk gezag.

Jesse knikte. Even later gaf het dichtslaan van de deur aan dat hij vertrokken was.

'Wat is er gebeurd?', vroeg Logan.

'Jesse zag een vriendin met een man in een wagen. Hij denkt dat de man haar ontvoert.'

'Emily!', riep Logan

Clara staarde hem verbijsterd aan alsof iedereen het geheim kende behalve zij. 'Ja, Emily... ik heb haar in de winkel ontmoet...'

'Ik moet hier uit!', zei Logan.

Vijf minuten later kwam Jesse met de sheriff terug.
'Laat mij eruit, sheriff', riep Logan. 'Ik kan u helpen!'
'Dat kan ik niet doen', zei de sheriff eenvoudig. 'Hij keek naar Clara en vroeg: 'Wie is dat nou weer?'
Jesse stelde gauw zijn moeder voor. De sheriff knikte en ontsloot een rek waar geweren in stonden. Hij greep een karabijn.
Clara zei: 'Ik weet dat u deze man ervan verdenkt dat hij samenwerkt met die andere man, maar dat kan niet. Hij heeft de afgelopen dagen met mij samen in de trein gezeten.'
'Net zoals ik u al verteld heb, sheriff!', zei Logan. 'Ik ben geen compagnon van die man! Maar ik ken hem goed. Hij is gevaarlijk! En ik kan u helpen hem gevangen te nemen!'
Sheriff Clark ging vlak voor de cel staan en zei met een hese stem: 'Die man houdt ook mijn zuster vast!'
'Haal mij er dan uit en laat mij u helpen!', zei Logan.
'Opschieten, sheriff!', riep Jesse.
Sheriff Clark deed tenslotte de celdeur open. Tegen Jesse zei hij: 'Waar is die wagen heengereden?'

Nadat hij tegen een aantal mannen geroepen had dat Molly ontvoerd was, reden de sheriff en Logan te paard weg. Jesse reed met zijn moeder in het vierwielige wagentje dat voor de kledingwinkel was achtergelaten, achter hen aan. De paarden waren hen al gauw een stuk voor. Als het terrein meer geaccidenteerd zou zijn geweest, zou het voor Jesse onmogelijk zijn geweest hen te volgen. Maar zelfs nu raakte hij de ruiters uit het oog, hoewel hij de stofwolk die ze opwierpen kon blijven zien.
Bij een oud huis haalden ze de ruiters in. De wagen die gebruikt was om er de meisjes mee te ontvoeren, stond voor het huis. De sheriff en Logan verscholen zich op zo'n honderd meter afstand achter een groepje bomen. Het huis leek verlaten. Het terrein tussen het huis en het groepje bomen was kaal, zodat ze zich nergens achter konden verschuilen.

Molly en Emily zaten in het huis in een hoek in elkaar gedoken. Tykas stond aan de andere kant van de kamer bij een raam en af en toe zijn hoofd voorbij het raamkozijn om te zien wat er buiten gebeurde.
Vanachter een groepje bomen kwam een stem. 'Ik ben sheriff Clark', maakte de stem zichzelf bekend.
De meisjes keken elkaar opgelucht aan en glimlachten. Onder Tykas' moordzuchtige blik verdween hun glimlach echter weer snel.
'Laat de vrouwen gaan, Tykas', riep de sheriff.

'Jij hebt hier niets mee te maken, sheriff!', schreeuwde Tykas terug. 'Ik ben een door Franklin Austin aangestelde agent met de opdracht zijn dochter veilig thuis te brengen.'

Het was even stil.

'Goed, Tykas', schreeuwde de sheriff. 'Ik wil je op je woord geloven.'

'Wat?', riep Emily uit. Een dreigende blik van Tykas bracht haar tot zwijgen.

'Kom naar buiten en dan rijden we in alle vrede terug naar het dorp. We zullen een telegram naar meneer Austin sturen en als hij de opdracht bevestigt, kunnen u en het meisje gaan.'

Omdat Tykas geen teken van enige frustratie vertoonde, werd duidelijk dat hij niet werkelijk geloofd had dat de sheriff hem zomaar zou laten gaan. Het was maar een openingszet geweest.

'Wat doen we nu?', vroeg Jesse.

Zonder het gebouw een moment uit het oog te verliezen, zei sheriff Clark: 'We wachten.'

Daar wilde Jesse niet van horen. 'We moeten iets doen!', schreeuwde hij. 'Tykas zal ze vermoorden!'

De sheriff keek naar Logan. 'Is hij daartoe in staat?'

'Als hij in het nauw gedreven wordt, zeker', antwoordde Logan.

De sheriff keek weer naar het huis en zei: 'Dan zullen we hem niet in het nauw drijven.'

Achter hen bewoog iets. Jesse draaide zich om en zag een grote stofwolk. Het waren de mensen van Redemption, mannen en vrouwen. Als een zwerm sprinkhanen streken ze neer. Even later was het hele huis omsingeld en kon Tykas nergens meer heen.

De zon was onder de horizon gezakt. Het was donker. Het was nog donkerder omdat niemand een vuur aangestoken had. Ze wilden voorkomen dat ze een gemakkelijk doelwit voor de vijand zouden zijn. De maan was nog niet op. Achter de boom zat sheriff Clark met een groepje mannen, waaronder Jesse en Logan, een plan te bespreken. Ze zouden onder dekking van het duister het huis benaderen.

Hoewel ze tegen elkaar aanzaten, kon Emily Molly nauwelijks zien. Ze wisten meestal niet waar Tykas zich bevond, maar als ze het minste gerucht maakten, dook hij plotseling op. Hij kon sluipen als een kat. Emily vermoedde dat zijn ervaring als agent hem geleerd had hoe hij zo stil kon komen en gaan.

Op zeker moment, toen ze hem een poosje niet gezien hadden, probeerden ze snel bij de voordeur te komen. Ze waren nog niet overeind toen hij al bovenop hen zat. De herinnering aan het scherpe staal tegen hun keel, de stinkende adem van Tykas en zijn moordzuchtige bedreigingen zorgden ervoor dat ze het niet nog eens probeerden. De meisjes besloten dat hun beste wapen het gebed was en ze vertrouwden verder op Oliver en Jesse.

In de hoek van een kamer tegen elkaar aangezeten baden ze om de beurt.

Tykas hoorde hen. 'Houdt je mond!', schreeuwde hij. 'Ik heb jullie gewaarschuwd niet te proberen te ontsnappen!'

'We bidden alleen maar', zei Emily.

'Dat helpt niet', antwoordde Tykas. 'God staat aan mijn kant.'

Molly viel hem in de rede en zei: 'Hoe kun je ook maar een moment denken...'

Emily maande haar te zwijgen. Het was nu niet het moment voor een theologisch debat.

Tykas had een aantal oude kranten bij elkaar gezocht. Hij gooide ze in een hoek en ging toen nog meer papier zoeken. Toen hij weer terug kwam, gooide hij het gevonden papier in een andere hoek.

'Dit is het plan, dames', zei hij. 'Over een minuut staat hier de hele boel in lichterlaaie. Je hebt een keus. Jullie kunnen dicht bij mij blijven en tegelijkertijd met mij ontsnappen of jullie kunnen hier blijven en levend verbranden. Aan jullie de keus.'

'Je bent gek', zei Molly. 'Hoe denk je te ontsnappen met al die...'

'... mensen daarbuiten?', maakte Tykas de zin voor haar af. 'Weet je waarom, juffie? Omdat al die mensen mij zullen helpen te ontsnappen.' Hij ging op zijn hurken voor hen zitten zodat hun gezichten op gelijke hoogte waren. 'Vertrouw mij maar!', zei hij. 'Dit is niet de eerste keer dat ik zoiets doe. Een brand is een geweldige afleidingsmanoeuvre. Mensen vliegen overal heen... helemaal door het dolle heen... en ze hebben maar één gedachte... één gedachte... zo gauw mogelijk het vuur te blussen! Voor kalme, redelijke en verstandige mensen zoals ik kan een goede brand een geweldige dekking opleveren om... hoe zal ik het zeggen... allerlei interessante dingen te doen. En daarna zijn door de brand alle aanwijzigingen voor een eventuele aanklacht uitgewist.'

'Dat werkt niet altijd zo goed als je denkt', zei Molly. 'Soms blijven er getuigen in leven. Net als vijftien jaar geleden in New York, toen je Benjamin Morgan vermoord hebt!'

Tykas werd door de beschuldiging zozeer van zijn stuk gebracht dat hij een bijna komische aanblik bood.

'Jazeker', zei Molly. 'Ik was erbij. Ik zag hoe je hem vermoordde.'

'Dat kleine meisje...', mompelde Tykas.
Er stond angst in de ogen van de man te lezen. Hij keek als iemand die dacht dat hij zojuist een spook gezien had. Maar voor Tykas was dat spook niet denkbeeldig. Hij stond oog in oog met iemand die naar zijn idee inderdaad uit de dood was opgestaan.
Hij stond op en liep zonder iets te zeggen weg.
Emily leunde dichter naar Molly toe. 'Ik wou dat je hem dat maar niet verteld had.'
'Ik kon het niet laten', zei Molly.

'Brand!'
Het alarm stuurde de plannen van de sheriff in de war. Alle ogen werden op het huis gericht. Door de ramen zagen ze gele en oranje vlammen. In een oogwenk stond het hele huis in brand.
Tykas' voorspelling was juist. Hij had een mierenhoop in beweging gebracht. De mensen stoven schreeuwend en gillend alle kanten op, op zoek naar een waterbron, emmers, dekens, alles wat ze maar konden vinden om de vlammen te doven. Maar er was niets te vinden. In de put zat geen water. Er waren geen emmers, geen dekens en niemand had er aan gedacht schoppen mee te nemen. En alle agitatie had geen enkel effect op de vlammen.
Het plan van de sheriff om de duisternis als dekmantel te gebruiken ging op in rook en vuur. De brand verlichtte de hele omtrek van het huis. Iedereen die naar het huis zou gaan, zou duidelijk zichtbaar zijn.
'Wat is hij van plan? Zelfmoord plegen?', riep de sheriff.
'Nee', zei Logan. 'Hij heeft dit al eerder gedaan. Hij wil de verwarring die door de brand ontstaat, gebruiken om te ontsnappen. Zorg ervoor dat niemand naar het huis gaat.'
'Maar ze zullen verbranden!', schreeuwde de sheriff.
'U moet hem niet de kans geven om onder te duiken in een hele menigte mensen die de brand proberen te blussen!', zei Logan. 'Iedereen van het huis weghouden. Ik zal naar binnen gaan en de meisjes gaan halen!', zei Logan. 'Maar ik heb hulp nodig. Tykas zal op ons liggen te wachten. Als we met zijn drieën naar binnengaan, is de kans groot dat één van ons de meisjes kan redden.'
'Nee!', riep Clara. 'Laat iemand anders maar gaan.'
De sheriff gaf de mannen van Redemption het bevel van het huis vandaan te blijven. Toen zei hij tegen Logan: 'Jij gaat van het noorden naar binnen en ik van de oostkant. We hebben nog iemand nodig.'
'Ik ga mee', zei Jesse.

Clara sloot haar zoon in de armen. 'O nee, jij niet. Jij mag daar niet heen. Ik laat je niet gaan!'

Sheriff Clark legde zijn hand op Jesse's schouder. 'Jongen, blijf jij bij je moeder.'

Jesse schudde zijn hoofd. 'Sheriff, u gaat daar toch naar binnen omdat uw zus daar is, hè?'

De sheriff knikte.

'De vrouw waarvan ik houd, is daar ook binnen. Dan kunt u niet van mij verwachten dat ik hier buiten werkeloos blijf toezien.'

Sheriff Clark keek hem aan en knikte. 'Jij neemt de westkant.'

'Jesse, op die manier heb ik ook je vader verloren, ik wil...'

Jesse trok zich los van zijn moeder en zei: 'Vader stierf terwijl hij bezig was met iets wat hij juist achtte. Misschien heb ik wel iets van hem. Ik wil het in ieder geval proberen. Ik kan de loop van mijn leven niet door angst laten bepalen.'

Clara nam zijn gezicht tussen haar handen. 'Je lijkt precies op je vader', fluisterde ze. Ze omhelsde hem opnieuw en zei: 'Ga maar en mag God met je zijn.'

De westkant van het huis was één vlammenzee. Hij werd er door aangetrokken.

Zoals demonen dezelfde hel als bron hebben, zo komen ook de vlammen uit één brandhaard. Althans die indruk kreeg Jesse. Hoe zou hij anders kunnen verklaren dat deze vlammen, zo ver van New York verwijderd, zijn naam kenden?

Dit waren dezelfde vlammen die ook zijn vader gedood hadden. De vlammen die hem geroepen hadden uit dat brandende vat in die steeg. De vlammen die niet voldaan zouden zijn tot ze ook hem verteerd zouden hebben.

Jesse liep behoedzaam naar het brandende huis toe.

De vlammen sprongen naar hem toe toen hij naderde. 'Eindelijk krijgen we je dan te pakken', schenen ze te zeggen. 'Dat was onvermijdelijk. Jij bent voor ons bestemd. Net als je vader... net als je vader.'

De hitte die in hij in zijn gezicht voelde was verstikkend. Jesse bleef staan.

'Nu niet staan blijven!', gilden de vlammen. Vurige vingers wenkten hem. 'Kom dichterbij, kom, kom...'

Nog een paar stappen. Jesse voelde hoe zijn gezicht gloeide net als na een lange dag in de zon.

Achter hem klonk een stem. 'Het heeft geen zin, jongen. Kom terug! Kom terug!'

Jesse keerde zich om om achter zich te kijken. De mensen van het dorp wenkten hem om terug te komen en riepen dat hij moest vluchten.

De vlammen spraken hun geroep tegen. 'Kom! Kom! Het is je bestemming. Je kunt niet altijd voor ons op de loop gaan.'

Jesse bleef staan, gevangen tussen het geroep van de mensen en het geroep van de vlammen.

Wat zou Truly Noble doen?

Als hij naar het brandende gebouw keek, bestond er geen enkele twijfel over wat Truly Noble zou doen. Hij zou door de vlammen springen, de slechte mannen uitschakelen, Charity Increase in zijn armen nemen en ongedeerd uit het huis komen rennen. Altijd ongedeerd.

'Maar hij is niet echt...', mompelde Jesse. 'Truly Noble bestaat niet echt. Hij kan dergelijke dingen doen en ongedeerd blijven omdat het nu eenmaal een verzonnen verhaal is.'

Jesse deed een paar stappen terug.

'Ja goed. Kom jongen', werd er achter hem geroepen. 'Je hebt je best gedaan. Niemand kan in die vuurzee in leven blijven!'

Wat zou Jezus doen?

De vraag kwam plotseling bij hem op. Molly's vraag. Een vraag die niet op een fictie gebaseerd was, maar op het leven van een werkelijk bestaande man.

Wat zou Jezus doen?

Jesse staarde naar het brandende huis. *Jezus zou het welzijn van anderen boven dat van zichzelf stellen. Jezus zou zijn leven geven om dat van Emily en Molly te redden.*

Jesse rende plotseling naar het huis toe. Hij beschermde zijn gezicht met zijn armen en wierp zich door een raam. Zijn val op de vloer ging gepaard met het gerinkel van glas. Terwijl hij probeerde overeind te komen, voelde hij hoe de glasscherven in zijn armen en benen staken en sneden.

Hij hoorde gehoest. Toen hij overeind gekomen was, zag hij Tykas midden in de kamer staan. Hij hield een stuk hout in zijn ene en een mes in zijn andere hand. Sheriff Clark lag voor hem op de grond. Bewegingloos. Tykas had zich kennelijk net omgedraaid om Logan te lijf te gaan, toen Jesse door het raam gesprongen was. De man stond nu tussen hen in.

Logan schreeuwde tegen Jesse: 'Zorg dat die meisjes hier uitkomen. Ik zorg wel voor Tykas!'

Tykas wilde naar de meisjes lopen. Maar Logan kwam op hem af. Ook Jesse liep op Tykas toe. Om ze beiden in de gaten te kunnen houden, moest Tykas een stap terug doen.

De hitte was ondraaglijk. Jesse kreeg het gevoel dat hij midden in een brandende oven stond. Zijn longen vulden zich met rook en hij begon te hoesten. Logan en Tykas stonden ook te hoesten. Ze waggelden alle drie als in een dronkemansgevecht.

'Pak die meisjes', schreeuwde Logan.

Jesse strompelde naar de meisjes in de hoek en hoestte zonder ophouden.

Tykas probeerde hem nog de pas af te snijden.

Op dat moment deed Logan een uitval naar de man en raakte hem in de zij. Het stuk hout vloog door de lucht, maar hij zag kans zijn mes vast te blijven houden. De twee mannen rolden over de vloer, worstelend om het wapen.

Jesse rende naar de meisjes. 'Molly? Emily? Kom mee!'

Hij hielp hen overeind en terwijl Tykas en Logan aan het vechten waren, bracht Jesse de meisjes door de vlammen heen de deur uit. Toen ze eenmaal buiten waren, werden ze omringd door de dorpsbewoners.

Molly en Emily sloegen dubbel van het hoesten.

Tussen alle gehoest door slaagde Molly erin te zeggen: 'Oliver!'

Jesse had er geen idee van of Oliver dood of levend was.

Clara rende naar haar zoon toe en greep zijn arm. 'Logan! Heb je Logan gezien?'

Jesse knikte hoestend. 'Hij heeft hulp nodig... ga weer terug.'

Eerst weigerde Clara hem los te laten. Jesse keek naar zijn moeder. Haar greep verslapte. 'Breng hem voor mij naar buiten', zei ze.

Jesse rende het brandende huis weer in.

De rook was nu nog heviger geworden. Jesse trok zijn hemd uit zijn broek om zijn mond mee te bedekken. Jesse stapte over de sheriff heen en keek om zich heen om de twee vechtende mannen te vinden. Hij zag ze niet.

Hij zag Tykas bijna te laat.

De man had Logan met zijn rug tegen een in brand staande wand gedreven. Het mes was op Logans buik gericht.

'Tykas!', schreeuwde Jesse.

De man draaide zich vliegensvlug om. Logan probeerde Tykas' mes te pakken te krijgen, maar Tykas was te vlug. Het mes kwam neer en sneed Logans onderarm open.

Maar opnieuw stond Tykas nu tussen twee belagers in. Hij week achteruit.

Zoals twee honden een vos besluipen, benaderde Logan Tykas van de ene en Jesse hem van de andere kant. Tykas zwaaide met zijn mes, eerst naar de een en toen naar de ander. Hij deed nog een stap terug.

Plotseling bezweek de vloerplank waarop Tykas stond en zijn ene voet zakte door de vloer. Hij verloor zijn evenwicht. In een poging om zijn evenwicht weer te vinden, vloog het mes uit zijn hand. Jesse boog zich voorover en raapte het op.

'Het is voorbij, Tykas!', zei Logan.

De man zat met zijn ene voet gevangen tussen de vloerplanken. Hoe hij ook zijn best deed, hij kreeg hem niet los.

Logan liep naar hem toe en stak zijn hand uit om hem te helpen.

Tykas keek naar zijn vroegere compagnon, stak zijn hand uit en pakte die van Logan. Plotseling gaf hij uit alle macht een ruk, waardoor Logan tegen de vloer sloeg. Tykas sloeg zijn arm om zijn nek en probeerde hem te laten stikken.

'Laat hem los!' Jesse richtte zijn mes dreigend op Tykas. Maar hij wist dat hij nooit in staat zou zijn om iemand daarmee te steken en Tykas scheen dat ook te weten.

'Naar buiten', hijgde Logan terwijl hij probeerde los te komen. 'Naar buiten!' Logan beduidde Jesse met zijn ogen dat hij omhoog moest kijken. Hij deed het. Het dak kraakte. Het huis begon in te storten.

'Ik kan je hier toch niet achterlaten', schreeuwde Jesse.

'Weg hier! Naar buiten!'

Op het volgende moment werd de discussie beslist. Het plafond kwam met veel gekraak naar beneden. Jesse voelde hoe hij door de vallende daksparren tegen de vloer werd gedrukt en hij merkte dat ook de vloer het begaf.

Hij was verdoofd, maar het neerstortende plafond had hem niet buiten westen geslagen. Duizelig duwde Jesse alle rommel van zich af, waarbij hij een stuk hout gebruikte om de vlammende rommel opzij te schuiven. Toen hij zich eindelijk bevrijd had, zocht hij naar Logan.

Er kwam beweging in een hoop hout, wat op leven wees. Zo vlug als hij kon, trok Jesse ondanks de hitte, zijn snij- en brandwonden en de rook die zijn longen vulde, de planken opzij om Logan te bevrijden. Hij was in leven en verkeerde in vrijwel dezelfde conditie als Jesse. Hij wankelde, maar alles functioneerde.

In het dak boven hen zat een groot gat. Ieder moment kon er weer een gedeelte instorten.

Samen trokken ze alle rommel van Tykas af. Toen ze probeerden hem overeind te trekken, werkte de man niet mee. Logan boog zich over hem heen. Hij ademde niet meer.

'Laten we de sheriff oppakken en naar buiten gaan', schreeuwde Logan.

'Leeft de sheriff nog?'

'Hij kwam als eerste naar binnen', zei Logan. 'Tykas gaf hem een klap met een stuk hout. Ik denk dat hij alleen maar bewusteloos is.'

Ze sprongen over gaten in de vloer heen en beschermden met hun armen hun hoofd tegen neervallende stukken dakbedekking. Zo kwamen ze bij de deur waar de sheriff naast lag. Samen tilden ze de man op en met vereende krachten slaagden zij erin de man buiten te krijgen juist voor het moment dat de rest van het dak achter hen instortte.

Toen ze buiten in de koele prairielucht kwamen, ging er onder de bewoners van Redemption een gejuich op.

HOOFDSTUK 36

'Ik dacht dat ik je kwijt zou raken', zei Emily.

Ze zat in Molly's huis in de slaapkamer boven naast Jesse's bed. Jesse voelde dat zij zijn hand vasthield.

'Hoe lang heb ik geslapen?', vroeg Jesse.

'Bijna de hele middag.'

Zijn oogleden waren zwaar. Hij gaf eraan toe en hield zijn ogen gesloten.

'Heb je liever dat ik wegga?', vroeg Emily.

'Nee, blijf alsjeblieft.'

Ze kneep in zijn hand. De brand- en snijwonden deden pijn, maar hij gaf er niet aan toe. Het prettige gevoel van haar aanraking was de pijn wel waard.

'Hoe is het met iedereen?', vroeg hij.

'Sheriff Clark heeft een flinke buil op zijn achterhoofd. Logan is er niet slechter aan toe dan jij. Molly en ik moeten nog steeds hoesten.' Als om haar woorden kracht bij te zetten draaide ze haar hoofd af en begon hevig te hoesten. Toen ze zich weer naar hem toekeerde, stonden de tranen in haar ogen. 'Ik kan die rook nog steeds proeven', zei ze.

Jesse moest lachen om de trek van afgrijzen op haar gezicht. Het gevolg was dat ook hij moest hoesten.

'Nou, we vormen wel een goed paar, zeg', merkte Emily op.

'Nu we het daar toch over hebben', zei Jesse, 'ik heb eens nagedacht.'

'O ja?'

'Toen ik dacht dat ik je in die brand zou verliezen... nou ja, ik kon de gedachte dat jij er niet meer zou zijn, niet verdragen.'

Emily's ogen werden vochtig.

'En ik realiseerde mij hoezeer je een deel van mijzelf geworden bent', zei hij. 'En, nou ja, wat ik wil zeggen, is dat ik niet wil dat je naar New York teruggaat. Ik wil dat je bij me blijft... voor altijd.'

Emily glimlachte en huilde tegelijkertijd. 'Jesse Morgan, is dit na al die tijd een huwelijksaanzoek?'

Jesse knikte. 'Wil je met mij trouwen?'

Met gesloten ogen zei Emily: 'Je weet niet hoe vaak ik over dit moment gedroomd heb.'

De warmte en blijdschap die Jesse voelde, overspoelde al de pijn van zijn brand- en snijwonden. 'Emily, ik wil je erg gelukkig maken.'
'Maar ik kan niet met je trouwen, Jesse', zei ze.
Het leek wel of de hele wereld tot zwijgen kwam en of de aarde niet verder draaide. Zijn verbijsterde blik zette Emily ertoe aan om nog eens te herhalen wat ze gezegd had.
'Hoe graag ik ook zou willen, ik kan niet met je trouwen.'
'Waarom niet?', riep Jesse uit.
Emily liet zijn hand los. Haar vingers speelden met een hoek van het beddenlaken toen ze zei: 'Ik ben veranderd. En hoewel ik nog steeds van je houd, houd ik nog meer van mijn Heere. En Hij zegt mij dat ik niet kan trouwen met een man die geen christen is.'
Er klonken voetstappen en Logan en Clara kwamen binnen.
'Nou, het werd tijd dat je wakker werd!', grapte Logan.
Clara lachte. 'Laat je niet voor de gek houden, Jesse. Hij is zelf pas vijf minuten wakker.'
'We hebben jullie iets te vertellen', zei Logan. Hij had zijn arm om Jesse's moeder geslagen. 'Ik heb Clara gevraagd met mij te trouwen.'
'En ik heb ja gezegd', zei Clara blozend.
'Gefeliciteerd!', riep Emily uit. Ze sprong op en omhelsde Clara.
'Eh... ja. Gefeliciteerd', zei Jesse.
Een week later reisde Emily met de trein naar het oosten naar New York. De week daarop nam Jesse afscheid van Molly en sheriff Clark en stapte op de trein naar Denver. Hij werd vergezeld door Woodhull Logan en zijn moeder.

Clara legde haar hand op die van Jesse. Terwijl de trein schommelend zijn weg vervolgde, doemden in de verte de bergen op. Jesse en zijn moeder zaten met z'n tweeën bij elkaar. Logan strekte voorin het rijtuig zijn benen.
'Ik weet dat het moeilijk te begrijpen is, Jesse', zei Clara. 'Maar Emily moest nu eenmaal naar New York terugkeren. Ze moest de dingen met haar familie op een rijtje zetten.'
'Ik zie haar nooit meer terug', zei Jesse neerslachtig.
'Als God het wil, zal je haar weer terugzien.'
Jesse grinnikte sarcastisch. 'Da's wel een goeie als je bedenkt dat het God is die ons uit elkaar houdt.'
Clara sloot haar ogen en zuchtte. 'Jesse, ik ben een erg slechte moeder geweest.'
'Dat moet je niet zeggen. Je hebt je hele leven hard gewerkt om voor mij te zorgen.'

'Ja, ik heb in al je lichamelijke behoeften voorzien, maar niet in je geestelijke. Ik was zo boos op God dat Hij je vader van mij weggenomen had, dat ik je van God weggehouden heb. Dat was verkeerd en ik heb daar erg veel spijt van.'

'Hoe zit dat eigenlijk met het Westen?', zei Jesse. 'Iedereen die ik ken en naar het Westen getrokken is, is plotseling godsdienstig geworden.'

Als Clara al beledigd was door deze opmerking, liet ze dat niet merken. 'Toen ik New York verliet', zei ze, 'was ik boos omdat jij van huis weggelopen was. Maar op de een of andere manier heeft God dit allemaal ten goede gekeerd. Hij bracht ons dichter tot elkaar. Jij bent volwassen en een man geworden. En ik heb Logan gevonden. Maar wat het belangrijkste is, ik heb God weer teruggevonden.'

'Je praat net als Emily.'

'Ja, het Westen heeft iets... wacht, ik heb het overgeschreven.' Clara zocht in haar tas tot ze een stukje papier vond. 'Ik las dit in één van Molly's boeken', zei ze. 'Luister: "In de wildernis leren we wat pionierswerk betekent. In de wildernis leren we wat wijsheid is. Mozes, de Heere Jezus en Paulus leerden die wijsheid in de wildernis. De wildernis is de plaats waar we God kunnen vinden."'

'Ik ben niet naar het Westen gekomen om God te zoeken', zei Jesse.

'Nee jongen, je bent naar het Westen gekomen omdat God jou zoekt. En dat doet Hij nog steeds.'

Toen de trein Denver in Colorado naderde, vertelde Clara Morgan haar zoon het verhaal van de vrouw die op de vlucht was voor de man die haar probeerde te redden.

Jesse luisterde.

'Ik weet het niet', zei Clara. 'Hij wilde het mij niet vertellen.'

Jesse stond voor de spiegel zijn haar te borstelen. Hij bevond zich in een kamer van het pas gebouwde Brown Palace Hotel in Denver. In de lobby van het hotel waren zes balcons boven elkaar te zien met smeedijzeren hekwerk. Het hekwerk was zo gemaakt dat het dansende vrouwen voorstelde. Volgens de hotelbediende die hen naar hun kamer gebracht had, waren twee panelen bewust op zijn kop geplaatst om voor de gasten die in de lobby zaten, een zekere afwisseling aan te brengen. Het plafond in de lobby was van getint glas wat voor een zachte, natuurlijke verlichting zorgde.

'Heeft Logan altijd van die verrassingen?', vroeg Jesse aan zijn moeder.

'Hoe moet ik dat weten. Ik ben pas vijf maanden met hem getrouwd.'

'Het moet een of andere verrassing zijn. Dit is een nogal chique plaats', zei Jesse.

'Ik denk dat het iets met zijn werk te maken heeft', zei Clara. 'Hij heeft je toch verteld dat ze hem afdelingshoofd van de zaak in Denver willen maken?'

Jesse keek verrast op. 'Nee, dat heeft hij mij niet verteld.'

Clara glimlachte. 'Ik denk dat dit er alles mee te maken heeft.'

Jesse legde de borstel neer. 'Nou, laten we proberen erachter te komen', zei hij. Hij trok de deur achter zich dicht en volgde zijn moeder naar de balustrade. Ze bevonden zich op de derde verdieping. Het getinte glas boven hen leek op de koepel van een kathedraal. Maar toen Jesse naar beneden in de lobby keek, zag hij niet de geboende vloer of de Mexicaanse onyx plavuizen. Hij zag vier mensen die naar hem omhoog keken.

'Nee maar, kijk nu eens!', riep Clara uit.

Ook Jesse was zeer verbaasd.

Naast Logan stond Sarah Morgan Cooper. Naast haar stonden een andere man en vrouw die Jesse vaag bekend voorkwamen.

'Dat zijn J.D. en Jenny Morgan', zei Clara tegen Jesse. 'Je oom en tante die je uit de Ohio-rivier gehaald hebben.'

Clara en Jesse liepen naar beneden en sloten zich bij de anderen aan.

'Zo zie je er dus uit als je ogen open zijn', grapte J.D.

Jesse herkende het boek dat hij in zijn handen had. Het was de familiebijbel van de Morgans.

Jenny liep naar Jesse toe en omhelsde hem. 'We zijn zo trots op je', zei ze. Ook Sarah omhelsde hem. 'Om eerlijk te zijn was ik niet eens zo erg verbaasd over alles wat je gedaan hebt', zei ze. 'Ik heb altijd al vermoed dat je daartoe in staat was.'

Clara voelde zich tegenover J.D. en Jenny nogal in verlegenheid gebracht. Met neergeslagen ogen zei ze: 'Ik kan jullie niet zeggen hoe dankbaar ik jullie voor deze gelegenheid ben.' Ze wierp een blik op Logan en glimlachte. 'Het geeft mij de kans om jullie te zeggen hoe zeer het mij spijt dat ik...'

Jenny gaf haar de kans niet om haar zin af te maken door haar te omhelzen. 'Verontschuldigingen zijn helemaal niet nodig', zei ze. 'We zijn familie.'

'Bewaar nog zo'n omhelzing voor mij ook', zei Sarah.

'Jij!' Clara wees met een beschuldigende vinger op Logan. 'Jij hebt dit allemaal geregeld zonder dat ik daar iets van af wist.'

Logan grinnikte en haalde zijn schouders op. 'Waarom ben je zo verbaasd? Je weet toch dat ik in de beveiliging zit.'

J.D. zei: 'Sinds jullie in Denver aangekomen zijn, heeft Logan ons voortdurend op de hoogte gehouden. Hij heeft ons verteld wat er allemaal gebeurd is. En ik kan niemand anders bedenken die met zijn leven zo overtuigend heeft aangetoond dat God in staat is uit alle tegenstand het goede voort te brengen. Ik weet zeker dat Benjamin erg trots op jullie zou zijn geweest.'

Clara sloeg haar arm om Jesse heen en omhelsde hem.

'Tijdens onze reis hierheen', vervolgde J.D., 'moest ik er plotseling aan denken hoe door Benjamins opoffering het zaad geplant werd dat op zekere dag zijn gezin zou redden. In de brand waarbij hij omkwam, heeft hij twee levens gered – Woodhull Logan en Molly Clark. Wie zou hebben kunnen geloven dat diezelfde twee mensen jaren later tot zo'n grote zegen voor zijn vrouw en enige zoon zouden zijn?'

Overal om hen heen werd instemmend gemompeld.

'Maar we zijn hier om een bepaalde reden', zei J.D. Hij hield de familiebijbel omhoog en richtte zich tot Jesse. 'Volgens meneer Logan heb je je leven tijdens de treinreis naar Denver aan Jezus Christus toevertrouwd. Is dat waar?'

'Jawel meneer', zei Jesse.

J.D. glimlachte. 'Dan is het mij een voorrecht om vandaag iets voor je te doen wat mijn vader eens gedaan heeft voor Benjamin, jouw vader...'

'Wacht even!', viel Logan hem in de reden. 'We zijn er nog niet allemaal.'
Hij keek naar de ingang van de lobby. De anderen volgden zijn blik.
In de deuropening stond, in een zwart-zijden japon, Emily Austin. Naast haar stonden haar ouders, Franklin en Eleanor Austin.

Toen de plechtigheid voorbij was, zaten de Morgans, de Logans en de Austins bij elkaar in de elegante lobby van het hotel. Jesse en Emily zaten naast elkaar op een sofa. Jesse had de familiebijbel op zijn knieën. Ze keken beiden naar de namen die op de eerste bladzijde van de Bijbel geschreven waren:

Drew Morgan, 1630, Zacharia 4:6
Christopher Morgan, 1654, Mattheüs 28:19
Philip Morgan, 1729, Filippenzen 2:3-4
Jared Morgan, 1741, Johannes 15:13
Jacob Morgan, Esau's broeder, 1786, 1 Johannes 2:10
Seth Morgan, 1804, 2 Timotheüs 2:15
Jeremiah Morgan, 1833, Hebreeën 4:1
Benjamin McKenna Morgan, 1865, Romeinen 8:28
Jesse Morgan, 1892, Genesis 50:20

'Hij was de piraat', zei Jesse terwijl hij op Jareds naam wees. 'En hij was zendeling onder de Indianen', zei hij op Christophers naam wijzend. 'En dit waren tweelingen, Jacob en Esau.'
'En hij was de knapste van hen allemaal', zei Emily terwijl ze op Jesse's naam wees. Ze boog zich naar hem toe en kuste hem op de wang.
Jesse wilde de Bijbel dicht doen.
'Wacht!', zei Emily. 'Lees mij het vers eens voor dat achter jouw naam staat.'
Jesse zocht Genesis 50:20 op en las: 'Gijlieden wel, gij hebt kwaad tegen mij gedacht; doch God heeft dat ten goede gedacht; opdat Hij deed, gelijk het te dezen dage is, om een groot volk in het leven te behouden.'
'Dat zei Jozef tegen zijn broers nadat ze hem als slaaf naar Egypte hadden verkocht', zei Emily.
Jesse was verbaasd. 'Jij hebt je Bijbel goed bestudeerd, zeg!', zei hij
'Mag ik uw aandacht vragen!' J.D. bracht de gesprekken om hem heen tot zwijgen. 'Ik heb nog een plicht te vervullen, een plicht die ik eveneens een groot voorrecht acht', zei hij. Hij beduidde dat iedereen om hem heen moest komen zitten. 'Maakt u het zich gemakkelijk. Iedere volgende kee

dat dit gebeurt, neemt het wat meer tijd in beslag.'

'Waarschijnlijk omdat het verhaal iedere keer een beetje wordt aangevuld en opgesmukt', zei Sarah.

Iedereen lachte.

'Aardig hoor', zei J.D. 'En dat nog wel van een vrouw die zelf verhalen verzint en er nog geld aan verdient ook.'

Toen iedereen was gaan zitten, nestelde Emily zich in Jesse's arm.

'Je mag hem niet te erg afleiden, hoor', zei J.D die het zag. 'Er komt een dag dat hij dit zelf zal moeten doen.'

Emily keek naar Jesse en gaf hem een knipoog.

J.D. Morgan schraapte zijn keel. 'Laat ik u vertellen dat dit een groot voorrecht voor mij is', zei hij. 'Ik werd ooit opgevoed voor dit moment. Maar toen brak de burgeroorlog uit en veranderde alles dramatisch. In Gods wijsheid was ik niet in staat kinderen te krijgen, maar ik kreeg wel een oudere broer. En door zijn vroegtijdig verscheiden moet ik nu doen wat ik altijd gedacht had eens te moeten doen. Het verhaal vertellen van de Morgans. Dit is onze geestelijke erfenis. Een erfenis die begon met Drew Morgan en die nu via Jesse wordt doorgegeven.'

J.D. pauzeerde even. Toen hij vervolgens weer sprak klonk er eerbied door in zijn stem.

'Het verhaal begint op kasteel Windsor', zei hij, 'de dag waarop Drew Morgan bisschop Laud ontmoette. Want vanaf die dag ging zijn leven bergafwaarts...'

Het was laat. Alle anderen waren al naar bed gegaan. Jesse en Emily hadden de lobby voor zichzelf.

'Ik kan het maar niet geloven', zei Jesse. 'Toen ik vanmorgen opstond, had ik er geen idee van dat dit allemaal zou gebeuren.'

'Logan is een bijzondere man, vind je ook niet?', zei Emily. 'Hij past helemaal in de familie.'

'En dan te bedenken dat jij hem in Redemption liet arresteren', zei Jesse.

Emily maakte zich los uit zijn omarming en gaf hem een stomp.

'Die zal ik wel verdiend hebben', zei Jesse terwijl hij over de geraakte plek wreef. 'O ja, tussen haakjes, als je terugkomt in New York, ligt er een brief op je te wachten. Ik heb hem twee dagen geleden op de post gedaan.'

'Staat er nog iets belangrijks in?', vroeg Emily.

Jesse schudde zijn hoofd. 'Alleen maar dat hier nooit iets te beleven valt.'

Emily lachte.

Jesse keek naar haar. Hij herinnerde zich het moment dat hij voor het eerst zo dicht bij haar was geweest. Ze was bovenop hem gevallen bij de poort in die steeg, terwijl ze het politiefluitje nog in haar mond had. Evenals toen was hij ook nu verrukt van haar grote ogen en zachte huid.

'Waar kijk je naar?', vroeg Emily.

Jesse antwoordde door zich naar haar toe te buigen. Hun lippen raakten elkaar.

'Emily?', zei hij.

'Hmmm?' Ze hield haar ogen gesloten.

'Trouw met me.'

Nu deed ze haar ogen open. Ze stonden vol tranen. 'Ik dacht dat je dat nooit zou vragen', zei ze.

Ze zaten meer dan een uur op de sofa in de lobby van het Brown Palace Hotel en genoten van hun liefde voor elkaar en van elkaars nabijheid.

'Ik denk dat het tijd wordt dat we de anderen op de hoogte brengen', fluisterde Emily.

'Later', zei Jesse en hij kuste haar opnieuw.

NAWOORD

In het midden van de negentiende eeuw voorspelde een regeringsambtenaar dat er minstens vijfhonderd jaar voor nodig zouden zijn om het Westen volledig te ontsluiten. Aan het einde van die eeuw was dat echter al het geval. Het verhaal over Jesse Morgan speelt zich af tegen deze snelle ontsluiting, waarbij de pioniers het Westen in bezit namen.

Voor dit verhaal in de serie 'Amerikaanse familieportretten' heb ik met opzet voor de nadagen van de ontsluiting van het Westen gekozen, omdat ik de snelle veranderingen wilde laten zien die aan het einde van de negentiende eeuw plaatsvonden. Enerzijds waren nieuwe technische ontwikkelingen vrijwel aan de orde van de dag. Ossenwagens maakten plaats voor stoomboten, die op hun beurt weer het veld ruimden voor de spoorwegen. Stoomkracht werd vervangen door electriciteit. Allerlei uitvindingen veranderden het dagelijkse leven. Door de typemachine gingen vrouwen aan het arbeidsproces deelnemen als nooit te voren.

Maar voor al die technische vooruitgang betaalden we een prijs, maar al te vaak in de vorm van mensenlevens. De eerste hoofdstukken in dit boek maken maar nauwelijks duidelijk hoe de situatie in de huurkazernes was. Degenen die hierover meer willen weten, raad ik de geschriften en foto's van Jacob Riis aan, die het leven in de huurkazernes in al zijn gruwelijke details beschrijft. De omstandigheden waaronder de huurders leefden bracht een waarnemer ertoe te klagen:

O God! Dat brood zo duur is,
En vlees en bloed zo goedkoop!

Gedurende deze tijd werden de arbeidsvoorwaarden verbeterd en wettelijk vastgelegd. De arbeidssituatie in de glasfabriek vormde echter in die tijd voor veel kinderen die in de achterbuurten van oostelijk New York woonden, nog een vast onderdeel van hun leven.

Ik heb de tegenstelling tussen deze overbevolkte huurkazernes en de uitgestrekte prairies van Kansas proberen weer te geven. De pioniers die naar het Westen trokken waren in het algemeen mensen die in het Oosten geen bestaan meer vonden, en ze kwamen terecht in een hun volkomen vreemde omgeving. De mensen die wij nu de pioniers noemen, kwamen op de prairie niet plotseling als zonnebloemen tevoorschijn. Door in het Westen een harde leerschool te doorlopen, zagen ze kans te overleven.

In New York en omgeving ontstond een steeds grotere tegenstelling tussen klassen, die onder andere tot uiting komt in de woonomgeving waarin Jesse en Emily opgroeiden: hij in een huurkazerne en zij in een villawijk.

Sarah Morgan Cooper en haar vijfstuiverromans waarin Truly Noble de hoofdrol speelt, zijn fictief. Maar haar verhalen staan model voor de vijfstuiverromans die toen veel werden gelezen. Nellie Bly is echter een historische figuur. Haar op onderzoek gebaseerde reportages en haar reis om de wereld fascineerden de natie.

Hoewel de raderboot, de *Tippecanoe,* en zijn kleurrijke kapitein, Louis Lakanal, verzonnen zijn, zijn zijn karakter, de wedstrijd tussen de raderboten en Lakanals klaagzang over de neergang van deze romantische transportmethode op feiten gebaseerd.

De verhalen over Mike Fink zijn aan de legende over hem ontleend. En de wens van Richard Tykas om een utopische nederzetting te stichten, is gebaseerd op de historische Oneida Gemeenschap in de staat New York van de Putney Perfectionisten.

In de tijd waarin dit verhaal zich afspeelt, was het wilde Westen waarnaar Jesse zo verlangde – wagenkaravanen van honderden ossenwagens, aanvallen door Indianen, cavaleriecharges – grotendeels geschiedenis geworden. Het Santa Fe Spoor en het Oregon Spoor hadden plaatsgemaakt voor spoorwegen. Sommigen, zoals de fictieve Watermans, gaven er nog steeds de voorkeur aan om per ossenwagen naar het Westen te trekken, met name als het transport van hun goederen nogal prijzig was, zoals in dit geval de medicijnen van Waterman. Het tragische ongeluk, waarbij een dochter van Waterman het leven verloor, berust op een echt gebeurd voorval.

Pawnee Rock en Fort Larned zijn werkelijk bestaande plaatsen die ook nu nog bezocht kunnen worden. Terwille van het verhaal heb ik het militaire functioneren van Fort Larned met een paar jaar verlengd.

Het gedicht van Francis Thompson, 'Hound of Heaven', verscheen in gedrukte vorm pas in 1893, maar omdat het duidelijk betrekking op die tijd heeft en het goed in het verhaal past, heb ik dit een paar jaar vervroegd.

Redemption is een fictieve plaats, evenals al haar inwoners en bedrijven. Het staat model voor al die plaatsen die zo veelvuldig op de prairies voorkwamen. Het reizen per emigrantentrein is gebaseerd op historische gegevens.

In het bijzonder wil ik Ken en Jan Miles bedanken, die mij een be chrijving gaven van een bijeenkomst in een schuur in Paso Robles in Californië. Hun verhaal bracht mij ertoe een beschrijving te geven van het loor Elijah Zimmerman georganiseerde feest in Redemption.

Het Brown Palace Hotel tenslotte bestaat werkelijk en is gelegen op de ioek van Broadway en de 17e Straat in Denver. Bezoekers kunnen nog teeds de sierlijke smeedijzeren balustraden bekijken, evenals de koepel van etint glas die een vervanging van het origineel is. Het is een mooie mgeving om er op een middag een kopje thee te gaan drinken.

ack Cavanaugh
San Diego, 1996